Дарья ДОНЦОВА

Записки безумной оптимистки

АВТОБИОГРАФИЯ

ЭКСМО

• • •

"Записки безумной оптимистки"

«Прочитав огромное количество печатных изданий, я, Дарья Донцова, узнала о себе много интересного. Например, что я была замужем десять раз, что у меня искусственная нога... Но более всего меня возмутило сообщение, будто меня и в природе-то нет, просто несколько предприимчивых людей пишут иронические детективы под именем «Дарья Донцова».

Так вот, дорогие мои читатели, чаша моего терпения лопнула, и я решила написать о себе сама».

Дарья Донцова открывает свои секреты!

Читайте романы
примадонны иронического детектива
Дарьи Донцовой

Дарья Донцова

Созвездие жадных псов

Москва
ЭКСМО
2004

ИРОНИЧЕСКИЙ ДЕТЕКТИВ

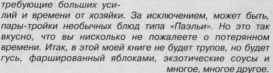

ГЛАВА 1

Ласковое летнее солнышко заглянуло в окно. Я чихнула и сладко потянулась в кровати. Как хорошо, что сегодня нет дождя, и как хорошо, что мы наконец перебрались на дачу. Можно не торопиться вставать, Кирюшка и Лиза закончили учебный год, и в школу им не надо. Во дворе, радостно лая, носились наши собаки. Вот уж кому отлично в Подмосковье, так это детям и животным, раздолье, гуляй — не хочу. Но отчего-то ребята сидели в доме, на первом этаже. Я слышала громкий голос Лизы:

— Кирилка — дурилка!

— Сама такая, — огрызнулся мальчик.

— Кирилл — дебил!

Послышался грохот, очевидно, мальчишка кинулся на обидчицу, но девочка ловко выскочила в окно и заорала уже со двора:

— Кирюшка — хрюшка, Кирюшка — говнюшка!

Кирилл высунулся в окно и решил достойно ответить:

— Лиза... Лиза... Лизавета...

— Ну, чего? — подпрыгивала вредная девчонка. — Обломалось? Что — Лиза? Ну, давай!

— Да, — заныл Кирюшка, — к твоему имени ничего не придумаешь, сложно очень!

— Вот и хорошо, — заявила девица, — зато с твоим такие рифмы получаются! Кирюшка — соплюшка, Кирка — дырка, Кириотто — идиотто...

— Ну погоди, — пригрозил окончательно выведенный из себя мальчик, — получишь!

— Догони сначала, — хмыкнула Лизавета и, вскочив на велосипед, вылетела за ворота, распевая во все горло:

— Вот кто-то с горочки спустился, наверно, Кирочка идет, на нем слюнявчик и штанишки, ах, он с ума сейчас сойдет!

Кирилл выбежал во двор и горестно вздохнул. Обидчица была намного проворней. К тому же и велосипед благополучно переночевал у крыльца, а Кирюшка загнал своего железного коня в гараж, и теперь ему предстояло открывать замок, раскрывать ворота — целое дело.

Я высунулась из окна и увидела его растерянную физиономию.

— Не расстраивайся так, дружочек, еще поймаешь!

Кирюшка поднял вверх голову и сердито ответил:

— Все ты виновата, разрешаешь Лизке безобразничать, говоришь, девочкам уступать надо... И чего вышло из хорошего воспитания-то? Одна глупость. Вот наподдать ей пару раз по шеям, живо заткнется!

— Мужчина не имеет права бить женщину!

— Глупости, — фыркнул Кирюша, — сейчас все равны. А она имеет право дразниться? Что-то в твоих рассуждениях не так. И вообще, тебя воспитывали слишком давно, тогда даже компьютера не было, а ведь дети теперь другие. Вот найду Лизавету и ухи оборву.

— Ты ее сначала поймай, — хихикнула я и пошла завтракать.

Кирюшка находится в том славном периоде, который ученые-психологи называют красивым словом «пубертат». А если попроще — это время редкостной подростковой вредности, когда еще не оперившийся птенец хочет получить взрослые права, обладая привилегиями ребенка. Правда, на Кирюшку грех жаловаться — он не курит, не пьет, не употребляет наркотики и не нюхает клей. Просто порой с ним невозможно договориться, и он нагло требует объяснения всем моим запретам. Нельзя до четырех утра смотреть видик. Почему? Каникулы ведь, завтра посплю до обеда. Не надо начинать день с шоколадки, лучше съесть овсянку. Это еще что за дурь! Живот заболит? Так он мой, я его хозяин, поболит и успокоится. Не следует ходить под проливным дождем без куртки! Вот уж глупость так глупость! Подобные идиотства приходят в голову только ненормальным тридцатилетним старикам.

Впрочем, у Лизаветы тоже свой набор «приятных» возрастных особенностей. По пять раз на дню она переходит от слез к хохоту и может три часа провести у зеркала, меряя наряды. Наконец, когда гардероб исчерпан, последняя тряпка с воплем зашвыривается под стол, а Лиза громко стонет:

— Ужас, я жирная, мерзкая корова, волосы торчат в разные стороны, а глазки как у поросенка. Фу, просто повеситься хочется.

К слову сказать, она вполне симпатичная девочка и лет через пять обязательно превратится в лебедя. Но пока это гадкий утенок, у которого, впрочем, полностью отсутствуют терпение и смирение.

Несмотря на то что Лиза и Кирилл живут в одной семье, они не близнецы, не двойняшки и даже не родственники. Мы просто живем все вместе, а я им не мать, вернее, не я их родила.

Кирюша — сын моей ближайшей подруги Катюши. Катюша работает хирургом, у нее есть еще один сын — двадцатипятилетний Сережа. Сережа женат, и он, и его супруга Юлечка живут вместе с Катериной в Америке, где подруга работает по контракту в госпитале. Кирюшка остался со мной.

Я не буду утомлять вас долгими подробностями того, почему мы с Катей живем вместе. Своей семьи у меня нет, я в разводе, а детей не получилось, так что Кирюша и Лизавета — мои единственные чада.

Лиза оказалась у нас случайно. Ее отец, известный писатель Кондрат Разумов, трагически погиб, а мать отказалась от девочки еще в младенчестве. Я же работала у Разумова экономкой, и как-то так вышло, что Лизавета осталась со мной. Преодолев всевозможные трудности, я сумела оформить опеку над девочкой, и наше щедрое государство платит мне целых сто восемьдесят рублей в месяц. Считается, что на эти деньги я прокормлю, одену и выучу сироту. Но мы не горюем. Во-первых, Катюша и Сережа зарабатывают в Майами столько, что нам всем хватит с лихвой. Во-вторых, я, не желающая сидеть ни на чьей, даже очень дружеской шее, работаю. Надо признаться, что со службой у меня постоянно происходят казусы. К сожалению, я обладаю редкой, но абсолютно ненужной в наше время профессией арфистки. Но господь не дал мне таланта, и карьера музыканта не удалась. А больше я ничего делать не умею, кроме одного — читать детективы. Наверное, у меня как-то по-особому сконструированы мозги, потому что преступника я вычисляю сразу, на первых сорока страницах.

Однако весной этого года мне повезло. Встретила случайно в метро сокурсника по консерватории Диму Ковалева. Он тоже не сделал музыкальной карьеры. Димка — скрипач из третьесортных, не Владимир Спиваков. Обрадовавшись нечаянной встрече, мы сели на скамеечку, и Дима с горечью поведал:

— Ну ты не поверишь, чем я занимаюсь. Вместе с Ванькой Лыковым и Ленкой Медведевой играем на свадьбах и всевозможных тусовках. Помнишь Ваньку и Ленку?

Я кивнула. Мы обменялись телефонами и расстались, но через неделю Димка позвонил и взмолился:

— Помоги, Романова! Ленка замуж вышла и уехала из Москвы в Германию, будь другом, а?

— Чего надо-то?

— Ну поиграй с нами недельку, пока кого отыщем, заказов набрали на месяц вперед, выручи, сделай милость.

— Да зачем вам арфа?!

— И впрямь ни к чему, — вздохнул Ковалев, — на синтезаторе сможешь?

— Ну, если порепетировать...

— Давай, давай, — ответил Димка, — пятьсот баксов запросто настукаешь, нас хорошо знают, клиентов море.

Я согласилась и теперь таскаюсь с парнями. «Джаз-банд» наш состоит из гитары, саксофона и «Ямахи». Честно говоря, звуки, льющиеся с эстрады, ужасающи. Медведь, мартышка и кто-то там еще, решившие составить квартет, явно играли лучше нас. Но наши клиенты мало что смыслят в музыке. На свадьбе, как правило, требуется вначале громко сыграть марш Мендельсона, который в переложении на наши инструменты звучит весьма оригинально, а потом все быстро бегут за стол, напиваются и начинают плясать под любую музыку. Главное, знать три народных хита — «Мурка», «Калина красная» и «Зайка моя». Остальное никого не волнует. Народ частенько просит:

— Быстренькое давай, чтоб попрыгать.

Или наоборот:

— А медленно могете?

Мы «могем», клиенты довольны и передают Димин телефон по эстафете. Мне даже нравится эта работа. Кругом веселые лица, и нас всегда хорошо угощают. Одна беда, Ванька и Димка большие любители выпить, и приглядывать за ними надо вовсю. Один раз мне пришлось в одиночку солировать, слушая мощный храп других оркестрантов, свалившихся прямо на пол. Правда, гости на свадьбе, бывшие в том же состоянии, так и не поняли что к чему.

Дача, на которой мы сейчас живем, принадлежала еще моим родителям. Место чудесное — Алябьево, всего в двадцати минутах езды от Москвы. К нам домой от дачи доехать быстрее, чем из какого-нибудь Теплого Стана или Северного Бутова.

Дом отличный, комнат много, горячая вода, газ, ванна, туалет и даже телефон. Мой отец был крупным ученым, работал на военно-промышленный комплекс — занимался ракетостроением. Как доктор наук и академик, он имел право на государственную дачу, и моя мама, певица, долго отговаривала папу от строительства собственной фазенды, но отец, тихий, какой-то незаметный в семейной жизни человек, на этот раз перекричал маменьку, певицу, обладавшую на удивление громким голосом.

— Не говори глупости, — вспылил он, — девочка растет, вот умру я, и вас с казенных метров наутро турнут, а так ребенку дом останется.

Мама фыркнула:

— Мы проживем до ста лет и скончаемся в один день.

Но, к сожалению, прав оказался папа, он ушел из жизни рано, впрочем, многие его коллеги тоже. Их вдовы иногда приезжали в Алябьево, пили чай на круглой веранде и вздыхали:

— Все-таки Андрей — умница, вперед смотрел, нас-то давно погнали, негде и отдохнуть.

У Алябьева масса достоинств. Чудесный воздух, речка, городские условия... К тому же отец мой, хоть и ученый, имел в шкафу генеральскую форму, а Никита Сергеевич любил военных и своих любимцев не обижал. Поэтому участки у нас гигантского размера, честно говоря, мы и сами не знаем, что в конце, просто ни разу не доходили до забора. Ближайшие соседи — генералы Рябов и Соколов — живут вроде рядом, но нам не видно даже света от их особняков.

Всем хорошо Алябьево, но есть у него один недостаток. Электричка доезжает только до Переделкина, дальше можно на маршрутном такси или автобусе добраться в писательский городок, а уж от него приходится топать пешком через лес и поле. Ей-богу, из Москвы добираться быстрей, чем бежать от станции к даче. Писателям повезло, их дома тянутся невдалеке от дороги, и любая попутная машина с радостью подвозит их за копейки. В сторону дач военных автомобили редко ездят. Впрочем, у Кати и Сережи есть свои машины, но я не умею водить, хотя сегодня у меня знаменательный день. Ровно в пять часов вечера я должна впервые сесть с инструктором за руль. Надо же в конце концов научиться.

Зевая, я сползла вниз и принялась пить кофе. Кирюшка мрачно смотрел телевизор.

— Иди погуляй.

— Не хочу, — огрызнулся он.

Тут примчалась Лизавета, вместе с ней Костя Рябов, и мучение Кирюшки возобновилось. Как только они его не обзывали. Я даже вынуждена была заступиться за бедного мальчика:

— Прекратите издеваться над Кирочкой.

— Ой, — взвизгнула Лизавета, — прикол, Кирочка! Вот класс, в голову не пришло! Иди сюда, Кирочка, завяжем бантик.

— И юбочку нацепим, — залился хохотом Костя.

Внезапно Кирюшка побагровел, подскочил на стуле и треснул кулаком по столу. Из чашек выплеснулся чай и растекся по клеенке.

— Хватит, надоели! И впрямь имя-то у меня дурацкое. Пришла же маме в голову идея. Одного ребенка нормально назвала — Сережа, а другого по-кретински обозвала!

— Очень даже красиво, — попыталась я исправить ситуацию, — Кирилл и Мефодий азбуку придумали...

— Мефодий, — заржал Костя, — сейчас умру.

— Знаешь, Лампа, — пробормотал Кирюша, — иногда лучше жевать, чем говорить.

— Но живу же я со своим именем и ни на кого не обижаюсь, — не сдавалась я.

Дело в том, что меня зовут Евлампия. Вернее, родители дали мне имя Ефросинья, и в детстве я натерпелась еще больше Кирюшки. В классе сидело штук пять Лен и столько же Наташ. Кстати, во всей школе не было девочек с именем Фрося. Да что там школа, не нашлось ни одной тетки даже в консерватории, а у нас там было предостаточно чудаков. Имя не нравилось мне до зубовного скрежета.

На первом курсе нас отправили в колхоз и расселили по избам. Каждое утро, около шести, наша хозяйка выходила во двор и орала как оглашенная:

— Фрося, Фрося, Фрося...

В первый раз я, услыхав вопль, мигом вылетела из комнаты:

— Что случилось?

— Ничего, — ответила баба.

— Но вы же звали: Фрося, Фрося...

— Ну и что? Козу кликаю, выгонять надо, пастух идет...

Мучения мои продолжались и тогда, когда началась концертная деятельность. Стоило конферансье завести:

— А сейчас на сцену приглашается молодая, но очень талантливая артистка с чудесным русским именем Ефросинья. Фрося...

Зрители, отлично помнившие одну из самых смешных советских комедий, как правило, начинали выкрикивать:

— Бурлакова! Фрося Бурлакова!

И начинался хохот, попробуйте сыграть после этого серьезное произведение! Да все ждали, что я сейчас пущусь вприсядку вокруг арфы.

В конце концов я обозлилась, решила начать жизнь сначала, убежала от нелюбимого мужа и заявила Кате, Сереже, Юле и Кирюше, что меня зовут... Евлампия. Уж не знаю, почему на ум взбрело это имечко. Теперь домашние зовут меня Лампа, Лампочка, Лампец, Лампидудель... Но отчего-то глумление совершенно меня не трогает, может, я просто повзрослела? Или, вернее, состарилась. Так что Кирюшу я понимаю очень хорошо.

— Кирочка-дырочка, — пропела Лиза.

Кирилл побагровел, встал и категоричным тоном заявил:

— Все! Меняю имя!

— Как? — удивилась я.

— Так, — ответил мальчишка, — вот паспорт получу и назовусь...

— Ну, — хором спросили мучители, — как? Как?

Кирюшка выпалил:

— Ричард! И имейте в виду, теперь я буду откликаться только на это имя. Ричард, и точка.

— Львиное Сердце, — пробормотала я.

— Именно, — обрадовался Кирилл, — Ричард Львиное Сердце!

В этот момент зазвонил телефон. Я схватила трубку.

— Алло!

— Ой, Лампочка, — забубнила наша близкая приятельница Алина, — как здорово, что застала тебя, будь другом, помоги.

— Что надо делать?

— Машку, балбеску, перевели в музыкальной школе в третий класс только с условием, что она за лето ответит на тест, причем правильно. Но ей, сама понимаешь, этого никогда не сделать. Там такие вопросы! Дайте определение гармонии! Ну за каким чертом современным детям знать о гармошке!

— Гармония — это не гармонь, — попыталась я объяснить Алине.

— Один шут, будь человеком, помоги. Давай сегодня в пять встретимся у метро «Динамо», где выход к рынку.

— Не могу, у меня занятия, лучше завтра.

— Так мы сегодня в Турцию улетаем! — заорала Алина. — Я думала, по дороге в Шереметьево отдам, ну тебе же удобно на «Динамо»!

— Ты забыла, что звонишь на дачу?

— Отмени занятия.

— Не хочу, — разозлилась я, — абсолютно не желаю.

— Вот ты какая, — заныла Алина, — Машку из-за тебя выпрут!

Я хотела было достойно ответить на этот выпад. Ленивой Маше следовало исправно посещать занятия и внимательно слушать педагогов. Музыка, как, впрочем, математика и русский, требует усидчивости, аккуратности и умения концентрироваться. Но с языка неожиданно сорвалось другое:

— Ладно, сейчас придумаем выход. Вот что, за тестом приедет Кирюшка. Ты его помнишь?

— Последний раз пять лет тому назад видела. Во что он будет одет?

— Голубые джинсы, футболка со словом «Адидас», кроссовки, а на голове кепочка-бейсболка. Он не очень высокого роста, примерно с меня, волосы светлые, глаза голубые.

— Ага! — обрадованно воскликнула Алина. — А я буду в такой индийской коричневой юбочке, ну знаешь, повсюду продают, и в бежевой кофточке!

— Ладно, я ему скажу: стройная шатенка, в...

— Я уже неделю блондинка, — перебила Алина.

— Хорошо.

— Знаешь, — верещала подруга, — я возьму в руки белый конверт с тестом. Только пусть Кирилл не опаздывает.

Я шмякнула трубку на аппарат и крикнула в окно:

— Кирюша!

Мальчик, возившийся у велосипеда, даже не поднял головы.

— Кирка!

Без ответа.

— Ты оглох, Кирилл?

Ноль внимания.

О, черт, совсем забыла:

— Ричард!

Он спокойно ответил:

— Слушаю.

— Иди сюда быстро.

Кирюшка медленно вытер руки и пошел в дом, сохраняя полное спокойствие.

ГЛАВА 2

Инструктором оказался парень лет двадцати пяти, длинный и худой. Когда я втиснулась в «Жигули» и уцепилась за руль, он со вздохом поинтересовался:

— Теоретический курс прослушали?

— Да.

— И что помните? Ну, под капотом что?

— Мотор.

— Хорошо, а если поподробней?

— Аккумулятор, радиатор и вентилятор.

Инструктор секунду смотрел на меня, потом хмыкнул:

— Ладно. Значит, вот там внизу три педали — газ, тормоз и сцепление. Сейчас потихонечку...

Я внимательно слушала парня.

— Давай, — велел он, — начинай.

Я старательно выполнила предложенные действия: выжала до упора сцепление, включила скорость, поднажала на газ... Машина прыгнула вперед и моментально заглохла.

— Аккуратней, — велел учитель, — рывком не отпускай педаль. Начинай по новой.

Раз пятнадцать я пыталась тронуться с места, потом вдруг «жигуленок» покатил вперед, но не прямо, а вихляя из стороны в сторону.

— Она меня не слушает, — прошептала я, — вправо уезжает!

— Не бойся! — одобрил инструктор. — Рулем особо не крути и не сиди как статуя, откинься на сиденье, расслабься, получай удовольствие.

Ну не идиот ли? Как можно получать удовольствие от вырывающейся из рук машины?

На дачу я вернулась потная и злая, с дрожащими коленями. Да мне никогда не научиться! Катюша, Сережка и Юлечка так ловко отъезжают и быстро катят по шоссе.

Кирюшка пил чай на веранде.

— Кирилл, принес? Давай!

Мальчик спокойно начал накладывать в чашку варенье.

— Ричард, отдай конверт!

Кирюшка взял с подоконника белый пакет и протянул мне:

— На.

Я пощупала пакет. Да, послание довольно пухлое, небось в мерзком тесте тысяча вопросов! Хорошо, если я все ответы знаю! А то ведь придется ехать на городскую квартиру за музыкальной энциклопедией!

Со двора послышался дикий грохот и многоголосый лай. Я высунулась в окно и всей грудью вдохнула аромат бурно цветущего возле террасы жасмина.

Лиза ехала на велосипеде по дорожке, ведущей от гаража к воротам. К багажнику «Аиста» была привязана длинная веревка, на конце которой болталась довольно толстая морковка. Наша собачья свора с оглушительным лаем неслась за велосипедом.

В нашем доме живут сразу четыре собаки. Две мопсихи, Муля и Ада, стаффордширская терьерица Рейчел и двортерьер по кличке Рамик. В свое время мы с Лизой нашли его в сугробе, в пакете из супермаркета «Рамстор», отсюда и имя. Псы живут дружно, не обижают трех кошек: Клауса, Семирамиду и Пингву. Последняя в раннем детстве из-за необычного черно-белого окраса была наречена Пингвином. Но по прошествии времени мы разобрались, что это дама, то есть Пингвинка. Имя менять не стали, зовем ее теперь просто Пингва. Дополняет зоопарк жаба Гертруда, меланхолично поглядывающая на всех из просторного аквариума.

В городской квартире животные ведут себя прилично, но на даче, на свежем воздухе, да еще когда перед носом мелькает сочная морковка...

Я села в кресло и разорвала конверт. Ну, посмотрим, что там.

На колени выпали фотографии и... деньги. Недоумевая, я пересчитала купюры — ровно две тысячи долларов. На снимках был запечатлен холеный мужчина, настоящий барин. Гладкое, чисто выбритое лицо с полными щеками и оттопыренной нижней губой. Из-за того, что уголки рта слегка загибались вниз, казалось, что мужик чем-то недоволен. Большие карие глаза смотрели строго, нос был почти совершенной формы. Беда произошла лишь с воло... Честно говоря, их совсем не было. Вот только не... нятно — он лысый или бреет голову? Хотя, чтобы д... биться столь гладкой поверхности, ее нужно часто и щедро мазать депилятором. Небось богатый человек, голова у него явно больше шестьдесят восьмого размера, уйдет целых два тюбика по 150 рублей штука.

Фотографий было три. На одной мужик стоял возле машины, роскошно блестевшей лаковыми боками иномарки черного цвета. На другой он явно был запечатлен в ресторане. Во всяком случае, в объектив, кроме его улыбающегося, самодовольного лица, попал и стол со всевозможными яствами, а где-то на заднем плане маячил официант с салфеткой. Третий кадр был сделан у дома, явно загородного. Вокруг зеленые деревья, а сам хозяин облачен на этот раз в простые шорты и майку. Правая рука цепко держала теннисную ракетку. Скорей всего мужик взял ее просто для антуража. С таким животом за мячиком не побегаешь.

Я растерянно осмотрела добычу. А где же текст?

— Эй, Кирюшка, то есть Ричард, ну-ка расскажи, как ты поговорил с Алиной! — крикнула я в окно.

Мальчик с шумом влетел на веранду, схватил грушу и, откусив большой, исходящий соком кусок, ответил:

— А мы и не разговаривали совсем.

— То есть как? — не поняла я. — Давай в подробностях.

Кирюшка тяжело вздохнул и рассказал следующее.

Приехал он на «Динамо» без десяти пять, но тетенька в коричневой юбке и желтой блузке уже ходила с конвертом в руках между колонн. Не успел Кирюша приблизиться, как женщина быстрым шагом подлетела к нему и нервно спросила: «Ричард?» — «Да», — ответил Кирюшка. «Держи», — сказала тетка и сунула ему пакет. И все.

— Как — все?

— Так, — пожал плечами мальчик, — потом она ушла в метро.

— В метро?!!

— А чего странного? Я за ней побрел, только она в сторону центра села.

— Ты узнал Алину?

Кирилл покачал головой:

— Не-а. Я ее последний раз жутко давно видел. Помню только, худая такая, вроде темная. Но ты же сказала, что она блондинка?

— Она перекрасилась.

— А-а, понятно, — протянул Кирка, — такая и стояла, светлая, в коричневой юбке, как у тебя, в желтой кофте и с конвертом. И потом, она же меня первая окликнула: «Ричард!»

Я мрачно смотрела в окно, если не ошибаюсь, сейчас зазвонит телефон. И точно, словно подслушав мои мысли, аппарат затренькал. Визгливым голосом Алина противно затараторила:

— Нет, как не стыдно! Он так и не пришел! Прождали его полчаса, чуть на самолет не опоздали! Как ты могла?!

— А ты где стояла?

— Ка́к — где? — возмутилась Комарова. — У выхода к рынку! Там крутились какие-то мальчишки в джинсах, я от отчаяния всех спрашивала, как их зовут, но ни одного Кирилла не было. Что теперь делать прикажешь? Машка из-за тебя на второй год останется.

— Насколько я помню, в Шереметьеве есть почта.

— Ну!

— Отправь текст бандеролью, пиши адрес.

— От тебя офигеть можно! — вскинулась Алина. — Диктуй скорей!

После разговора я опять высунулась в окно и поинтересовалась:

— Эй, Львиное Сердце, ну-ка припомни, у какого выхода ты встречал Алину?

— У того, где ты сказала! — крикнул Кирюша. — Вышел из последнего вагона!

— Но к рынку надо ехать в первом!

— При чем тут рынок? — изумился Кирка. — Ты сказала, встретишь Алину у колонн, только не иди к рынку.

Я закрыла окно и в растерянности села на диван. Так, все понятно. Кирюшка, как всегда, напутал, а незнакомая женщина ошиблась. Интересно, сколько подростков было там сегодня в голубых джинсах, футболках с надписью «Адидас» и бейсболках? И у скольких москвичей в гардеробе болтается коричневая юбка из марлевки, сделанная в Индии? У меня и у Кати есть такие, да на улице каждая пятая женщина носит нынешним жарким летом этот замечательно дешевый прикид. А поскольку, юбочка имеет цвет молочного шоколада, то к ней изумительно подходит вся гамма солнечных тонов: от светлого беж до насыщенного оранжевого. А Кирюшка не слишком разбирается в оттенках, ему, честно говоря, все равно — колер топленого молока или окрас перезрелого лимона. И ту, и другую вещь он, не мудрствуя лукаво, назовет желтой.

Таким образом, можно считать, я разобралась, почему произошел этот инцидент. Но дама окликнула мальчика по имени, сказала: «Ричард!»

Вот уж странно, так странно! Ладно бы дело происходило в Лондоне, а не в Москве! У вас есть хоть один знакомый Ричард? У меня нет. Ну не ходят Ричарды стаями по московским улицам, хотя, наверное, кто-то из наших сограждан все же носит это славное королевское имя.

Я опять высунулась в окно и заорала:

— Эй, парень!

Кирюша хмыкнул:

— Ты мне, Лампа?

— Тебе. Почему ты отозвался на имя Ричард, неужели не удивился?

— Нет, — преспокойно заявил мальчишка, — я подумал, что ты сообщила этой Алине, как меня теперь зовут!

Вновь зазвонил телефон. Ну вот, опять небось Комарова. Почта не работает, или бумажку с адресом потеряла! Но это оказался Дима Ковалев.

— Слышь, Романова, завтра никуда не едем.

— Почему?

— Свадьба отменяется, жених с невестой переругались, и все, прошла любовь, завяли помидоры.

Жаль, конечно, терять заработок, но отдохнуть тоже не помешает, тем более что погода, кажется, установилась. Завтра вытащу шезлонг в сад и устроюсь там со всевозможным комфортом.

Прошла неделя абсолютного безделья. Лето — мертвый сезон. Никаких презентаций, праздников и тусовок не устраивается. Народ массово отъезжает на дачи и на побережья теплых морей. Свадьбы, конечно, играют, но в эту семидневку молодожены пригласили другие ансамбли. Мы находились в творческом простое.

Често говоря, я была рада. В моем понимании отличный отдых — это удобное кресло, штук двадцать новых детективов, коробочка шоколадных конфет и чашечка чая, желательно цейлонского, крупнолистового. Я даже не поленилась съездить в Москву и купить там последние новинки. Словом, с понедельника до субботы я бездумно провалялась в шезлонге, в тенечке под раскидистой елью. Съела больше килограмма грильяжа и прочитала Маринину, Полякову, Серову и Корнилову. Разленилась до такой степени, что не готовила детям обед, не стирала и ни разу не вспомнила о пылесосе. Впрочем, и Лизавета, и Кирюшка, ошалев от немилосердной жары, не требовали горячей еды днем, а вечером мы прекрасно обходились салатом. К слову сказать, ребята помирились, и Кирка забыл про Ричарда.

В субботу около шести вечера, когда раскаленное солнце переместилось за крышу нашего дома, Лиза вытащила шланг и начала поливать огород. Только не

подумайте, что у нас рядами растет ароматная клуб
ника и шпалерами стоят ягодные кустарники. Ничего
подобного, талант огородника отсутствует у меня на
прочь, поэтому возле гаража вскопаны две хилые
грядки, где редкими кустиками кучкуются укроп, пет
рушка и кинза. Больше нет ничего. Сначала Лиза ста
рательно лила воду на чахлые растения, потом напра
вила струю на Кирюшку. Мальчик мигом приволок из
гаража второй шланг, и началась водная баталия.

Мокрые собаки носились по грядкам, круша ук
роп. Я оторвалась от Марининой, увидела, что «уро
жай» погиб, и снова уткнулась в книгу. Подумаешь,
у магазина день-деньской сидят местные жители и
торгуют зеленью, редисом и семечками. Было лень не
то что шевелиться, даже разговаривать.

Уничтожив посевы и измазав собак, дети сочли
процедуру полива законченной, побросали шланги и
унеслись в дом. Я слышала, как они ругаются около
трехлитровой банки молока, доставленной молочни
цей Надей. Каждому хотелось отхлебнуть верхний
слой жирных, нежных сливок.

— Эй, Лампа, к телефону! — заорал Кирюшка.

Надо же, а я даже не услышала звонка.

— Давай, Романова, заводи «Ямаху», — прохрипел
Ванька Лыков, — завтра в одиннадцать у Митинского
кладбища.

— Где?

— В Митине, на погосте.

— Зачем?

— Что значит зачем? Нас на похороны позвали!

— Да ну?! И что мы там делать будем?

— На лыжах кататься, ты от жары совсем очуме
ла? Играть.

— Что? «Мурку»?

— Нет, конечно. «Реквием» Моцарта могешь?

— Могу, естественно, но как-то странно.

— Ничего особенного, просто до сих пор такие за
казы не попадались. Значитца, так. В одиннадцать ла

бухаем у могилки, потом на поминках. Обещали тысячу баксов заплатить.

На следующий день я изнывала от зноя у ворот Митинского кладбища. Наконец из-за поворота вынырнул темно-зеленый «Мерседес» Димки Ковалева. Автомобиль у него замечательный, выпущен в начале 80-х и едет, дребезжа всеми внутренностями. Честно говоря, я побаиваюсь с ним кататься. У дедушки «шестисотого» «мерса» постоянно что-то отваливается, а Димка еще гонит как ненормальный по шоссе. Правда, Ванькина тачка, темно-красная «девятка», еще хуже. Двери у нее не открываются, «дворники» не работают, а правое крыло проржавело почти насквозь. Но я стараюсь сесть в лыковскую «девятку», он едет по крайней мере тихо и старательно соблюдает правила движения.

— Эй, Романова! — заорал Ванька. — Возьми Марфуту!

«Марфутой» Лыков зовет саксофон. Я схватила черный футляр и поинтересовалась:

— А розетка, интересно, на кладбище есть?

— Ага, — заржал Димка, — обожаю тебя, Романова, за светлый ум. Из каждой могилы торчит такая пластмассовая беленькая штучка с дырочками, сунешь штепсель и давай, бацай.

— Ну надо же, — удивилась я, — зачем на могилках розетки?

— Чтобы жмурики могли плеер включать, — спокойно пояснил Ванька.

— Прекрати! — рявкнул Димка. — А ты, Романова, не идиотничай, нет на погосте электричества.

— А играть как?

— Да у них место сразу за административным корпусом, из конторы шнур протянем.

Через полчаса мы подключились, настроились и стали поджидать клиента. Наконец появилась большая толпа.

— О, — буркнул Димка, — они! Давай, ребята, с

соответствующим моменту настроением и выражением на лице.

Мы принялись измываться над Моцартом. Хорошо, что он никогда не узнает о трех дураках, исполняющих «Реквием» при помощи гитары, сакса и синтезатора.

Гроб, отчего-то закрытый, установили возле зияющей ямы. Родственники всхлипывали, среди них было довольно много женщин, закутанных с ног до головы в черное, и детей, непонимающе таращившихся на диковинную процедуру.

Ясное солнце освещало мрачное действо. Звучали дежурные слова: «трагически ушел», «полный сил», «удивительный человек». В перерыве между выступлениями мы делали «музыкальную паузу». У тех, кто пришел проститься с покойным, то и дело трещали мобильники и пищали пейджеры. Наконец роскошный гроб из красного дерева плавно, при помощи специальной машинки опустили в могилу. Мы гремели как ненормальные. Над присутствующими носилась с громким карканьем огромная стая ворон. Очевидно, главные птицы Москвы не любили Моцарта, а может, им не нравилась наша более чем оригинальная обработка.

Потом двое на диво трезвых могильщиков ловко и споро сформировали холм, обложили его шикарными венками и букетами, воткнули в изголовье большой портрет и табличку.

Я сначала прочитала надпись, сделанную золотом: «Славин Вячеслав Сергеевич, 1940—2000 гг.», потом перевела взгляд на фотографию и чуть не упала на «Ямаху». На меня смотрело полное, чуть одутловатое лицо с внимательными карими глазами и капризно оттопыренной нижней губой. Уголки рта слегка загибались вниз. Точь-в-точь такой же снимок, только намного меньших размеров, лежал сейчас у меня в спальне на даче.

ГЛАВА 3

— Эй, Романова, — прошептал Ванька, незаметно для окружающих пиная меня ногой, — заснула в самый ответственный момент, шевели клешнями живей!

Я машинально задвигала пальцами, «Ямаха» взвыла. Неожиданно одна из женщин упала на холм и завизжала на высокой ноте, перекрывая саксофон:

— Славик, Славик, за что?! Господи, за что?!

Двое мужчин молча попытались поднять ее, но тетка продолжала:

— Славик, Славик, не пойду, не пойду...

От толпы отделилась девушка, стройная, высокая, просто фотомодель. Она быстрым шагом пошла к истеричке и резко сказала:

— Нора, прекрати немедленно концерт!

Женщина взвизгнула последний раз, потом спокойно поднялась, деловито поправила ленту на самом шикарном венке и прошептала:

— А почему мои цветы лежат в неподобающем месте, а Тамарин рваный букет в изголовье?

— Заткните ее, — велела девушка. — Андрей, Николай, чего стоите? Хотите скандала? Сейчас получите.

Из толпы вышли двое. Один, световолосый, высокий, на вид лет тридцати, в безукоризненном черном костюме и ослепительно белой рубашке, слегка хриплым голосом произнес:

— Мама, пошли.

Второй, тоже блондин, но пониже, коренастый, с большим носом и брезгливо сжатыми губами, молча двинулся в сторону истерички. Когда он прошел мимо «Ямахи», на меня пахнуло своеобразным букетом из запахов дорогой парфюмерии, элитного коньяка и качественных сигарет. Так пахло когда-то от моего мужа Михаила, и я с тех пор невольно отшатываюсь от лиц мужского пола, благоухающих подобным образом.

Крепыш взял бабу за руку:

— Давай, Нора, хватит.

— Нет, скажи мне, Николя, — проныла Нора, явно не собираясь уступать, — ответь, отчего мой венок лежит вот тут, где-то сбоку, а Тамарин растрепанный веник у самого лица!

От кучи мрачно стоящих людей отделилась еще одна фигура, на этот раз женская, невысокая, в круглой шляпке с вуалью.

— Мама, — укоризненно произнес высокий блондин, — где же ты тут лицо нашла?

— Как же, Андре, — воскликнула Нора, — он лежит сюда ногами, а туда головой!

Дама в круглой шляпке спокойно подошла к холмику, выдернула из-под портрета небольшой букетик гвоздик, перевязанный черно-красной лентой, потом схватила огромный венок из темно-бордовых роз, с усилием перетащила его к фотографии и тихо сказала:

— Бога ради, Нора, никто ничего не делал специально, так тебе нравится?

— Так нормально, — кивнула головой Нора, — а главное, справедливо. Вы все знаете, что именно меня он любил больше всех! А ты, Тома...

— Хватит, — рявкнула длинноногая красавица, — людей постыдись! Андрей, тащи ее в машину!

Потом она повернулась к нам:

— Ну а вы чего расселись? Давайте живо складывайте дуделки — и в дом, надо помянуть Вячеслава, а не лаяться у свежей могилы, ну и дурацкая же идея пришла Норе в голову — нанимать ансамбль на поминки.

Народ потянулся к воротам. Я начала собирать «Ямаху». Надо же, какая активная девушка. «Дуделки!» Можно подумать, она сама заработала на свое сверхэлегантное черное платье, а главное, на огромные бриллиантовые серьги, которые зачем-то нацепила на похороны. И потом, при всей шикарности она просто глупа и нелогична. Ругаться неприлично не только у свежей, но и у «старой» могилы. На кладбище надо сохранять хоть...

— Эй, Лампа, — раздался за спиной шепот.

Я обернулась и заорала от неожиданности:

— Ты!!!

— Тише, — шепнул Володя Костин, — не на базаре стоишь, спокойно, нечего визжать.

— Как ты сюда попал? Знал покойного?

— Служба привела, — вздохнул приятель.

Володя Костин работает в системе МВД и дослужился до звания майора. Мы знакомы давно, он наш хороший, верный друг. Более того, наши квартиры находятся на одной лестничной клетке. У Костина однокомнатная, из которой он сделал «двушку», просто уничтожив кухню. Да и зачем ему, холостому и бездетному, «пищеблок»? Ничего, кроме электрочайника и не надо, все равно ест он у нас. Так что Володина кухня больше похожа на гостиную, где по недоразумению стоят холодильник и мойка. Вместо плиты у него панель с двумя конфорками, кстати, очень удобная вещь для тех, кто не собирается печь пироги. А представить себе майора, выпекающего пироги, я не могу.

— Что за работа такая, на похороны ходить?!

Володя глянул на меня:

— Потом объясню.

— Ты и на поминки поедешь?

— Да.

— Эй, Романова! — заорал Ванька. — Ну ты просто тормоз! Давай, давай, нам надо вперед всех приехать!

— Ладно, вечером поболтаем, — сказала я и побежала к «девятке».

Димка унесся на «Мерседесе», словно пуля, выпущенная из пистолета. Мы поехали достаточно тихо. Я расслабилась и бездумно смотрела в окно. Мелькали дома, магазины, потом вдруг показалось широкое шоссе, появился и исчез транспарант «Магазин «Три кита».

— Слушай, а куда мы едем? — изумилась я.

— Поминки будут у покойного на даче, — спокойно пояснил Ванька, — в Алябьеве.

— Ну ничего себе! И где же, адрес какой?

— Соловьиная аллея.

Так это противоположный от нас конец поселка, и я там почти никого не знаю.

Мы свернули влево и покатили по узкой дороге, впереди показались первые дачи писательского поселка.

— Слышь, Романова, — пробурчал Ванька, — сегодня отыграем, и все.

— Как это все? — не поняла я.

— Ну, перерыв устроим. Надоело, налабухали на лето, отдохнуть охота. Какой смысл в Москве париться, заказов мало идет. Впрочем, если хочешь, можешь одна с «Ямахой» кататься, за оркестр сойдешь.

— Не, Ваняшка, — покачала я головой, — не хочу, жарко очень, и потом без вас я не смогу, лучше подожду до осени, посижу на даче, почитаю детективы, телик посмотрю, кайф!

— И мы с Танькой на дачу, — вздохнул Лыков, — хоть я и не люблю кверху жопой на огороде стоять. У тебя что растет?

— Крапива, — ухмыльнулась я, — на щи. Была зелень, да дети с собаками повытоптали, а я и не расстраиваюсь. Нет, и не надо, лучше куплю, у меня при виде грядки и семян сразу мигрень начинается.

— Счастливый у тебя характер, — вздохнул Ванька, — моя Таняха просто ненормальная. Кабачки, тыквы, помидоры, огурцы, клубника. Мрак! Одной воды для полива три бочки надо, а водопровода нет, таскаю в баклажках из речки. Ей-богу, никаких заготовок не захочется!

Мы пропрыгали на ухабах, свернули на бетонку и въехали в широко распахнутые железные ворота.

Дом был высотой с наш, но в ширину намного превосходил его, два крыла и средняя часть, просто усадьба. Небось тут чертова туча комнат.

Безукоризненно вежливая горничная провела нас на задний двор. Там, под цветным шатром, был сервирован стол, а чуть поодаль сооружена эстрада. Не успели мы устроиться на помостках, как стали появляться люди.

Часам к пяти вечера присутствующие окончательно забыли, зачем собрались. Кое-кто, довольно сильно набравшись, отправился в дом на мягкие диваны. Небольшая группка фальшиво выводила песню, а один из участников, потный мужик в очень измятой и очень дорогой шелковой рубашке, подошел к помосту, вытащил сто долларов, слегка покачиваясь, влез на эстраду, сунул зеленую бумажку мне в вырез сарафана и прогудел:

— Эй, ребята, «Мурку» могете?

— Могем, — ответила я, выуживая купюру, — запросто.

Димка с Ванькой переглянулись, и дальше вечер потек по знакомому руслу: «Мурка», «Зайка моя», «Калина красная»... Потом «быстренькое» и «тихонькое».

В районе одиннадцати девушка, похожая на фотомодель, дала Димке конверт и сказала:

— Теперь поешьте — и свободны.

На столах высились горы еды. Я окинула взглядом это изобилие.

— Пирожки возьми, — тихо шепнул один из официантов, мужик лет сорока, в красном костюме с золотыми пуговицами, — а рыбу не трогай, говно, а не рыба.

Я улыбнулась:

— Спасибо. А пирожки какие замечательные, мои дети все бы съели.

— Погодь, — велел гарсон, — ща все сделаем!

Он исчез, я принялась за пирожки. И впрямь, тают во рту. Ванька с Димкой сразу ухватились за бутылки. Но я не стала с ними ругаться. Вечер закончен, расчет произведен, моя доля в сумочке, и с ними в машинах мне сегодня не ехать, дойду до своей дачи пешком. Пусть оттянутся перед отпуском. Жены у них суровые и ни капли мужикам на отдыхе не нальют. Погода стоит теплая, ежели напьются до свинячьего визга, переночуют в автомобилях, не декабрь на дворе.

От души поев, я осмотрелась по сторонам. Володи Костина нигде не было видно, небось узнал, что хотел, и уехал. Я пошла к воротам.

— Эй, Ямаха, погоди! — раздалось сзади.

Официант протягивал мне несколько туго набитых пакетов и коробку. Я заглянула в один пластиковый мешок: много кульков и горлышко бутылки.

— Что это?

— Бери, бери, не сомневайся, с блюд положил, не с тарелок, — заботливо сказал официант.

— Спасибо, но...

— Да ладно тебе, — отмахнулся мужик, — детям снесешь, пирожки, салаты, а бутылевич мужику.

— Я не замужем.

— Правда? Значит, с подругами выпьешь. Да не стесняйся, гляди, сколько всего осталось, забирай. Эти денег не считают.

Я хотела было отказаться и сказать, что совершенно не нуждаюсь, но лицо официанта лучилось такой радостью и благодушием, что я невольно пробормотала:

— Ну спасибо тебе, теперь неделю в магазин не пойду.

— Видишь, как здорово, — ответил он и быстрым шагом двинулся в сторону дома.

Я вышла из ворот и побежала по узенькой тропинке вверх. Идти было недалеко, минут пять, не больше.

В нашей даче приветливо горел свет. На веранде у стола удобно расположились Кирюша, Лиза и Володя.

— Чего принесла? — оживились дети.

— Объедки с барского стола, — ответила я и поинтересовалась: — Вовчик, останешься на ночь?

— Естественно, — ответил майор и сунул Муле в пасть кусок сыра. Мопсиха щелкнула челюстями, сыр исчез. Тут же подлетела Ада и завертела жирным задом, за ней, почуяв, что раздают сыр, ломанулись Рейчел и Рамик. Володя продолжал угощать собак.

— Ни фига себе, объедки! — завопила Лиза. — Пирожки, пирожные, сырокопченая колбаса, салаты...

Они начали пробовать принесенное.

— Эх, жаль, нет осетрины, — вздохнул Кирюша.

— Рыба была отвратительная, — фыркнул Костин, — просто дрянь.

После ужина мы перебрались с террасы в большую комнату, и дети включили видик. Володя и Кирюшка расположились в креслах, Лиза легла на диван, я пристроилась у нее в ногах, и к нам моментально залезли Муля и Ада, тут же затеяв возню.

— Что за фильм? — зевая, поинтересовалась я.

— Боевик, Костя Рябов принес, — откликнулся Кирюша.

На экране мелькали лица, слышалась стрельба. Я закрыла глаза. Тут Лизавета поинтересовалась:

— А зачем этой тетке дали конверт с фотографиями и деньги?

Я уставилась на экран. Худенькая блондинка, звезда американского кинематографа, только что разорвала бумагу и вертела в руках снимки, на столе валялись купюры.

— Эта тетка — сообщница наемного убийцы, — пояснил Володя, — сам киллер на встречу с заказчиком, естественно, не пошел, послал ее. Деньги — это аванс.

— А снимки? — спросил Кирюша.

— Ну, ребята, вы даете, — ухмыльнулся майор, — как же исполнителю жертву узнать? Правда, иногда ему ее показывают, но чаще всего и у них, и у нас система одна, деньги и фото в конверте забирает посредник.

Я почувствовала, как в висках быстро-быстро застучали молоточки. А Володя как ни в чем не бывало продолжал:

— Тут сегодня ребята анекдот рассказали, про киллера. Значит, так. Стоят два убийцы в подъезде.

Один другому говорит: «Слушай, наш-то объект всегда в семь с работы возвращается, а сегодня, смотри, уже девять, а его нет. Я так волнуюсь, не случилось ли чего?»

— А вот еще, — подпрыгнул Кирюшка. — Нанимает один человек киллера и говорит: «Поедете по адресу: Новослободская улица, дом 129, квартира 3». — «Простите, — перебивает убийца, — а сколько я получу?» — «200 тысяч долларов». — «За такие деньги номер квартиры можете не сообщать».

Володя вздохнул:

— Слишком похоже на правду, чтобы быть смешным.

Я осторожно поинтересовалась:

— А со Славиным что случилось? Ему ведь только шестьдесят стукнуло...

Как правило, Володя не любит распространяться о делах, лежащих у него в сейфе, но сегодняшняя жара, очевидно, повлияла и на его мозги. К тому же он изрядно устал, а потом отлично поужинал и принял сто пятьдесят граммов коньяку.

— Пошли покурим, — сказал приятель.

Мы вышли во двор и сели на скамейку под одуряюще благоуханным кустом жасмина.

— Славина убили, — пояснил Володя. — Ты хоть знаешь, кто он был такой?

Я покачала головой.

— Нет, но, судя по дому и гробу, не самый бедный человек.

Володя с наслаждением затянулся, выдохнул дым и, глядя, как тоненькая голубенькая струйка запутывается в листве жасмина, сообщил:

— Славин Вячеслав Сергеевич совершенно уникальный человек, во всяком случае, я других таких не встречал. Он — ректор и единоличный хозяин им же созданной Академии высшего образования. Как только разрешили частные вузы, академик Славин основал свой. Шесть факультетов — экономики, юриспруденции, иностранных языков, психологии, социологии и рекламы. Сотни студентов, лучшие преподаватели, великолепные общежития. Он, пользуясь тем, что запросто вхож к Лужкову, выбил для своего учебного заведения отличное место, в Матвеевском, тут рядом, построил гигантское здание и студенческий городок по аналогии с западными кампусами. При том что деньги он брал немалые, желавшие учиться становились в очередь... Вот так, просто титан.

— Ну и что тут уникального? — удивилась я. — Удачливый бизнесмен, и только.

— Он был доктор наук, профессор и академик.

— Подумаешь, вон Святослав Федоров тоже гениальный ученый был, но при этом имел и явный талант хозяйственника.

— Понимаешь, — проникновенно сказал Володя, — мы опросили безумное количество людей: преподавателей, знакомых, просто друзей Славина. Все в один голос твердили — Вячеслав был необыкновенно добрый, отзывчивый человек. Ни у кого не нашлось ни одного плохого слова в его адрес.

Одним он помог написать и защитить диссертацию, других устроил на работу, третьим оказал материальную помощь, четвертым выбил квартиру, пятым... Словом, добрые дела его можно перечислять бесконечно.

За всю жизнь он ни с кем не поругался и не имел врагов. Узнав о смерти Славина, люди совершенно искренне плакали.

Ты же видела, — продолжал Володя, — что творилось на кладбище и на поминках. Сотни четыре пришло, не меньше, и никаких злобных разговоров, только скорбь.

— Случается, наверное, такое, — пробормотала я, — правда, редко.

— Еще учти, — спокойно бубнил майор, — что у Славина было четыре жены и две любовницы.

— Подумаешь, у некоторых и больше бывает.
Володя засмеялся:

— Не, ты не поняла! Они жили все вместе.

— Как? Все четверо?

— Ну почти. Во всяком случае, жены Славина дружили между собой, огромная семья, там черт ногу сломит в родственниках. И все в шоке, рыдают навзрыд.

— А как он погиб?

Костин аккуратно загасил окурок, засунул его в пустую банку из-под лосося и сказал:

— Убили его очень странно.

— Что же странного?

— Да все, — пробормотал Володя. — Он погиб в кабинете. Некто из пистолета выстрелил ему прямо в сердце. Причем секретарша уверяет, что никто в кабинет не входил. Она сидела в приемной. Славин позвонил и сказал:

«Леночка, не пускай пока никого, хочу отдохнуть».

Он был в кабинете один. Секретарша отфутболила несколько человек, рвавшихся к ректору. Никаких подозрительных звуков она не слышала. Дело происходило в четыре часа дня. В восемнадцать Лена забеспокоилась. До сих пор еще ни разу Вячеслав Сергеевич не устраивал себе столь длительного отдыха. В приемную без конца рвались посетители, и в конце концов секретарша решилась побеспокоить шефа.

Сначала она пробовала связаться с ним через «интерком». Но Славин не откликнулся. Леночка ощутила легкий укол недоумения, но особо не забеспокоилась. Вячеслав Сергеевич никогда не жаловался на самочувствие, он отличался просто железным здоровьем и невероятной работоспособностью.

Лена осторожно заглянула в кабинет. Шеф лежал на большом диване, прикрывшись пледом. Все сразу стало на свои места.

Профессор иногда ложился отдохнуть. Обычно полчаса дневного сна ему хватало, чтобы потом вновь трудиться до полуночи. Просто сегодня он по какой-то причине отключился на больший срок.

Лена вышла в приемную и сказала всем жаждавшим дорваться до Славина:

«Через час, не раньше, он очень занят, уехал в администрацию президента».

Шикарный «шестисотый» «мерс», принадлежавший академику, преспокойненько сверкал намытыми боками на стоянке, и кое-кто из ждавших недоверчиво хмыкнул. Но Леночке было все равно, что о ней подумают. Хорошая секретарша обязана прикрывать босса. В начале восьмого Лена подошла к дивану и сказала: «Вячеслав Сергеевич, проснитесь».

Ответа не последовало. Вот тут уже она удивилась и взяла профессора за плечо...

На ее вопль сбежались люди не только с первого, но и со второго этажа. Лена голосила на одной ноте: «Убили, убили, убили...»

Началась суматоха, приехала милиция.

— И знаешь, что самое странное? — спросил Володя.

— Ну?

— Во-первых, ему выстрелили прямо в сердце, а во-вторых, ткнули острым и длинным ножом в шею.

— Да, как-то это чересчур.

— Не в этом суть, порой убийца входит в раж и наносит жертве десятки смертельных увечий. Странно другое.

— Что?

— Сначала был выстрел. И здесь, похоже, работал профессионал. У пистолета имелся глушитель, и пуля попала прямо в цель. Стреляли почти в упор, когда Славин спал. Причем киллер точно знал, что целиться надо на два пальца ниже левой лопатки, словом, скорей всего это заказ. Потом нанес удар в затылок, но не сразу, а примерно через час после выстрела. Ну кем надо быть, чтобы действовать таким образом?

Действительно, странно. Выстрелить, подождать час и схватиться за ножик. Зачем?

— Умер он когда?

— Да сразу, как выстрелили, и киллер это знал. И еще кое-что. Пистолет с глушителем, правильная точка, выбранная для того, чтобы гарантированно убить, причем сразу, — все говорит о том, что работал профессионал. Оружие валялось в комнате. Револьвер новый, отпечатков нет, словом, глухо, как в танке.

Но ножа не нашли. А Леночка сказала, что никаких режущих и колющих предметов в кабинете не было. Только ножницы и абсолютно тупой серебряный кинжальчик. Большего бреда я в жизни не встречал.

— Да уж. А на похороны ты зачем приехал?

— На людей посмотреть, — вздохнул Володя, — на родственников безутешных и друзей. Сдается мне, кто-то из них в курсе дела, но кто? Славина любили все без исключения.

Я хмыкнула. Интересно получается, все обожали, но ведь некто устроил академику досрочный билет на небеса? Значит, среди толпы обожателей нашелся человечек, таивший злобу. И потом, ну скажите, разве можно прожить на свете шестьдесят лет, создать успешный бизнес и не иметь врагов? Да он что, был святым, как Фома Аквинский? Хотя неизвестно, сколько бы недругов нажил Фома, займись он созданием собственного университета.

ГЛАВА 4

На следующее утро я окинула взглядом гору книжек в бумажных обложках и с горечью констатировала: детективы все закончились. Надо отправиться в город и купить новые, желательно побольше.

Солнце палило так, будто мы живем не под Москвой, а в каком-нибудь Тунисе. Стрелки часов еще не подобрались к десяти, а дышать уже было нечем, и это несмотря на то что вокруг лес. Представляю, что творится в городе! Может, никуда не ехать?! Ага, и целый день в тоске пялиться на экран телевизора. Ну уж нет.

Я стала собираться. Дома никого не было. Кирюшка и Лизавета отправились купаться. Собак они взяли с собой. У ребят на велосипедах имеются впереди корзиночки. Толстые, коротколапые, задастенькие Муля и Ада терпеть не могут длительных пеших прогулок, поэтому их сажают в проволочные ящички. Рейчел и Рамик — большие любители побегать — просто несутся за велосипедами, лая от восторга. Правда, купаться любят все, а еще больше им нравится, когда Кирюшка покупает брикет сливочного мороженого и угощает членов стаи.

Вот и хорошо, пока они плещутся в воде, я вполне успею смотаться туда-назад. Эх, жаль, не уговорилась вчера с Володей, он подвез бы меня до города. Правда, тогда бы пришлось встать ни свет ни заря...

Пока в голове крутились эти мысли, я искала сумочку. Но ни на веранде, ни в спальне, ни в гостиной, ни в детских комнатах, вообще нигде ее не было.

Я страшно расстроилась. Неужели потеряла вчера по дороге, когда бежала с пакетами через лес? Ужасно обидно. Во-первых, там лежит мой заработок, во-вторых, косметика, правда, не слишком дорогая, и еще записная книжка. А вот это уже настоящая трагедия. Если деньги, хотя их и жаль, можно заработать, то книжечка с адресами и телефонами практически невосстановима. Но надо же быть такой дурой!

Ругая себя на все корки, я продолжала тыкаться по углам, но сумочка просто испарилась. Может, повесить на магазине объявление? Вдруг вернут книжку?

Внезапно зазвонил телефон. Я сняла трубку и услышала незнакомый голос:

— Алло, позовите Романову.

— Слушаю.

— Вы Е. А. Романова?

— Да, а в чем дело? — удивилась я.

— Вчера вы играли на поминках Славина Вячеслава Сергеевича?

Я вздохнула. Так, значит, Димка, решив ехать отдыхать, дал мой номер новому клиенту.

— Играла, только, извините, у нас отпуск, временно не берем работу.

— Вас беспокоит Ребекка Славина.

— Кто?

Голос продолжал:

— Вы оставили у нас сумочку с деньгами.

— Ой, а телефонная книжка?

— Здесь.

— Сейчас прибегу.

— Куда? — удивилась Ребекка.

— К вам.

— Но мы живем в Алябьеве, под Москвой.

— Я помню, только у меня дача тоже в Алябьеве, на Фруктовой улице.

— Да? — удивилась Ребекка. — Тогда жду.

Я быстренько нацепила сарафан и полетела через лес. Было очень душно, словно собиралась гроза, но на небе не было видно ни облачка.

Ворота дома Славина щетинились домофоном.

— Кто там? — донеслось из динамика.

Подавив желание ответить: «Почтальон Печкин», я сказала:

— Можно Ребекку? Это Е. А. Романова.

Раздался тихий щелчок. Я вошла во двор и невольно вздохнула. Территория выглядела безукоризненно, ничто не напоминало о том, что вчера вечером ее посетило безумное количество людей. Трава радовала глаз зеленью, и нигде не валялись бумажки или пробки от бутылок. Очевидно, садовник трудился с раннего утра.

Ребекка крикнула, высунувшись в окно:

— Идите на террасу!

Я послушно поднялась по ступенькам и оказалась в большом прямоугольном помещении со стеклянными стенами. Легкие светло-розовые занавески без движения свисали по углам. В середине стояли огромный стол, накрытый кружевной скатертью, и штук двенадцать стульев с высокими спинками.

На столе теснились вазочки, блюда и чашки. Тут же находился и прехорошенький электрочайник. Ребекку я узнала сразу. Высокая, похожая на фотомодель девушка, которая расплачивалась с нами вчера. На поминках она казалась сердитой и неприступной. Сегодня мило улыбалась и приговаривала:

— Однако вы растяпа, забыли сумку с деньгами.

— Устала очень, — улыбнулась я в ответ, — а откуда вы узнали мой телефон?

— Ну, дорогая, — засмеялась Ребекка, — это же элементарно, Ватсон.

Она вытащила из сумочки записную книжку и помахала ею в воздухе:

— Что тут написано на обложке... «При находке просьба вернуть по адресу или позвонить по телефонам Е. А. Романовой». Я набрала первый номер — никого, ну а по второму вы ответили. Честно говоря, я посмотрела, что начальные цифры 593, и решила, что вы живете где-то рядом, в Солнцеве или Новопеределкине. Но то, что у вас дача в Алябьеве, я и предположить не могла.

Я улыбнулась: конечно, дама, стучащая клавишами на «Ямахе» и подрабатывающая наемной музыкантшей, должна иметь дощатый сарай в ста километрах от столицы, а не двухэтажный дом в престижном поселке. Однако надо преподать урок этой снобке:

— Мой отец, академик Романов, построил здесь дом очень давно, я из старого поселка.

— Надо же, — всплеснула руками Ребекка и, очевидно решив, что дочь академика вполне подходящая для нее компания, радушно предложила: — Хотите кофейку с пирожными?

— Если выпечка такая, как вчера, то с огромным удовольствием.

Ребекка засмеялась.

— Наша Антонина удивительно печет. Вот, попробуйте эти с курагой.

Она взяла чайничек и налила в чашки кипяток.

— Как вас зовут?

— Евлампия.

— Ну надо же, в первый раз такое имя слышу, а как ласкательно?

— Лампа.

— Ой, здорово! — рассмеялась Ребекка. — А из меня только Бекки выходит, это мама придумала, большая шутница, а я всю жизнь мечтала иметь имя Маша или Таня.

Я вздохнула:

— Очень хорошо вас понимаю.

Ребекка опять расхохоталась:

— Да уж. Вы в отпуск на дачу приехали?

— На все лето, с детьми.

— Вы не работаете?

— Играю на синтезаторе, только сейчас заказов практически нет, и мы с партнерами решили отдохнуть.

— Вы очень даже хорошо управляетесь с инструментом, — отпустила комплимент собеседница, — наверное, заканчивали музыкальную школу?

— Да, — спокойно ответила я, — центральную, а потом училась в Московской государственной консерватории по классу арфы, я арфистка и довольно много концертировала.

— Ну надо же! — всплеснула руками Ребекка. — Отчего же...

Она внезапно замолчала. Я усмехнулась и взяла еще один восхитительный пирожок, на этот раз с яблоком.

— Отчего же дама, закончившая консерваторию, стучит по клавишам на поминках?

Славина смутилась:

— Ну...

— Все очень просто. Карьера моя не слишком удалась, я вышла замуж, развелась, надо как-то зарабатывать. Кстати, это еще не самый тяжелый способ зарабатывать деньги. Честно говоря, я перепробовала довольно много профессий. Служила экономкой у писателя Кондрата Разумова, потом в детективном агентстве.

— Где?

— В детективном агентстве.

— Кем? — поставила на стол чашки Ребекка. — Кем?

— Частным сыщиком, — засмеялась я.

— А почему ушли?

— Хозяин, мой добрый приятель, умер, а следующий начальник уволил всех, кого нанимал предшественник. Вообще, так многие поступают, даже есть поговорка: «Новая метла по-новому метет». А потом ребята предложили посидеть за «Ямахой».

— И нравится?

Я усмехнулась:

— Не слишком, радуюсь, что моя мама, которая пела на лучших сценах России, не видит, чем занимается дочка. Честно говоря, больше всего мне по душе была работа детектива, очевидно, у меня талант. Но хозяева агентств, занимающихся частным сыском, насторожено относятся к женщинам. К тому же там требуется умение стрелять, водить машину, драться... А я никакими из перечисленных талантов не обладаю. Только-только начинаю осваивать автомобиль. Мое оружие — исключительной остроты ум и наблюдательность, «серые клеточки», как говаривал Эркюль Пуаро. Вы читали Агату Кристи?

— Значит, сейчас вы в отпуске на все лето? — проигнорировав мой вопрос, задала свой Ребекка. — Я правильно поняла?

— Да.

— У меня есть для вас дело. Хотите отлично заработать?

Я непонимающе уставилась на девушку. Ее бледное лицо порозовело, а из безукоризненно уложенной стрижки выскочила тоненькая прядка. Ребекка засунула ее за ухо и нервно переспросила:

— Так как? Десять тысяч долларов.

— И что нужно делать за такие деньги?

— Найти убийцу папы, академика Славина.

— Ну что вы, мне такое задание не по плечу, и потом, насколько я знаю, его делом занимается милиция.

— Милиция, — фыркнула Ребекка, — о боже! Вы хоть изредка смотрите телевизор? Ну и нашли доблестные менты, лучшие умы МВД, убийц Влада Листьева или Холодова? Уж я не говорю о десятках банкиров... А Галина Старовойтова? А Александр Мень? Нет уж, никакого доверия к правоохранительным органам у меня нет. Тут надо самим постараться.

— Обратитесь в агентство.

Ребекка вытащила из пачки длинную коричневую сигарету, раскурила, потом спохватилась и предложила:

— Хотите?

— Давайте, такую я ни разу не пробовала.

Серый дым поднялся верх, Ребекка вздохнула:

— Одна моя подруга заподозрила мужа в неверности, наняла детектива, заплатила, между прочим, весьма внушительную сумму. Тот представил отчет, из которого выходило, что объект слежки просто голубь сизокрылый, только о работе и думает. И представьте себе, через пару месяцев выясняется правда. Оказывается, сыщик, вместо того чтобы честно отрабатывать гонорар, прямиком отправился к лживому муженьку и содрал с того денежки за молчание и подтасованный отчет.

— Негодяи встречаются в любом коллективе. Сейчас в Москве открылось агентство «Пинкертон», вернее, его российское отделение. У них безупречная репутация и почти столетний опыт работы.

— Нет, — покачала головой Ребекка, — не хочу. Соглашайтесь. Смотрите, как здорово выходит. Живете рядом, скажу, что вы моя старая знакомая, дочь академика Романова, никто из наших ничего и не заподозрит. Работы у вас все равно пока нет. И потом...

— Что? — спросила я. — Что?

Ребекка повертела в руках ложечку.

— Мой папа за всю свою жизнь не обидел ни одного человека. Если начать перечислять его добрые дела, то нам не хватит и недели. У него имелись сотни друзей, причем не только в России. Вот смотрите.

Ребекка встала, подошла к большому серванту и показала на огромный поднос, заваленный телеграммами.

— Это пришло только сегодня с утра. Почтальонша сумками таскает. А вот это папина записная книжка.

Я посмотрела на огромный том, больше всего похожий на русско-английский словарь, рекомендуемый для студентов институтов иностранных языков. Да, впечатляет.

— Отцу никто не желал зла, а сотрудники университета на него просто молились, студенты обожали, и мне кажется...

Она замолчала, словно собиралась с духом, потом решительно выпалила:

— И мне кажется, что убийцу следует искать в кругу нашей семьи, среди особо близких людей.

— Но почему?!! Я слышала, будто Славин поддерживал великолепные отношения со всеми бывшими женами, содержал детей...

Ребекка вздохнула:

— Так, конечно, верно.

Девушка глянула на часы и пробормотала:

— У нас немного времени, к обеду явятся Нора и Николай... Слушайте, расскажу, что успею.

ГЛАВА 5

Вся жизнь Вячеслава Сергеевича — это цепь браков и разводов. Человек он был эмоциональный, влюбчивый, загоравшийся, словно сухое полено. Но то, что быстро вспыхивает и бодро горит, как правило, так же быстро гаснет. Проливной дождь, стеной стоящий перед окном, меня не пугает, с подобной силой ливень будет шуметь всего минут пять, десять, а мелкий, противный, серенький, моросящий дождичек зарядит на весь день. Так и с человеческими чувствами. Безумная любовь с африканскими страстями и бразильским проявлением ревности будет длиться от силы год, затем она неизбежно трансформируется — либо в дружбу, либо в равнодушие, либо в ненависть. Ни один муж после пяти лет брака не полезет к своей жене через балкон, держа в зубах букет роз. И потом, мужчины так созданы: штамп в паспорте, который приносит женщинам спокойствие, утихомиривает и сильный пол. Покорять уже один раз покоренную женщину никто из супругов не собирается. Тут вступают в действие иные законы: рождаются дети, создается общее хозяйство, а после сорока лет людям просто лень начинать все сначала. Противно зудящая жена, потерявшая красоту, удобна, как старые тапки. По крайней мере, знаешь, чего от нее ждать. А роскошная девица с километровыми ногами и аппетитной грудью даже пугает. Вдруг в самый ответственный момент у тебя, сорокалетнего мужика, случится сбой в нервной системе и ты опозоришься перед красоткой? Такие или примерно такие мысли удерживают большинство мужей от радикальных решений, но не от походов налево. Умные жены знают — благоверного следует иногда отпускать на длинном поводке, побегает и вернется. Так после праздничного вечера с удовольствием снимают тесные роскошные ботинки.

Но Славин был из другой категории мужиков. Первый раз он женился в двадцать пять лет на Ольге Виноградовой и прожил с ней три года. Потом на горизонте появилась Нора, и Вячеслав моментально влюбился. Он оставил Ольге квартиру, которую купил, мотаясь по стране со студенческими строительными отрядами. Была при коммунистах такая возможность заработать. Молодые люди отправлялись летом в колхозы или на строительство. Большинство привозило из этих поездок массу приятных впечатлений и воспоминаний о посиделках под гитару с бутылочкой «Солнцедара», но Славин уже тогда хотел много зарабатывать. Он создал бригаду, которая крыла крыши битумом. Отвратительно грязная и страшно тяжелая работа, но оплачивалась она великолепно. Члены славинского отряда не распевали у костра и не пили портвейн, у них просто не хватало сил на это после напряженного дня. Но за три месяца накапливались деньги на кооперативную квартиру, а следующим летом запросто зарабатывалась мебель.

Отдав Ольге жилплощадь, Вячеслав не сложил руки. Написал кандидатскую диссертацию и мотался по всей необъятной Стране Советов от общества «Знание» с лекциями. Кому он только не рассказывал о превосходстве экономической системы социализма над капиталистической. Учителям, рабочим, партийным работникам, учащимся ПТУ, парикмахерам и даже заключенным. За одну лекцию ему, кандидату наук, платили двадцать пять рублей, в день он запросто прочитывал две. Теперь умножьте полтинник на тридцать дней и получите ровно полторы тысячи, при этом учтите, что средняя зарплата в те далекие семидесятые годы составляла сто двадцать целковых. А сто шестьдесят получало мелкое начальство. С Норой Славин прожил дольше всех, целых десять лет. В браке с Ольгой у него детей не было, а Нора родила четверых — Андрея, Николая, Сергея и Ребекку.

Но даже такое рекордное количество отпрысков не спасло их брак. В 1978 году Славин спешно развелся с Норой и закрутил роман со своей аспиранткой Женей. Два года тянулись отношения. Женечка, хваткая, решительная особа, отнюдь не собиралась становиться мужней женой и домашней хозяйкой. Больше всего ее заботила карьера. Вячеслав помог ей защитить диссертацию и устроил в НИИ старшим научным сотрудником. Потом Жене захотелось съездить на стажировку во Францию. Шел 1980 год, с выездами за рубеж, в особенности в капиталистические страны, было еще очень трудно. Вячеслав предложил любовнице на выбор: Польшу или Чехословакию, но дама сердца уперлась рогом — только Париж.

Славин поднапрягся, и Женя отправилась на восемь месяцев на родину мушкетеров. Назад она не вернулась, прислала лишь с оказией коротенькое письмецо с сообщением, что терять ей нечего, в Москве никто не ждет, а в Париже есть некий Шарль, вполне обеспеченный человек...

Славин не расстроился, у него как раз начинался роман с Тамарой, тихой женщиной, голоса которой никто не слышал во время различных сборищ. Томочка бросила работу экскурсовода и принялась рьяно заниматься построением семейного счастья. Уже разведясь с ней, Вячеслав Сергеевич иногда со вздохом говорил:

— Томусик — идеальная жена, но без перца, огня в ней не хватает, слишком уж положительная.

Тамарочка изгнала из дома всю прислугу. Ей было в радость вскочить около шести утра, чтобы испечь к завтраку блинчики. Обед из четырех блюд и ужин из трех при ней были в доме Славина обычным делом. А еще варилось варенье, делалось невероятное количество заготовок, шились новые занавески, и убирала Тамарочка сама. Впрочем, стирала и гладила тоже, ну разве могла она доверить рубашки и белье Вячеслава наемной прачке...

В 1981 году Тома родила девочку Светочку, тоже тихую и незаметную. Именно в браке с Тамарой Вячеслав Сергеевич достиг высот научной карьеры, сначала стал доктором наук, затем профессором, следом академиком. Импозантный, элегантно одетый и, несмотря на обширную лысину, красивый, он всегда появлялся на всяческих празднованиях без жены. Тамара, в отличие от Норы, не любила светскую жизнь и предпочитала вечерами вязать бесконечные свитера. Наверное, ей казалось, что семейное счастье незыблемо, ведь она так много сделала для Славика. Но в 1988 году, когда Светочка пошла в первый класс, к Вячеславу Сергеевичу явилась бойкая девчушка Аня из газеты «На рубеже науки». Студентке экономического факультета, подрабатывающей журналистикой, поручили взять интервью у академика.

Начался бурный роман. Через полгода Славин развелся. Томочка вела себя тихо, скандалов не устраивала, просто молча смотрела, как любимый муж собирает чемодан.

Но Аня не собиралась выскакивать замуж, три года длились невероятные отношения. Вот тут Вячеслав Сергеевич получил все, по полной программе. Истерики, драки и непрекращающиеся скандалы. Милая Анечка могла посреди ночи убежать в одних тапочках на мороз с воплем:

— Сейчас повешусь!

Вначале столь бурное проявление эмоций даже привлекало академика. После лет, проведенных со всегда ровной и спокойной Тамарой, ему хотелось чего-то «остренького». Так после двух кусков жирного, сладкого торта рука так и тянется к банке с солеными огурчиками. Но затем жизнь на вулкане стала ему надоедать. Конечно, стерва Анечка была хороша невероятно, но характер...

В 91-м у Вячеслава Сергеевича появилась на первом курсе студенточка. Анжелика Волгина. Профессор преподавал тогда сразу в трех местах и подчас путал, кому из ребят что рассказывал. Входя в аудиторию в институте, он, как правило, бодро потирал руки и спрашивал:

— Нуте-с, кто мне напомнит, о чем шла речь в прошлый раз?

Наивные студенты думали, что профессор проверяет, хорошо ли они помнят предыдущую лекцию, им и в голову не могло прийти, что Славин просто капитально забыл прошлую тему. Зал начинал гудеть, тут поднималась Анжелика и моментально сообщала интересующую информацию. Она всегда сидела на первом ряду, аккуратная, с толстой тетрадкой, а после лекции Волгина частенько ловила Славина и задавала вопросы, очень дельные. Сразу было видно, что девочка не хлопает ушами и думает не о кавалерах, как подавляющее количество студенток, а о науке.

Поэтому, когда Лика изъявила желание писать у Славина курсовую, тот моментально согласился. Из этого ребенка мог выйти толк.

Однажды девушка подошла с каким-то вопросом, но Вячеслава Сергеевича просто раздирали на части разные посетители, и он велел Анжелике подождать. Пробегав по факультету с высунутым языком до десяти вечера, он влетел к себе на кафедру и увидел покорно сидящую в углу Лику.

Профессору стало стыдно, он совсем забыл про девушку. На дворе дул ледяной ветер, по тротуару мела поземка, и стояла кромешная темнота.

— Вот что, — отрезал Славин, — отвезу тебя домой — говори куда?

— Не надо, — покачала головой Лика, — это очень далеко.

— Говори куда! — повысил голос академик.

— В Люберцы, — ответила Анжелика.

Славин поколесил по улицам. Дом, к которому он подъехал, больше всего напоминал барак — длинный, дощатый, одноэтажный. Увидев, что в подъезде нет света, Славин галантно ввел студентку внутрь, оказался в вонючем коридоре и неожиданно попросил:

— Давай угощай чаем, заодно и о курсовой поговорим.

Лика напряглась и пробормотала:

— Хорошо.

Она провела профессора в небольшую комнату, щелкнула выключателем и робко сказала:

— Простите, у нас кухня общая, сейчас принесу чайник.

Вячеслав Сергеевич окинул взглядом старенький диван, потертую мебель производства дружественных болгар, дешевенький телевизор и крохотный холодильничек, сел в продавленное кресло... Надо же, Лика, оказывается, нуждается...

Внезапно за стеной, сделанной, очевидно, из картона, послышался голос Анжелики:

— Тетя Катя, простите, у меня гости, а ничего нет. Одолжите чай, сахар и чего-нибудь на стол.

— Бери, детка, — ответил старушечий голос, — там в буфете пряники шоколадные.

— Только я смогу отдать после третьего числа, — тихо пробормотала Лика, — стипендию получу.

— Да бери уж, горемыка, — закашлялась старуха, — и сама поешь, а то зеленая, как стручок.

Славин быстро подошел к холодильничку, распахнул дверцу и присвистнул. На полке сиротливо стоял пакет кефира.

Появилась Лика с угощением, и они завели разговор о курсовой. Вячеслав Сергеевич смотрел на ее худенькое личико с огромными глазами, прозрачную кожу и хрупкие руки...

— Родители-то где?

— Умерли давно, — спокойно пояснила Лика, — меня бабушка воспитывала, но она тоже скончалась, одна живу.

Внезапно Славин ощутил острый укол жалости. Девочка походила на крохотного котенка, выброшенного хозяевами на мороз, на беспомощного ребенка, потерявшегося в огромном магазине. Только ребенок, в конце концов, найдет в равнодушной толпе родителей, да и у котенка есть шанс обрести хозяев... Лике же предстояло пробиваться в одиночку, вылезать из барака и нищеты без чьей-либо помощи. И неожиданно Славин сказал:

— Вот что, собирай чемодан.

— Зачем? — испугалась девушка.

— Будешь жить у меня.

— Я не могу, — покачала головой Лика, — что в институте скажут?

— Ничего, — отмахнулся Славин, — потому как мы завтра поженимся.

Но расписаться им удалось только в 92-м, когда Анжелике исполнилось восемнадцать. Вот уж кто получил буквально все. Словно понимая, что это его последняя любовь, Славин заваливал молодую жену подарками: шубы, драгоценности, отдых в Ницце. Именно на брак с Ликой пришелся пик его финансового благополучия. Анжелика окончила институт, написала и защитила кандидатскую, ее оставили преподавать на кафедре. Из робкой девочки, студентки, считавшей глотки кефира, Анжелика превратилась в красивую молодую даму, уверенную в себе и элегантную. Мужа она обожала, звала его только по имени-отчеству и на «вы», во всяком случае, при посторонних, никогда не устраивала скандалов, и вообще, в ней сочетались Тамарино спокойствие и домовитость, профессиональная увлеченность Жени, красота Норы, разум и привлекательность Ольги, веселость Ани... Словом, все лучшие качества бывших жен и любовниц.

Молоденькая Лика оказалась по-женски мудрой, дружила со всеми своими предшественницами и их детьми, а с Ребеккой они стали лучшими подругами.

— Ну и что? — спросила я. — Что из этого следует?

Ребекка глубоко вздохнула.

— Мы с Ликой очень близки, честно говоря, у меня нет более надежного человека, да и по возрасту недалеко друг от друга ушли. Так вот, Анжелика считает, что убийца — член семьи.

— Почему?

Ребекка опять закурила.

— Понимаете, Лампа, папа был уже в возрасте, но душа у него была детская. Обожал шутки, розыгрыши, всякие приключения и тайны. В этом доме, например, имеется три потайных хода.

— Да ну?!

— Точно. В библиотеке можно войти в шкаф и оказаться на первом этаже в гостиной. Потом из кухни ведет галерея на улицу, надо пройти под землей и вылезти через люк, и, наконец, зайдя в зимний сад, можно отодвинуть одну из кадок и по винтовой лестнице спуститься в холл, оказавшись затем в шкафу с верхней одеждой.

— И зачем все это?

Ребекка печально улыбнулась:

— Говорю же, он был большой ребенок. Первое время, когда дом только построили, папа обожал разыгрывать домашних.

— К убийству это какое имеет отношение?

— Никакого, но новое здание его академии возвели в 98-м году. Так вот, в его кабинет вел потайной ход.

Я так и подскочила.

— Не может быть!

Ребекка грустно улыбнулась:

— Может. Из подвала человек попадал в маленькую комнатку для отдыха, расположенную за основным кабинетом. Папа частенько засиживался на работе за полночь, отпускал Леночку...

— Кто же пользовался подземным ходом?

— Лика.

— Да зачем?

Ребекка смущенно проговорила:

— Понимаете, я ничего не знала об этой тайне, вплоть до дня смерти папы, и никто о ней не знал, кроме Анжелики. У нее было два ключа, вернее, существовала связка, лежащая у папы дома, в письменном столе. Три ключика от подвала и три от двери, за которой открывался ход. По одному ключу от каждого замка папа дал Лике, оставшиеся висели на брелочке.

— Ничего не понимаю. К чему жене пробираться тайком к мужу?

Ребекка хихикнула:

— Ну игра у них такая была, сексуальная. Папа отправлял Леночку, потом прокрадывалась Лика, и они устраивались на узеньком диванчике, словно случайные любовники. Лика говорила, что ее это здорово заводило, каждый раз будто впервые. Иногда кто-то стучал в дверь, и они замирали в восторге. Ну фенька такая, чтобы разнообразить супружеский секс. Кто-то покупает кожаные ошейники и плетки, кто-то тащится от свечей и музыки, ну а этим требовалась тайна и ощущение того, что их сейчас застанут, понимаете?

— Вроде.

— Лика говорит, что папа иногда шутил: ты, Ликуся, приглядывай за оставшимися ключиками, как увидишь, что их нет, беги ко мне и бей соперницу.

Шутка шуткой, но Анжелика все же иногда проверяла связку, правда, не специально. Полезет за чем-нибудь в стол и бросит взгляд на ключи.

За неделю до смерти Славина Лика потеряла свою сумочку. Решила сделать дубликат ключей, открыла ящик и обомлела. Связки не было.

Анжелика промучилась сутки, но потом Славин позвонил домой и шепнул в трубку:

— Ну, ты где?

Лика пробормотала:

— Ключи потеряла.

— Возьми запасные.

Славина хотела было сказать про исчезнувшую связку, но машинально выдвинула ящик и увидела... знакомый брелок в виде буквы А.

Ничего не понимая, она поехала в академию, но на следующий день на всякий случай положила связку в домашний сейф.

— Так вот как убийца попал в кабинет! — воскликнула я.

— Именно, — подтвердила Ребекка, — взял ключи, сделал дубликат — и готово, причем милиция сломает голову, как преступник проник в комнату!

— Но тогда получается, что про подземный ход знал еще кто-то!

— Да, — кивнула Ребекка, — и это свой человек, домашний.

— А может, какой преподаватель из академии...

— Нет, у нас в доме бывали только очень близкие люди, и потом... в папину спальню, а она расположена на втором этаже, в самом конце коридора, вообще никто не входил, посторонние — совершенно точно. У нас гостей принимают внизу. Там гостиная, столовая, ванная, туалет, людям просто нет необходимости идти на второй этаж. Для тех, кто решил остаться ночевать, существуют две спальни в пристройке. Вход в нее из коридора, который ведет в гостиную.

Славин, несмотря на хлебосольство и веселый нрав, тщательно оберегал покой свой и Лики. Комнаты супругов находились на втором этаже, в левом крыле, там же помещались кабинет и библиотека. На лестничную площадку вела дверь, и, если она была закрыта, все знали — ломиться не надо. Вячеслав Сергеевич отдыхает или, наоборот, работает. У академика был странный распорядок дня, дикий, по мнению всех. Ложился спать он в четыре утра, вставал в восемь, потом днем еще прихватывал часок-другой, около полуночи садился за письменный стол...

— Значит, никто из посторонних взять ключи не мог?

— Нет, только свой, тот, кто точно знал, что папы дома нет и он не хватится связки.

— А кто из родственников бывал в доме?

Ребека постучала пальцами по столу:

— Да все, кроме самой первой жены, Оли, она давным-давно живет в Америке, и Жени, та поселилась во Франции. Остальные живут постоянно: Нора, Андрей, Николай, Сергей, Тамара, Светочка и даже Аня. Правда, ее не слишком любят, она вечно скандалы устраивает! У всех тут есть комнаты. Нора живет на втором этаже, в левом крыле, Андрей, Николай и Сергей тоже, а Тамара, Света и Аня обустроились в мансарде, там три вполне приличные комнаты.

— И что, так вместе и жили?

— Иногда уезжали на городские квартиры, но в основном да. Папа всем помогал, кому деньгами, кому советом.

— Где работают ваши братья?

— Николай, он старший, защитил докторскую диссертацию и является папиным заместителем, Андрей пока кандидат наук, тоже работал у папы, Сережа — журналист, он в газете служит.

— А мать?

— Нора? Но она никогда не работала, в этом нет никакой необходимости, она обеспечена.

— Тамара со Светой?

— Светка учится у папы в академии, собирается стать психологом, она на третьем курсе. Тамара вот уже десять лет пишет книгу об истории Москвы.

— А вы, Ребекка? Вы чем занимаетесь?

— Я — актриса, — спокойно пояснила девушка, — работаю в театре «Золотая рампа», снимаюсь в кино. Случайно сериал «Выстрел в спину» не видели? Я играла в нем главную преступницу.

— Надо же, — ахнула я, — Надя Кротова, ловкая воровка, но вы там на цыганку похожи.

— Грим, — пожала плечами Ребекка, — обычное дело.

— Где вы живете?

— Здесь, в доме, — ответила девушка.

— Значит, получается, что никому из домашних не было никакой выгоды устранять Славина?

— Выходит, так, — вздохнула Ребекка, — совсем никому!

Однако кто-то нанял сумасшедшего киллера, убившего бедного академика столь невероятным образом, кто-то дал ему дубликат ключей и кто-то передал в конверте фотографии и деньги. Правда, послание так и не попало в руки убийцы, снимки и доллары спрятаны сейчас у меня в спальне. Но заказчик оказался упорным и не трусливым, он не испугался, а предпринял еще одну попытку. Так кто же из милого семейства захотел избавиться от Славина? Кто? Бывшие жены или дети? И почему?

ГЛАВА 6

Около четырех часов дня я ехала в электричке по направлению к Москве. Отправляться из Алябьева в загазованную столицу не очень хотелось, но в шесть меня ждет инструктор в машине, а уж заодно я пробегусь по лоткам, авось милые дамы успели накропать еще по детективчику, всем нравятся бойкие женщины, ваяющие всякие криминальные истории, жаль только, что пишут они очень медленно.

«Станцию Солнечная поезд проследует без остановки», — объявил машинист.

Мимо окна проплыла платформа, мелькнули роскошные особняки, настоящие замки. Солнцевская братва старательно возводила «домики» для жен, детей и родителей. Я хихикнула: мало кто помнит, только тот, кто много лет ездит с Киевского вокзала в сторону Калуги, что столь поэтическим словом «Солнцево» район стал называться то ли в конце шестидесятых, то ли в начале семидесятых годов, а до этого он носил малопривлекательное название «Суково». Так и объявляли в электричках: «Станция Суково, следующая — платформа Переделкино».

Меня в детстве это страшно веселило. Электричка бодро пронеслась мимо Солнечной к столице. Внезапно электровоз издал резкий гудок, непрекращающийся, воющий, потом поезд мгновенно остановился. От резкого толчка с полки слетела сумка, набитая свежими огурчиками, и пребольно стукнула меня по голове.

— Итить твою налево, — пробормотала женщина, сидевшая напротив, — простите, бога ради.

— Ничего, — пробормотала я, глядя, как она подбирает упавшие зеленые огурцы, похожие на гигантских гусениц, — бывает.

— Тормозит, словно не людей везет, а картошку, — вздохнул дедок в панамке, — вона, там баба аж со скамейки сковырнулась.

Женщина, ругаясь, продолжала собирать огурцы, другие люди тоже поднимали упавшие сумки и успокаивали плачущих детей. Внезапно ожило радио: «Граждане пассажиры, в связи с техническими неполадками поезд временно дальше не пойдет. Просьба сохранять спокойствие и оставаться на местах».

— Ну е-мое, — обозлилась тетка с огурцами, — ну вечно у них хренотень выходит, то электрички поменяют, то кассу на платформе закроют, а теперь сиди тут на жаре, парься!

Остальные тоже шумно выражали недовольство, кое-кто из младенцев продолжал плакать, а у мужика, сидевшего через сиденье от меня, душераздирающе орала спрятанная в сумку кошка.

Я прислонилась лбом к стеклу и тупо разглядывала суетящиеся за окном фигуры. Всегда сажусь в первый вагон, тогда, приехав в Москву, не надо пилить через весь вокзал к метро.

Несколько железнодорожников в синих рубашках нервно сновали туда-сюда, потом послышался вой сирены. Я подняла глаза чуть вверх и увидела, что на косогоре, там, где проходит шоссе, остановилась «Скорая помощь». Спуститься к железнодорожному полотну она не могла, поэтому медики просто вытащили носилки и пошли к электричке пешком. Минут через пять они вновь возникли перед моими глазами. На этот раз на носилках лежало нечто, прикрытое серым пледом. С видимым трудом врачи полезли вверх.

— Во, видели идиота! — в сердцах вскричала «огуречница». — Нажрался и под поезд угодил! А людям теперь сидеть на солнцепеке.

— Обычное дело, — подхватила до сих пор молчавшая тетка в ярко-красном костюме, — нашим мужикам только бы зенки залить, а там им море по колено. Эх, жаль, мой около железки не ходит, вот повезло же кому-то, избавилась от алкаша.

— Ох, и злые вы, бабы, — вздохнул дедок, — потому мужья у вас и пьют! И не мужик вовсе под поезд угодил, а женщина.

— Это ты с чего решил? — поинтересовалась тетка с огурцами.

— А вот, глянь, вещички несут.

Я опять посмотрела в окно и увидела, что один из мужиков в синей рубашке держит в руках элегантную ярко-зеленую летнюю сумочку и такого же цвета босоножки.

— Бросилась, — уточнил парень на соседней скамейке, — от несчастной любви.

— Ну и дура, — вспылила баба, наконец-то собравшая все огурцы, — дура распоследняя. Хочешь с собой покончить, сигай себе из окошка дома или повесься в ванной, ну чего, спрашивается, другим-то мешать? Меня вон внук на платформе ждет, извелся небось весь из-за дуры.

— У тебя, поди, камни в желчном пузыре и язва желудка, — парировал дед.

— Это почему?

— Злая очень.

— Ах ты, старый пень! — взвизгнула бабища.

Я закрыла глаза и постаралась отключиться, чтобы не слушать их перебранку. Внезапно поезд дернулся и покатил вперед.

Поход по лоткам пришлось отложить на вечер. Инструктор уже ждал меня. Довольно ловко тронувшись с места, я бойко порулила по площадке.

— Ну, видала, — довольно сказал учитель, — теперь выезжай на улицу.

— Как! Там же полно автомобилей!

Парень посмотрел на меня, потом хмыкнул:

— Ясное дело, поток идет, а ты что, думаешь ездить только, когда никого не будет? Тогда кататься тебе по двору, сейчас движение даже ночью не прекращается!

— Страшно!

— Давай, давай, — велел учитель.

Вцепившись в руль, я выехала на магистраль и мигом покрылась липким потом. Повсюду тут и там неслись «Жигули» и иномарки. Машины проскакивали буквально в сантиметре от той, где сидела я. Ноги начали предательски подрагивать.

— Не бойся, у меня тоже педали, — хихикнул инструктор, — вперед и с песней.

Навалившись на руль, я выползла из-за троллейбуса, и тут загорелся красный свет.

— Делать-то чего?

— Ясное дело, останавливаться.

Я лихорадочно вглядывалась в светофор, вспыхнул зеленый, ноги машинально выполнили действия: сцепление, газ, рука ухватилась за рычаг скоростей, «жигуленок» подпрыгнул и встал.

— Давай еще раз, не тушуйся, спокойненько.

Я задвигала ногами, опять облом. Сзади загудели. Инструктор высунулся и заорал:

— Ну чего визжишь? Не видишь знак — ученик за рулем, объезжай!

Река машин начала обтекать несчастный, не желавший двигаться с места «жигуль». Я почувствовала, как в душе поднимает голову комплекс неполноценности. На водительских местах бойко проносившихся машин сидели мужчины, женщины, старики, старухи, подростки, чуть старше по виду Кирюши и Лизы... Они все научились прекрасно ездить, и только я потной, липкой рукой никак не могла воткнуть на нужное место ручку переключателя скоростей. Из глаз хлынули слезы. Вдруг непослушный конь плавно поехал вперед.

— Нечего сопли распускать, — приказал инструктор, — спускайся на набережную да не забудь включить сигнал...

Спустя два часа я попыталась вылезти из-за руля. Не тут-то было. Ноги не хотели слушаться, спину ломило, а руки словно судорога свела.

Увидев мои мученья, инструктор вздохнул:

— Нечего так переживать, никто с первого раза Шумахером не стал, все, когда на дорогу впервые выезжали, балдели.

— И вы?

— А то, — засмеялся парень, — чуть не умер, не расстраивайся. Еще лучше всех поедешь.

Слегка ободренная его словами, я выпала на тротуар, доковыляла до метро и стала разглядывать лотки, хозяева которых уже складывали товар.

До Алябьева я добралась около десяти и побежала через лес, тихо радуясь, что июнь — месяц самых длинных, светлых ночей.

— Лампа! — завопил Кирюшка. — Тебе тетка обзвонилась!

— Какая? — отдуваясь, спросила я, ставя на стол почти неподъемную сумку.

— Имя такое смешное, — влезла Лиза, — Ребекка. Раз десять спрашивала: «А где ваша мама? Ну когда же она придет?»

— Разбирайте пакеты, — велела я, — только аккуратно, там фрукты.

Пока дети рылись в торбе, я набрала номер Славиных.

— Немедленно идите сюда, — тихо сказала Ребекка, — все собрались.

— Что случилось?

Но девушка уже отсоединилась.

— Лампуша, чего делать с клубникой? — донеслось с террасы.

— Съесть, — ответила я, быстро меняя насквозь пропотевшую футболку на свежую.

— Она помялась.

— Отдайте мопсам.

— Да тут много.

— Сами придумайте!

— Нет уж, иди сюда.

Я помедлила секунду и вылезла в окно. Если я пойду через террасу, дети мигом привяжутся: куда, зачем, мой клубнику. Вообще-то, я их понимаю, никому неохота отковыривать от сочных ягод зеленую плодоножку.

У гаража я взяла Лизин велосипед и бодро покатила по узенькой тропинке: на колесах быстрей, чем на ногах.

Славинский особняк походил на гигантский корабль, роскошный теплоход, сияющий огнями. Я прошла сквозь холл и оказалась в большой комнате с накрытым столом. Ребекка, стоявшая у буфета, радостно воскликнула:

— Ну, дорогая, как хорошо, что ты все-таки зашла!

Очевидно, она была отличной актрисой, потому что дальнейший ее монолог звучал искренне и не фальшиво.

— Представь, Нора... — повернулась девушка к женщине, сидящей в кресле.

Я сразу узнала тетку, устроившую скандал на похоронах из-за венка. Только на этот раз вместо строгого черного костюма на ней было ярко-желтое летнее платье с глубоким вырезом, открывающим аппетитную, высокую грудь с круглой коричневой родинкой. Несмотря на четырех более чем взрослых детей, Нора сохранила идеальные формы, тонкую талию и девическую шею. Лицо ее, подозрительно гладкое для женщины, отметившей пятидесятилетие, покрывал ровный слой косметики, выразительные карие глаза, широко распахнутые, излучали дружелюбие. Волосы золотисто-каштанового тона были пострижены самым модным образом — сзади спускались на шею, а по бокам и на макушке топорщились неровными прядками.

— Представь, Нора, — продолжала Ребекка, — иду на днях в наш магазин и вижу Лампу:

Нора подняла брови.

— Тут теперь торгуют электроприборами?

Ребекка засмеялась:

— О нет, знакомься, Евлампия, дочь академика Романова, музыкант, арфистка, мы ее Лампой зовем.

— Здравствуйте, — прочирикала Нора и протянула мне тонкую руку с узкой ладонью, — очень приятно. Ваше лицо мне знакомо, наверное, видела вас по телевизору.

— Ну подумай, как интересно, — неслась дальше Ребекка, — мы не встречались со студенческих лет, я и не знала, что у Лампы тут дача. Словом, захожу за сигаретами, ба, Романова!

— И где ваш дом расположен? — поинтересовалась Нора.

— В старом поселке, на Фруктовой улице.

— Там огромные участки, — вздохнула Нора.

— Гигантские, — подтвердила я.

— Земля теперь капитал, — донеслось из угла.

— Знакомься, — продолжала Ребекка, — Аня, наша приятельница.

— Скорее родственница, — хмыкнула женщина, — причем близкая.

Я внимательно посмотрела на бывшую любовницу Славина. Худенькая, высокая, светловолосая, но с темными глазами, скорей всего, шевелюра просто крашеная. Академика, очевидно, тянуло на стройных дам, он не был любителем гигантских задниц и объемистых бедер.

В ту же секунду со двора донесся гудок.

— Это Николя́, — обрадовалась Нора.

— Брат приехал, — пояснила Ребекка, — помнишь его?

Я старательно подыграла:

— Видела пару раз, ужасно давно, у тебя вроде три брата?

— Точно, — улыбнулась Ребекка.

В комнату вошел полный мужчина. Я видела Славина только на фото, но сразу поняла, что старший сын похож на отца чрезвычайно: то же круглое лицо, рот с опущенными вниз уголками, идеальной формы нос и довольно обширная лысина. К шестидесяти годам Николай, или, как зовет его Нора, Николя, потеряет остатки волос.

— Где ужин? Всем привет, — сказал вошедший.

— В такую погоду неохота думать о жратве, — резко парировала Аня.

— Ну это вам, хрупким дамам, — ухмыльнулся Николай, — а мне подавай мясо, желательно побольше, с жареной картошкой.

— Фу, — отозвалась Аня, — меня тошнит при одной мысли о говядине!

— Так тебя никто и не заставляет есть, — веселился Николай.

— Знакомься, Коленька, — прощебетала Ребекка, — одна из моих лучших подруг, Лампа.

— Очень приятно, Николай, — сказал мужчина и пожал мою руку.

Минут десять все говорили о жаре, потом перебрались на здоровье...

— Где Лика? — спросила неожиданно Нора. — Право, могла и спуститься, просто неприлично.

— Ей было с утра плохо, — тихо сказала Ребекка, — она после завтрака опять легла. Впрочем, я уходила на несколько часов и не видела, когда она вернулась. Она очень переживает!

— Наша чувствительная, — фыркнула Аня, — посмотрим, как скоро Лика вновь выскочит замуж, попомните мое слово, и года не пройдет. Не похожа она на безутешную вдову, совсем не похожа!

— Как тебе не стыдно, Нюша, — раздался тихий, но четкий голос из самого дальнего угла, где угадывались очертания кресла.

В гостиной горели только два торшера и бра над диваном, лицо и фигура женщины, укорявшей Аню, тонули в темноте.

— Ой, Тамара, не строй из себя святую, — отмахнулась Аня, — сразу было понятно, что наша Ликочка из зубастеньких. Глаза в пол, губки бантиком, а Славой вертела так, как нам и не снилось. Я-то ее давно раскусила.

— Прекрати, — продолжала Тамара, — противно слушать.

— Ничего, ничего, небось в последний раз вместе собрались, — сказала Аня.

— Почему в последний? — удивилась Нора.

— Потому что веселая вдова через полгода вступит в права наследства и продаст этот дом, — припечатала Аня, — и вообще, она нас всех терпеть не может, изображала гостеприимство только ради Славы. Вот, смотрите, сегодня даже не спустилась в гостиную, наверное, решила, что хватит ломать комедию.

— Лике плохо, — ледяным голосом заявила Ребекка, — она плакала всю ночь, утром давление за сто шестьдесят подскочило.

— Ну и что? — удивилась Нора. — Мы все страдаем, но не привлекаем к себе внимания. Истинная скорбь тиха и безгласна.

Закончив тираду, она быстрым движением поправила идеально уложенные волосы и глянула в большое зеркало, висевшее между буфетом и шкафом с посудой.

— Лике есть о чем плакать, — не успокаивалась Аня, — больше не получится по две шубы за сезон менять, придется старые донашивать. Хотя ей до конца жизни хватит.

— Да уж, — вздохнула Нора и быстро добавила: Но дом мой, так обещал муж.

— Завещание-то еще не читали, — встряла Аня, — Слава небось всех не обидел...

Ребекка быстро попыталась перевести разговор в другое русло:

— Ужин подавать?

— А когда сообщат Славину последнюю волю? — не сдавалась Нора.

— Так, — громко сказал Николай, — автоответчик-то переполнен, вон красная лампа горит, разводите турусы на колесах, лучше бы прослушали, вдруг важное чего.

Он быстро подошел к телефону и нажал черную кнопочку. По комнате разнесся шорох, потом издалека послышался высокий, почти детский голос:

«Дорогие мои, простите, но жить с сознанием того, что являюсь убийцей, я не могла...»

— Что это? — в ужасе пробормотала Аня. — Что?

— Лика, — прошептала Ребекка, — Ликуша...

— Замолчите, — велел Николай.

Голос же тем временем продолжал. Девушка слегка задыхалась, повышала интонацию к концу фразы и буква «л» у нее иногда звучала, как «в».

«Вы знаете, как я любила Вячеслава Сергеевича, в нем сосредоточилась вся моя жизнь, все мое счастье. Но я всегда понимала, что когда-нибудь необыкновенной жизни с чудесным мужчиной придет конец. Одной женщине не под силу удержать ураган, и вы это знаете. Но я не предполагала, что финиш столь близок. Две недели тому назад Вячеслав Сергеевич объявил, что хочет развестись. Он встретил новую любовь — некую Лену Яковлеву из агентства «Рашен стар». В качестве отступного мне предлагался дом и пожизненное содержание. Скажу честно, мне всегда было непонятно, как вы, Нора, Аня, Тамара, Николай, Андрей, Сергей и Ребекка, дружите между собой и со мной... И оставаться брошенной женой я не хотела. Поэтому пять дней тому назад, четвертого июня, я наняла киллера, а седьмого числа он убил Вячеслава Сергеевича. Я решила: если не со мной, то ни с кем, никому больше мой муж не достанется, никогда! Но, убив Вячеслава Сергеевича, я внезапно поняла, что убила и себя. Жить больше не хочу и не могу, прощайте. Помолитесь за мою душу, хотя, говорят, самоубийц нельзя поминать. Простите, коли виновата в чем. Надеюсь, господь милостив и на том свете я встречу Вячеслава Сергеевича. Прощайте навсегда».

Все молчали, из автоответчика неслось шипение.

— Лика! — заорала вдруг Ребекка. — Ликуша!..

Она бросилась к двери, крича:

— Ликуша, подожди, Ликуша!

— Боже мой, — прошептала Аня, — это розыгрыш, да? Глупая шутка? У Лики крыша поехала от горя? Реактивный психоз, да?

— Ужасно! — нервно вскрикнула Нора, ломая руки. — Надо немедленно ее отыскать!

— Лики нет дома, — произнесла входящая в гостиную Ребекка, — нигде нет!

— Что делать? — тихо спросила Тамара.

— Надо подумать, — ответил Николай, вытащил

из кармана сотовый телефон, но маленький аппаратик, едва оказавшись у него в руке, моментально затрещал.

— Да, — резко сказал он, — слушаю, Славин.

Его лицо побагровело от тщательно скрываемого волнения.

— Да, да, хорошо, да, да...

Мы во все глаза глядели на него. Наконец Николай отложил «Сименс».

— Что? — в голос вскрикнули Нора и Аня. — Что?

Николай потер рукой затылок.

— Говори, — велела Ребекка.

— Лика бросилась под поезд сегодня днем возле станции Солнечная, — пробормотал брат.

— Ой! — вскрикнула я. — Зеленые туфли и сумочка!

— Бросилась! — взвизгнула Аня. — Дура!

— Она убила Славу! — заорала Нора. — Стерва, дрянь, гадина!

Обе женщины зарыдали. Тамара и Ребекка принялись искать валокордин, коньяк и капли Зеленина. Николай растерянно сидел в кресле. Воспользовавшись суматохой, я тихо вышла в сад, села на велосипед и покатила на дачу. Вот и конец злополучной истории, все обычно — брошенная жена и киллер.

ГЛАВА 7

Несмотря на стресс, ночь я проспала великолепно, даже ни разу не проснулась. Утром Лиза, Кирюшка и Костя Рябов решили устроить на чердаке штаб.

— Мы стащили туда раскладушки, поставили старое кресло и протянем между нашей дачей и рябовской телефон, — тарахтел Кирюшка.

— Телефон? — удивилась я. — Это как?

— Дедушка дал, — пояснил Костя, — такие два аппаратика и провод, называется «оперативная военно-полевая связь». У дедушки еще не то есть.

Я вздохнула, глядя, как они радостно разматывают какие-то веревки и шнуры. Генерал Рябов очень пожилой человек, мне он казался старым еще тридцать лет назад. Олегу Константиновичу хочется полежать на диване, почитать газету, посмотреть телевизор, но его сын женился поздно, на старости лет бравый военный получил наконец долгожданного внука, страшно шкодливого, непоседливого и активного Костю. Отец и мать мальчишки день-деньской работают. Парнишку они подкинули дедушке. Причем наняли домработницу, которая готовит ему и деду еду, стирает, убирает. Рябов обожает мальчишку, но выдержать его целый день просто не может. От бесконечного крика у Олега Константиновича голова идет кругом, поэтому он готов отдать Костику все, что угодно, чтобы тот замолчал и сбежал к нам. Позавчера это был самый настоящий боевой пистолет, правда, со спиленным бойком и без патронов, вчера — генеральская шинель, сегодня — телефон...

— Вы только осторожно, — предупредила я, — пол на чердаке ветхий, не ровен час провалится, и вещей много не затаскивайте.

— Ладно, — пообещал Кирюшка, — сначала связь наладим.

Я вытащила шезлонг, установила его под елкой, обложилась детективами, развернула первую конфету и услышала мелодичное сопрано:

— Однако на вашем участке такие шикарные деревья!

По широкой дорожке, ведущей от ворот, быстрым шагом шла Ребекка.

— Как вы меня нашли?

— Тоже мне секрет, — фыркнула девушка, — дошла до Фруктовой улицы и спросила у бабулек, где академик Романов живет...

Я приняла сидячее положение и, вспомнив об обязанностях хозяйки, поинтересовалась:

— Чаю хотите?

— Лучше кофе.

На веранде Ребекка села у открытого окна и заявила:

— Что-то не пойму, вы собираетесь искать убийцу папы? Если вам мало десяти тысяч, скажите сразу. Деньги есть, да и расходы, естественно, за мой счет. Ну бензин, к примеру, вы на каком ездите?

От неожиданности я пролила кофе на скатерть. Коричневая жидкость моментально впиталась в белое полотно, превратив его в бежевое. Вот ведь жалость, скорей всего, не отстирается...

— Ну? — резко спросила Ребекка.

— Так ведь убийца Лика, она же сама призналась.

— Вздор!

— Как это? Вы считаете, что на автоответчик наговаривала не она?

— Именно что наговаривала, — фыркнула Ребекка.

— Голос не ее?

— Ее, Ликуша не совсем точно произносила звук «л», получалось, как «в», и вообще, эта интонация, нет, говорила она, сомнений никаких.

— Ну и в чем дело тогда? Она же объяснила: ревность.

— Чушь собачья, — отрезала Ребекка, — ни слова правды там нет. Вот послушайте еще раз, я переписала запись.

Она вытащила из кармана крохотный диктофон.

«Дорогие мои...» — зазвучало из динамика.

В полной тишине мы внимали голосу.

— Значит, вы не верите признанию, — протянула я.

— Нет.

— А почему?

Ребекка вытащила плоскую железную коробочку, выудила сигарету и закурила.

— Лика не могла убить отца, она его обожала, слепо обожала, любила до умопомрачения.

— Но запись...

— Значит, ее заставили произнести этот текст!

— Как?

— Не знаю, приставили пистолет к виску, сильно

избили. Ну почему она не написала предсмертное письмо, а наговорила кассету, почему, а? Нет, тут что-то не так, убийца просто хочет свалить вину на Лику. И если раньше я хотела найти человека, который задумал уничтожить папу, то теперь мечтаю сделать это вдвойне, чтобы обелить память лучшей подруги. Пятнадцать тысяч!

— Что?

— Дам пятнадцать кусков, если распутаете клубок.

Я молча встала, вышла в спальню, потом вернулась, держа в руках конверт:

— Посмотрите.

— Что это? — удивленно воскликнула Ребекка, вытаскивая доллары и снимки. — Папины фото, откуда?

— Мне тоже кажется, что в заявлении Лики что-то не так, — пробормотала я, — послушайте, как ко мне попал конверт.

— Невероятно, — прошептала Ребекка, узнав историю, приключившуюся с Кирюшей, — уму непостижимо.

— Да, — согласилась я, — впрочем, есть еще одна странность. В своем предсмертном послании Лика заявила, что наняла киллера четвертого июня, но это не так. Неизвестная женщина вручила Кириллу пакет 30 мая. 29 мая мы переехали на дачу, и на следующий день произошла эта история.

— Слушайте! — воскликнула Ребекка. — Мы близки к разгадке! Сейчас схожу к себе, принесу снимки всех домашних, и покажем мальчику, идет?

— Великолепная идея, — обрадовалась я, — у Кирюшки чудесная память, давайте.

— Вот что, — резко сказала Ребекка, — поскольку вам придется у нас бывать под видом моей закадычной подруги, предлагаю сразу перейти на «ты». Согласна?

— Хорошо, — начала я, и тут раздался оглушительный треск, вопль и лихорадочный лай собак.

Не говоря ни слова, я рванулась в гостиную, Ребекка за мной. Первое, что мы увидели, влетев в комнату: две ноги в сандалиях, свисавшие с потолка.

— Говорила же! — в сердцах воскликнула я. — Потолок дряхлый, осторожно! Ты кто?

— Кирюшка, — донесся глухой голос, — Лампа, вынь меня.

— Вылезай сам!

— Не получается.

— Упрись руками и аккуратно подтянись.

— Не могу.

— Почему?

— Застрял, лучше тащи за ноги.

Я ухватила мальчишку за щиколотки и дернула.

— Ой, ой, ой, — застонал тот, — тише, живот режет, доска колючая!

Я попыталась осторожненько освободить пленника, но тело не двигалось.

— Лиза, Костя, потяните его вверх.

— Ой, ой! — вновь издал вопль Кирюшка. — Ой, больно!

— Не идет! — крикнула Лизавета. — Сидит прочно, чего теперь делать?

Внезапно Ребекка рассмеялась:

— Ой, первый раз такое вижу, ну умора. А ты попробуй руками по доскам поколотить, если они гнилые, то еще кусок отвалится, и отверстие расширится, живо освободишься.

Послышался стук, потом голос Кости:

— Давай помогу!

В ту же секунду вновь раздался треск, из потолка посыпался мусор, и Кирюшка с оглушительным воплем рухнул вниз. Мы даже не успели испугаться. Прямо под дырой в потолке в гостиной стоял обеденный стол, а в центре его, на белой скатерти — я очень люблю, когда столешница закрыта ослепительно белым, крахмальным полотном, — находилось большое блюдо с клубникой, засыпанной сахаром. Именно в него и угодил Кирюшка. Даже если бы он захотел выполнить подобный трюк нарочно, небось не попал бы в блюдо... Но сегодня моим скатертям не везло. Сначала на веранде пролился кофе, а теперь... Красные липкие брызги взлетели фонтаном вверх, Кирюшка обалдело крутил головой, я разинула рот, а Ребекка произнесла:

— О, вот это...

Никогда бы не подумала, что эта дама знает такие слова!

В зияющей дыре потолка виднелись лица Лизы и Кости.

— Ну как, порядок?! — завопил Костя.

Я хмыкнула. Такой вопрос часто задают в американских фильмах. К главному герою, только что выпавшему из горящего поезда, подлетает полицейский и заботливо осведомляется:

— Эй, приятель, все о'кей?

Глупее фразы и не придумать. Конечно, о'кей! Только надо выковырнуть пару пуль из головы, залечить ожоги и вправить сломанную шею.

Но Кирюша жалобно ответил:

— Нормалек, ребята, только...

Но он не успел докончить фразу, раздался визг, и сверху рухнул какой-то мешок.

...— выпалила Ребекка.

— Блин! — завопила Лиза. — Муля, кретинка, эй, Костя, держи Аду, гони их всех вон!

Я перевела дух и глянула на стол. У Кирюшки на руках очумело вертела башкой мопсиха. Очевидно, собачка кинулась спасать своего хозяина.

— Так, — обозлилась я вконец, — предупреждала же, пол на чердаке хилый, ничего не затаскивайте. А вы! Еще и псов на чердак загнали. Да одна Рейчел восемьдесят килограмм весит! Удивительно еще, что весь потолок не обрушился!

— Вылезай из клубники, — приказала Ребекка, — да иди мыться, а то ты похож на миску из-под сокодавки.

— Ладно, — пробормотал Кирюша и вежливо сказал: — Здрасьте, тетя Алина.

— Это ты мне? — удивилась гостья. — Извини, дружочек, ты перепутал, впрочем, давай знакомиться: Ребекка, для хороших друзей Бекки, можно без тети. Честно говоря, меня жутко раздражает, когда молодые люди твоего возраста начинают «тетенькать».

Кирюшка начал сползать со стола.

— Погоди, — медленно сказала я, — где ты видел раньше Ребекку?

— Эх, — горестно сказал Кирилл, — пропала любименькая футболочка! Как где? У метро «Динамо». Сама же меня отправила к тете Алине за дурацким конвертом!

— Это она?

— Конечно, но, если ей хочется, могу называть ее Бекки, мне совершенно все равно, — бубнил Кирюшка, стаскивая измазанную майку.

Я уставилась на Ребекку, та на меня.

— Ничего не понимаю, — пробормотала она, — какая Алина, какое «Динамо»? Да я давным-давно метро не пользуюсь, езжу на автомобиле.

— У тебя есть коричневая индийская юбка из марлевки?

Бекки спросила:

— Какая?

Я пошла в свою комнату и вытащила юбку.

— Вот.

— Есть, — пожала плечами Ребекка, — между нами говоря, отвратительно дешевая тряпка, но в жару просто спасение.

— А желтая кофта?

Бекки нахмурилась:

— Штук шесть или семь, я люблю этот цвет. Но вообще, желтое — это звучит так обтекаемо, нельзя ли уточнить...

Я распахнула гардероб и велела:

— Давай, Кирилл, покажи, какая рубашка была на Алине?

Мальчик начал передвигать вешалки:

— Тут такой нет.

— Нас интересует не фасон, а цвет!

Кирюшка еще раз подвигал «плечики».

— Вот, точь-в-точь, но пуговиц не было и на груди надпись по-английски.

Ребекка вздохнула:

— Какой же это желтый, это самый настоящий оранжевый.

— Подумаешь, — фыркнул мальчишка, — ведь не зеленый же! А так один шут, желтый или оранжевый.

— Одевайся, — предложила я Ребекке, протягивая юбку и рубашку.

— Зачем?

— Давай, давай.

Бекки моментально сбросила светлые брюки и розовенькую маечку. Белье у нее оказалось первосортное и страшно дорогое, а фигура изумительная, без всяких складок, валиков жира и отвислой груди. Да, с таким телом и я бы моментально обнажилась в любой компании. Впрочем, Ребекка актриса, а они привыкли переодеваться на глазах у посторонних.

— Ну, — спросила Бекки, влезая в юбку, — ну, смотри, это я была?

Кирюшка отошел в сторону.

— Футболка не такая!

— Это мы поняли, — ответила я, — а в целом как?

Мальчишка покусал нижнюю губу, потом сказал:

— На той очки были.

Я протянула Ребекке очки.

— Не, не такие, — завозмущался Кирюшка.

Бекки секунду смотрела на него, потом вытащила из кармана брюк большие «блюдца» в белой пластмассовой оправе.

— Во! — завопил Кирка. — Они, точь-в-точь! Волосы сзади собраны...

Ребекка затянула на затылке хвостик.

— Она, — уверенно ответил мальчишка, — я еще подошел, только хотел сказать: «Здравствуйте, тетя Алина», а она сразу: «Ты Ричард?»

— При чем тут Ричард? — совершенно растерялась Ребекка. — Это еще кто такой?

— Потом объясню, — отмахнулась я. — Ну а теперь разыграйте сцену. Ты, Бекки, бери конверт, протяни Кирюшке и спроси: «Ты Ричард?»

Ребекка, как все актрисы на сцене, моментально преобразилась. Вытянула руку и поинтересовалась:

— Ты Ричард?

Кирюшка взял пакет и сказал:

— Та тетка была ниже ростом.

— Сними каблуки, — велела я.

— Но у меня шлепки, — возразила Ребекка.

Я посмотрела на ее изящные ступни, обутые в нечто, больше всего напоминающее сандалии римских легионеров: абсолютно плоская подошва и несколько переплетающихся ремешков.

— Я не ношу в обыденной жизни каблуки, — пояснила Бекки, — с моим-то ростом! Кавалеры комплексуют, я частенько выше их оказываюсь, а на каблуках вообще Останкинская телебашня.

— Тетя Алина ростом чуть повыше Лампы, — заявил Кирюшка.

Так, а я едва дотягивала до метра шестидесяти.

— Ну, впрочем, не такая коротышка, — размышлял Кирюшка, — я бы сказал, она посередине между вами, выше Лампы и ниже Бекки. И потом, у нее были огромные каблуки!

— Да? — удивилась я. — Откуда ты знаешь?

— А она мне сунула конверт и в станцию шмыгнула, я за ней пошел, так Алина прямо бежала вперед, я только на эскалаторе еду, гляжу, она уже в вестибюле внизу и к поезду, вдруг так набок покосилась, чуть не упала, а баба рядом стояла и говорит девочке: «Ты все каблуки просишь, смотри, вон тетенька чуть не упала, так и ногу сломать недолго, виданное ли дело, на таких ходулях носиться!»

Он замолчал.

— Иди мыться, — пробормотала я.

— Не ездила я на «Динамо», — проговорила Ребекка, — ей-богу...

— Знаю, — ответила я.

— Тогда кто это? Может, фото принести?

— Не надо. Та дама явно постаралась, чтобы ее в случае чего приняли за тебя. Одежда, очки, волосы, вот только с ростом осечка вышла. У тебя сколько сантиметров?

— Метр восемьдесят, — ответила Бекки, — в модельный бизнес приглашали, манекенщицей, только я не пошла. Зато когда в театральную школу поступала, так экзаменаторы прямо на рога встали: нет, не возьмем, ну где ей партнеров искать? Ставить мужчин на котурны?[1]

Она замолчала. В повисшей тишине было слышно, как Лиза и Костя переругиваются на чердаке, а Кирюшка поет в ванной.

— И что теперь делать? — тихо спросила Бекки.

— Искать убийцу, — ответила я.

ГЛАВА 8

В агентство «Рашен стар» я приехала к четырем часам дня. Честно говоря, я думала, что в этой конторе занимаются модельным бизнесом, но на двери висела вывеска: «Биржа актеров».

Я вошла внутрь и очутилась в просторной комнате, где на кожаных креслах и диванах восседало штук пять девиц весьма вызывающего вида: все одеты в коротенькие обтягивающие стрейч-платьица. Хотя назвать платьем кусок ткани размером с почтовую марку язык не поворачивался. Да еще декольте у троих спускалось до пояса, впрочем, у двоих оставшихся верхней части одежды просто не было, ее заменяли тонюсенькие лямочки. Я в своих светло-песочных брюках

---

[1] К о т у р н ы — специальные башмаки на очень высокой подошве, которые надевали актеры в Древней Греции.

и бежевой футболке выглядела среди них как монашка, случайно затесавшаяся в компанию проституток.

Чуть поодаль от «цветника», у стены, располагался огромный письменный стол. За ним восседала дама лет сорока с угрожающе размалеванным лицом.

— Простите, — обратилась я к ней, — кто занимается подбором актеров?

Не отрывая глаз от компьютера, где мелькали какие-то фигурки, секретарша процедила:

— Фамилия?

— Чья?

— Ваша, разумеется.

— Романова.

Дама ткнула пальцем в кнопку «интеркома». Я обратила внимание, что у нее невероятно длинные ногти, покрытые лаком отвратительного темно-синего цвета.

— Да, — прохрюкал динамик.

— Еще Романова, — бросила секретарша и спросила меня: — Из какого театра?

— Я не из театра, я...

— Вольная птичка, — сообщила дама.

— Пусть ждет! — каркнул голос.

— Садитесь, — велела секретарша.

— Но...

— Садитесь и ждите! — рявкнула она и перевела на меня глаза.

Выражение их было таким, что я машинально повиновалась и шлепнулась на диван возле одной из девиц, о чем моментально пожалела. От милой девушки одуряюще несло французским парфюмом. Несмотря на жару, она опрокинула на себя, наверное, целый флакон.

Внезапно дверь одного из кабинетов распахнулась, и вылетела девочка в таком же крохотном сарафанчике. Судорожно комкая носовой платок, она побежала по коридору и исчезла за дверью с табличкой «WC».

Девицы в креслах задвигались и выжидательно уставились на секретаря. Та опять ткнула синим когтем в кнопку.

— Вениамин Михайлович, запускать?

— Давай Романову! — гаркнул динамик.

— Заходи, — кивнула мне дама.

— Но она только что пришла, — пискнула одна из девочек, — а я с утра сижу!

— И на ночь останешься, — отрезала секретарша. — Господин Селезнев сам решает, с кем ему говорить!

Я вошла в просторный кабинет, стены которого были сплошь увешаны фотографиями и афишами.

— Вы тоже на роль шлюхи? — осведомился мужик лет тридцати пяти в очень мятой светлой рубашке.

— Я...

— Ну наконец-то, — вздохнул парень и вышел из-за стола. Он подошел ко мне и удовлетворенно заявил: — Хоть одна нормальная появилась. Девки прямо с ума сошли, натянут майки, сиськи вперед, трусов нет... Обалдеть! Имя!

— Чье?

— Ваше.

— Евлампия.

— Класс! — взвизгнул администратор. — Прикол! Врешь!

— Ей-богу, Евлампия, сокращенно Лампа.

— Офигеть, — продолжал восхищаться Вениамин Михайлович, — ну-ка, пройдись!

— Зачем?

— Давай, давай, от окошка к двери.

Я удивилась, но послушно выполнила приказ.

— Так, — потер руки Вениамин, — самое то! Где играешь?

— Нигде.

— Ага. Что закончила?

— Московскую консерваторию.

— Абзац, — радовался мужик, — ну при чем тут консерватория?

Я пожала плечами:

— Мама захотела, чтобы дочка умела играть на арфе.

— Ладушки, — обрадовался Веня, — значит, так. Ты мне, голуба, подходишь на все сто, только не на роль шлюхи. Есть там одна очень симпатичная особа, сестра главной героини, ролька довольно большая, твой шанс. Завтра в восемь утра придешь...

— Спасибо, но не надо.

Вениамин захлопнул рот, помолчал секунду, потом сказал:

— Ты не поняла. Я беру тебя на роль Алевтины.

— Не надо.

— Ты что, с дуба упала? — обозлился мужик. — Роль в телесериале, верный путь к славе, сплошные убийства, пиф-паф... Ну, врубилась? Или от счастья мозги заклинило?

— Роль мне не нужна.

— Роль не нужна? — медленно повторил Вениамин и сел в кресло. — А что тогда?

— У вас есть актриса Елена Яковлева?

Веня ткнул пальцем в черную клавишу.

— Верочка, глянь, в картотеке Елена Яковлева есть?

— Целых две, — спокойно ответила секретарша. — Вам Елену Андреевну или Елену Михайловну?

— Тебе какую?

— Возраст назовите.

— Верунчик, глянь, сколько им натикало.

— Яковлева Елена Андреевна, 1938 года рождения, только, по-моему, врет, — ответила Верочка, — на фотографии чистая мумия. А вот второй — месяц тому назад двадцать два исполнилось.

— Это мое, — удовлетворенно ответила я, — дайте адрес и телефон.

— Возьмешь у Веры, — бросил Веня и спохватился: — А зачем?

Я посмотрела в его глуповатые, какие-то бараньи глаза и мирно сказала:

— Нанимаю для сына гувернантку, хочу актрису, хорошенькую.

— А-а-а, — протянул мужик.

Пока он пытался сообразить, что к чему, я выскочила в коридор, взяла у Верочки все необходимые координаты Лены Яковлевой и уже хотела уходить, как дверь кабинета распахнулась и, словно черт из табакерки, вылетел встрепанный Веня.

— Эй, Евлампия!— заорал он. — Оставь свои данные!

— Зачем? — изумилась я.

— Ну, может, передумаешь насчет Алевтины...

— Мне роль не нужна.

— Все равно оставь, — не сдавался антрепренер, — роль-то класс, в телесериале.

— Спасибо, не хочу.

— Давай телефон, дура! — рявкнул Веня.

— Вот пристал, — обозлилась я, — нет телефона!

— Адрес! — сказал Вениамин. — Адрес говори!

Я закатила глаза:

— Сделай милость, не утруждайся, я терпеть не могу кино, даже детективы, читать книжки намного интереснее. И потом, ну чего ты ко мне, не слишком молодой и красивой, привязался? Вон сколько девочек сидит!

— Где ты увидела девочек? — налился краснотой Веня.

Я ткнула пальцем в диван и кресла:

— Вот.

— Это шалавы! — взвился Веня. — Идиотки, у которых даже не хватает ума, чтобы одеться по-другому, как из одного яйца, актрисы, блин! А ну, пошли вон, и ежели завтра опять в дурацких сарафанах явитесь...

Девочки мигом подхватились и выскочили в дверь. В кабинете затрезвонил телефон.

— Ща, никуда не уходи, — велел Веня, — обедать поедем, в «Интурист».

Не успел он скрыться, как я в ужасе понеслась к выходу. Обедать в Интуристе, с этим кретином?!

— Девушка! — крикнула Верочка.

Я притормозила.

— Что?

— Вениамин Михайлович редко когда так настаивает, — сообщила секретарша, — вы ему явно понравились.

— А он мне нет! — выпалила я и в два прыжка оказалась на улице.

Так, что теперь делать?

— Простите, — раздался сзади робкий голос.

Я повернулась. Девушка, одна из тех, с лямочками, робко спросила:

— Извините, где вы покупали брюки и майку?

— На Черкизовском рынке, там такой одежды как грязи.

— Спасибо, — обрадовалась актрисочка.

Я посмотрела, как она, слегка покачиваясь на высоченных каблучищах, семенит по направлению к метро. Голову даю на отсечение, завтра эти дурынды явятся к Вене, все как одна, в дешевеньких брючках и копеечных футболочках.

К моей радости, у метро нашелся работающий телефон.

Яковлева схватила трубку сразу:

— Алло.

— Можно Лену?

— Я слушаю.

— Мы с вами, скорей всего, незнакомы...

— Кто вы?

Я помолчала секунду, а потом решила рискнуть:

— Ребекка Славина.

— Ой! — пробормотала Лена.

— Мне надо с вами поговорить.

— Хорошо, приезжайте.

Жила Яковлева в шикарном месте, на Арбате, в переулочке, как раз за почтой. Но стоило мне зайти внутрь, сразу стало понятно — квартира огромная, роскошная, но грязная, коммунальная.

По извилистому коридору мы добрались до последней комнаты, девушка распахнула белую дверь и пробормотала:

— Входите.

Я оказалась в не слишком просторном помещении, метров пятнадцати, не больше. Обстановка так себе, бедная. Диван, знававший лучшие времена, стол, несколько книжных полок и два весьма ободранных кресла. Телевизор тут стоял старый, отечественный, и холодильник сверкал никелированными буквами «Минск».

— Что вам надо? — тихо спросила Лена.

Я принялась изучать последнюю любовницу Славина. На первый взгляд ничего особенного. Худенькая, стройная, чуть выше меня ростом. Коротко стриженные почти черные волосы, небольшие карие глаза, аккуратный рот... Таких девушек по улицам бродят толпы, цена им — пятачок пучок в базарный день.

— Понимаете, — сказала я, усаживаясь без приглашения в довольно засаленное кресло, — мы ничего о вас не знали и не позвали на поминки.

Лена дернулась и быстро ответила:

— А я бы и не пошла!

— Почему? Разве папа не рассказывал вам, что все его женщины дружат?

— Рассказывал, только я не такая, как все, — довольно зло ответила девушка.

— Ну-ну, со мной вам ругаться не надо, я — дочь, а не бывшая жена.

— Знаю, — буркнула Лена. — Зачем вы явились?

Я тяжело вздохнула. Однако она невежливая особа и к тому же дурно воспитанная! Может, у Вячеслава Сергеевича существовала цикличность чувств?

Наглая Нора, вежливая Тамара, хамоватая Анна, интеллигентная Лика, а потом вновь грубая Лена?

— Просто мне хотелось посмотреть на женщину, которую любил отец.

— Любуйтесь, — фыркнула Лена, — между прочим, он мне предлагал выйти за него замуж.

— Да? А вы что?

— Ответила согласием и, если бы не смерть Славика, сейчас готовилась бы к свадьбе. Кстати, его жена была в курсе. Славик сообщил ей о намерении развестись! Вот так!

— Простите, — тихо спросила я, — а сколько времени вы э... дружили?

— Почти год.

— Понятно.

— Ничего вам не понятно, — рявкнула Яковлева, — у нас была жуткая любовь, да Славик каждый день мне розы охапками таскал!

— У вас ведь день рождения был недавно...

— Да.

— А что вам папа подарил?

Глаза Лены заметались по комнате.

— Какая разница?!

— Понимаете, у Лики исчезло очень дорогое кольцо, платина с бриллиантом. Честно говоря, в воровстве заподозрили прислугу, хотят сообщить в милицию. А я грешным делом подумала...

Лена расхохоталась:

— Теперь понятно, зачем вы явились. Ваша домработница определенно воровка, мне Славик колец не дарил.

— Да? А, простите, что все-таки преподнес вам отец?

Яковлева напряглась, потом легко встала, подошла к шкафу и вытащила коробочку.

— Часы.

— Хорошо, — пробормотала я, — очень приятно было познакомиться.

— Взаимно, — кивнула актриса, — я тоже рада, а то он все повторял: «Бекки, Бекки...», жутко хотелось на вас взглянуть.

Я откланялась и ушла. Солнце палило немилосердно, просто Африка какая-то. До урока вождения еще есть время и можно спокойно посидеть, подумать. Я вышла на проспект Калинина и чуть не задохнулась от выхлопных газов. Нет уж, лучше вернусь назад в тихий переулочек, тем более что там очень удачно расположилось небольшое кафе, а разноцветные зонтики дают достаточно тени.

Очумевшая от жары официантка принесла вазочку с чуть подтаявшим мороженым и извиняющимся тоном сказала:

— Парилка, как в бане. Только из холодильника вынула, и готово, вода водой.

— Ничего, и так съем, — утешила я ее и начала ковырять ложечкой в белой вазочке.

Интересно, кто нанял Елену, чтобы она исполнила роль любовницы Славина? Кому пришла в голову идея сценария, кто режиссер сей дурно поставленной пьесы? Ну, подумайте сами. Вячеслав Сергеевич знаком с девушкой, по ее словам, целый год и позволяет ей жить в подобной обстановке? Да, насколько я понимаю характер Славина, если бы милая Леночка и впрямь покорила сердце академика, она уже давным-давно справила бы новоселье в новой квартире. И еще, щедрый академик, богатый человек, бонвиван и Казанова, дарит любимой женщине на день рождения электронные часы «Кассио»?! Да им цена тысяча рублей, и продаются они в каждом ларьке! Нет, грубиянка Леночка врала, и мне следует вернуться назад и прижать фантазерку!

Я уже хотела встать, как из подъезда выскочила Яковлева. Быстрым шагом, не оглядываясь, девица ринулась на проспект. Я поспешила за ней. Очень хорошо, сейчас посмотрим, куда наша актрисочка спешит.

Вдруг она торопится сообщить заказчику о визите «Ребекки». Стараясь шагать тихо, я поспешила за Леной. Та, не оглядываясь, донеслась до почты, взмахнула рукой. Тут же остановилась белая машина. Не успела я сообразить, что к чему, как Яковлева села внутрь, и иномарка умчалась. Я носилась по краю тротуара, бестолково размахивая руками, никто не собирался меня подвозить. Через пару минут стало ясно — даже если удастся найти «левака», белая «Нексия» упущена безвозвратно.

«Ну ничего, — успокаивала я себя, отправляясь к метро. — Подумаешь, ерунда. Адрес-то есть и телефон известен. Порулю немного и вернусь к девочке».

ГЛАВА 9

Инструктор при виде меня с хрустом потянулся:

— Опаздываете, мадам.

— Всего на пять минут, извините.

— Ладно, — благодушно засмеялся парень, — значит, маршрут такой: по набережной, мимо здания парламента, направо вверх до Красной Пресни, а там тормознем.

Я уверенной рукой ухватила баранку, весьма ловко отъехала и покатила по набережной. И ничего трудного в управлении машиной нет, подумаешь!

— Отлично, — одобрил парень, когда мы миновали Хаммеровский центр, — объясняю новый прием. Ну-ка, затормози у светофора на горке.

Я покорно нажала на педаль. Тут же свет изменился на зеленый.

— Давай, — велел учитель.

Я отпустила тормоз, хотела выжать сцепление, но не тут-то было. «Жигуленок» покатился назад, раздался тревожный сигнал. Я глянула в зеркальце. Прямо за мной стоял роскошный, сверкающий, серебристый «Мерседес».

— Ну еще разочек!

И вновь бедный «жигуль» рванулся вниз. Сзади уже гудели не переставая.

— Значитца, так, — совершенно спокойно резюмировал парень, — не получается, а почему?

— Может, отведешь машину в сторону и объяснишь?

— Ща сама поедешь!

— Так сигналят!

— Пусть объезжает, козел, у нас на стекле знак «Ученик за рулем»!

— Он не может, видишь, машин сколько!

— Купил «шестисотый» «Мерседес», придурок, а водить не научился, — фыркнул парень, — ничего, объедет. Слушай сюда, берешь ручник, поднимаешь, отжимаешь сцепление, газуешь и медленно отпускаешь ручник! Поняла?

— Ага, — кивнула я.

— Действуй!

Несчастный «Мерседес», очевидно, понял, с кем имеет дело, и покорился судьбе. Я принялась мучить «жигуленок». Светофор успел поменяться шесть или семь раз, когда несчастный автомобильчик наконец-то прыгнул вперед, проехал метров сто и очутился на трамвайных рельсах. Тут же раздался оглушительный звон.

— Сдай назад, — спокойно приказал учитель.

Я, в ужасе наблюдая, как на нас на огромной скорости надвигается ярко-красный трамвай, тут же послушалась.

— Блин! — заорал инструктор.

«Жигуль» мгновенно встал, хотя я и не нажимала на тормоз. Сзади раздался неприятный скрежещущий звук, от неожиданности я пребольно стукнулась грудью о баранку.

— А ну, вылезай, идиот! — завопил хозяин «мерса».

— Сиди, — велел инструктор и вышел.

— Белены объелся, ты мне фару разбил! — проорал мужик лет сорока, в дорогом летнем костюме.

— И где у тебя фара, на лбу? — спокойно поинтересовался шофер. — Над слепыми глазами? Чего же ты ее раньше не включил? На стекло глянь — «За рулем ученик». Значит, следовало держать дистанцию. Ща ГИБДД вызовем и поглядим, кто из нас ху!

— Сейчас доумничаешься, гондон, — прошипел водитель «мерса». — Эй, ребята!

Дальше события разворачивались словно в дурном анекдоте. Из салона выбрались двое юношей весьма характерного вида.

Несмотря на жуткую жарищу, от которой плавился асфальт, мальчишки были втиснуты в черные рубахи, того же цвета брюки и тупоносые кожаные ботинки на толстой подметке. Представляю, как у них потеют ноги!

— Не волнуйтесь, Игорь Серафимович, — сказал один, самый высокий, — ща мы этому козлу объясним, что почем!

Инструктор слегка побледнел, но стойко выдержал «наезд».

— Сам козел.

— Глянь, — протянул второй качок, — еще и разговаривает.

Нехорошо усмехаясь, юноши двинулись к моему учителю. Тот, мигом нырнув в «жигуленок», достал монтировку. Я испугалась до жути и кинулась к хозяину «Мерседеса», который преспокойно курил, облокотясь на капот.

— Погодите, он не виноват!

Игорь Серафимович вздернул правую бровь, смерил меня сверху вниз оценивающим взглядом и поинтересовался:

— А ты кто?

— Да я сидела за рулем и не посмотрела назад, трамвая испугалась!

— Ага, — хмыкнул Игорь Серафимович, — и давно рулишь? Права когда получила?

— Я только учусь.

— Пока за рулем ученик, за все его действия отвечает инструктор, — возразил хозяин «мерса».

— Не надо его бить, — взмолилась я, — давайте я заплачу за вашу фару, и делу конец.

Игорь Серафимович вытянул губы вперед и переспросил:

— Значит, денег дашь? И сколько?

Я подумала секунду и сказала:

— Ей-богу, не знаю, сколько стоит такая фара. Двести пойдет?

Игорь Серафимович тяжело вздохнул.

— Триста, — быстро добавила я, — только простите, больше с собой нет.

Парни в черном с большим интересом вслушивались в нашу беседу.

— Давай, — сказал хозяин.

Я открыла кошелек, вытаскивая розовенькие бумажки, и протянула Игорю Серафимовичу:

— Вот.

— Что это?

— Как? Деньги. Только же договорились, триста рублей.

Внезапно хозяин «шестисотого» начал хохотать, одновременно залились смехом и парни в черном. Даже мой инструктор хихикнул. Я откровенно не понимала, в чем дело.

— Вот что, берите деньги, хотя мне их ужасно жаль, но, раз я виновата, делать нечего, и давайте разъезжаться.

Но Игорь Серафимович в изумлении рухнул на кожаное сиденье «Мерседеса» и затрясся в конвульсиях.

— Триста рублей! И тебе их жаль! Что же ты хотела с этой суммой сделать, горемыка?

— Фруктов детям купить, а себе романов детективных, нечего ржать, забирай, и все, — обозлилась я.

— Небось муженек у тебя круче Рокфеллера, — веселился наглый Игорь Серафимович, — отслюнил бабе целых триста рублей!

Вот тут я озверела окончательно. Кто дал право этому богатому придурку издеваться надо мной? Твердым шагом я подошла к «мерсу» и заявила свистящим шепотом:

— Нечего из себя самого богатого корчить, и покруче есть. Рядом с Биллом Гейтсом ты нищий, понял, урод? А триста рублей, между прочим, половина пенсии по старости. Небось у тебя у самого мать в детстве полы мыла за восемьдесят рублей в месяц! Забирай деньги и сваливай отсюда, козел!

Парни присвистнули. Инструктор, воспользовавшись тем, что они отвернулись, вскочил в «Жигули».

Игорь Серафимович внезапно серьезно спросил:

— И кем же ты служишь?

— Я не служу, а работаю, музыкантом, играю в ансамбле на синтезаторе, а вообще я — арфистка, окончила консерваторию.

— Что здесь происходит? — раздался грубый голос.

Я оглянулась, от белой машины с ярко-синими полосками на боках отделился кабанообразный милиционер.

— Так, — продолжал он и, моментально оценив ситуацию, накинулся на меня: — Назад не глядели? А что в правилах сказано, зачем водителю дано зеркало заднего вида? Ну? Зеркало заднего вида служит для подачи заднего вида в глаза водителя. И когда им не пользуются, выходит ДТП.

— Что? — окончательно обалдев, поинтересовалась я. — Что?

— ДТП, — вновь произнес три загадочные буквы мент, — ну, оформлять начнем?

— Погоди, — остановил его Игорь Серафимович, — я без претензий, она заплатила, целых триста рублей!

— Сколько? — захихикал постовой.

— Ты чем-то недоволен? — ледяным голосом произнес хозяин «мерса».

— Коли разобрались, так разъезжайтесь, — велел служивый, — живей, живей, освобождайте проезд, ишь, встали, пробку устроили...

Я пошла к «Жигулям», Игорь Серафимович высунулся в окно:

— Эй, арфистка!

— Чего тебе? — притормозила я. — Денег больше нет.

— Тебя как зовут?

— Евлампия.

— Умереть не встать! Врешь!

— Господи, как ты мне надоел! Уезжай, бога ради, и отвяжись! — взвилась я.

— Нет, скажи, как твое имя.

— Евлампия! Представилась уже!

Секунду мужик молчал, потом расхохотался и крикнул, отъезжая:

— До встречи, арфистка!

Я влезла в «Жигули», но на этот раз на место пассажира. Инструктор ловко повернул направо, и мы понеслись в потоке машин. Я чувствовала, как у меня бешено колотится сердце и слегка подрагивают ноги.

— Ну приколистка, — пробормотал шофер, — триста рублей такому парню предложила!

— Ну и что? Мало, да?

Парень хмыкнул.

— Фара от «шестисотого» «мерса» стоит как минимум пятьсот!

— Доложил бы еще двести и купил, я давала больше половины стоимости!

Инструктор глянул на меня, вздохнул и произнес:

— Долларов. Фонарик тянет на полтыщи «зеленых»!

Я чуть не лишилась чувств.

На следующий день около десяти утра я звонила в квартиру Яковлевой с твердым желанием заставить девчонку сказать правду. А то, что она мне наврала, теперь я знала точно. Вчера вечером я рассказала Ребекке о визите, и та сообщила страшно интересную информацию. Оказывается, папа никогда не звал ее Бекки, говоря, что эта кличка больше подходит для болонки. И еще, он, естественно, делал своим дамам дорогие презенты, никогда не забывал про дни рождения и праздники, но... но роз не дарил. По очень простой причине. У него была аллергия на них, причем не только на цветы, но и на варенье из лепестков и лосьон для лица «Розовая вода».

— У нас в саду полно всего растет, — пояснила Ребекка, — но королевы цветов нет! Отец начинал чихать, кашлять... Его секретарша Леночка съездила как-то в Болгарию на море и привезла духи «Розовое масло». Облилась с ног до головы и явилась на работу. Был настоящий скандал! Бедный отец чуть не скончался и отправил Леночку домой — переодеваться и мыться.

Так что таскать охапки роз «будущей жене» Славин не мог, впрочем, и называть дочь Бекки тоже.

Палец нажимал на звонок, наконец за дверью загремело, и высунулась девушка лет двадцати. На голове у нее было скрученное тюрбаном розовое махровое полотенце.

— Что надо? — весьма невежливо осведомилась она. — Трезвон подняла!

— Я к Лене.

— Так ей и звони.

— Простите, она говорила — три раза...

— А вы уже пять нажали, — злобилась девчонка.

Я протиснулась в щель и пошла по коридору. На стук никто не открывал. Я осторожно нажала на ручку, белая дверь приоткрылась.

— Лена, можно?

Ответа не последовало.

— Лена, разрешите?

Вновь ни звука. Я пошире открыла дверь и заглянула внутрь. Комната пуста. Хозяйки нет. Может, она только что встала и пошла мыться?

Но в огромной ванной, где угрожающе гудела газовая колонка, нашлась только крохотная девчушка, старательно чистившая зубы. Чтобы дотянуться до здоровенной раковины, ребенок взобрался на деревянную скамеечку.

Я продолжала поиски и зарулила на просторную кухню, уткканную столиками. С веревок, протянутых под потолком, свисало сохнущее исподнее, «семейные» трусы в голубой горошек, угрожающего размера розовые атласные бюстгальтеры и невероятное количество детских колготок всевозможных цветов.

На секунду мне показалось, что я нахожусь на съемках картины Алексея Германа «Мой друг Иван Лапшин». Тот же убогий интерьер, отбитая эмалированная раковина, сработанная в 50-х годах, две чугунных плиты с «крылышками», на дверях духовок написано: «Газоаппарат», и даже точь-в-точь такая же толстая бабища в красном ситцевом халате, жарящая с утра пораньше котлеты. От запаха жирного мяса меня замутило.

— Кого надо? — поинтересовалась тетка, подбрасывая на сковородку огромный кус топленого масла.

Стараясь не дышать, я ответила:

— Лену Яковлеву.

— Последняя комната по коридору.

— Ее там нет.

— Здесь тоже не бывает, — хмыкнула соседка, — она не готовит совсем, чай только пьет или по кабакам шляется, актриса!

— Не знаете, в каком она театре играет?

— В погорелом, — припечатала баба и перевернула котлету.

Стало понятно, что больше здесь ничего не узнать.

— Слышь, — неожиданно сказала тетка, — у Гульки спроси, они дружкуют, третья дверь от ванной.

Гулей оказалась та самая злобная девица с полотенцем на голове.

— Извините, — улыбнулась она, — я накинулась на вас, просто терпеть не могу, когда приходится из ванной полуголой бежать, а слышу — к Ленке звонят. Эти-то, — она кивнула в сторону двери, — ни за что не откроют, уроды.

— Вы не знаете, где Лена?

— Спит небось.

— В комнате никого нет.

— Значит, у хахаля ночевать осталась, а от него прямо на работу пойдет.

— А кто у нее любовник?

— Теперь не знаю, а раньше Петька был, в одном театре служат.

— В каком?

Гуля сдула со лба успевшую высохнуть челку и пробормотала:

— Название такое длинное, погодите, программка

есть, я к ней на спектакль ходила, правда, мне не понравилось, нудно очень.

Девушка подошла к окну, порылась в куче газет, радостно сказала:

— Вот, держите.

Я глянула на листочек серой оберточной бумаги самого низкого качества.

«Новый экспериментальный театр-студия драмы и комедии Александра Зимина. Пьеса Игоря Нефедова «Король толпы». Действующие лица и исполнители...»

Елена Яковлева нашлась в самом конце довольно длинного списка. Фамилия была напечатана мелкими, почти микроскопическими буквами. Да, похоже, девица в коллективе отнюдь не на первых ролях. Внезапно мне в голову пришла интересная мысль:

— Мне нужно оставить Лене записку. Как вы думаете, можно зайти к ней в комнату?

— Почему же нет? — удивилась Гуля. — Мы тут никогда не запираем, воров не боимся. С другой стороны, переть у нас нечего.

Прихватив программку, я пошла к Лене и бесцеремонно распахнула шкаф. Так я и знала! Среди не слишком обширного гардероба обнаружилась коричневая индийская юбка из марлевки и ярко-оранжевая майка с буквами «Nice day».

В задумчивости я пощупала футболку. Конечно, наличие этой одежды ничего не доказывало. Такие прикиды продают нынешним летом повсюду. Только что я видела у входа в метро одышливую тетку лет шестидесяти, трясущую целой кучей марлевых юбочек, правда, цвет у них одинаковый, напоминающий о качественном шоколаде... Но, если подумать... Ох, чует мое сердце, что «Ребекка» нашлась. Правда, у девицы короткие темные волосы, но это не проблема, небось натянула парик. Кирюшка просто не сообразил, что шевелюра искусственная. Надела туфли на каблуках, скорей всего, вон те, белые босоножки на умопомрачительных шпильках...

Ну, Лена, погоди! Я вновь постучалась к Гуле:

— Где у вас телефон?

— В коридоре, на полочке, только долго не разговаривайте, ругаться начнут.

В театре трубку сняли сразу.

— Подскажите, какой сегодня спектакль?

— «Котлеты по-милански», — ответил безукоризненно вежливый голос.

Я вздрогнула. Может, я ошиблась номером и попала в ресторан?

— Это театр?

— Да.

— А какой спектакль сегодня?

— «Котлеты по-милански», автор Игорь Нефедов.

— Билеты есть?

— Да.

— Во сколько начало?

— Ровно в семь.

— Простите, подскажите, Елена Яковлева занята в постановке?

— Минуточку, — сказала женщина и зашелестела бумагой, потом так же вежливо, как и раньше, сообщила:

— Яковлева играет горничную.

— Спасибо! — обрадовалась я.

Надо же, как здорово получается! Сейчас сбегаю в автошколу и сдам экзамены, а потом прямиком в театр.

Я неслась к метро, радостно подпрыгивая. Великолепное настроение придавало телу бодрость. Отлично, все просто отлично. Приду в эту экспериментальную студию за час до начала, найду лживую Яковлеву и заставлю сказать, кто нанял ее изображать «Ребекку». Небольшое усилие, и имя убийцы известно, а заодно и денежки в кармане.

Первый, на кого я налетела в автошколе, был мой инструктор.

— Экзамен сдавать явилась? — спросил он. — Ну-ка пошли.

— Куда?

— Давай, давай.

Я настолько привыкла ему подчиняться, что безропотно потопала внутрь здания, очень похожего на детский сад. Мы прошли линию стендов с бодрой надписью: «Водитель, помни, не соблюдая правила, ты наносишь непоправимый вред своему здоровью и дорожному движению», вошли в большую комнату, и мой учитель весело сказал:

— Надюшка, будь другом, посади Романову за седьмой компьютер.

Хорошенькая Надюшка подняла на нас очаровательные глаза цвета летнего итальянского неба:

— Ладно, но только в третьем потоке, первые два уже забили место.

— Чудесненько, — обрадовался инструктор.

Мы вновь очутились в коридоре.

— Слушай внимательно, — сказал учитель, — у тебя на экране будут возникать картинки и вопросы. Всегда отвечай «да», даже если это покажется идиотством. Например — на какой цвет разрешено движение? «Да» — красный, «нет» — зеленый. Жми на «да».

— Ну и что получится? — удивилась я. — Меня просто выгонят.

— Все хорошо получится, — успокоил инструктор, — главное, всегда жми на «да».

Следующий час я провела в коридоре, разглядывая наглядную агитацию, вернее, плакаты, призванные разъяснять Правила дорожного движения. Правда, после прочтения данных дацзыбао в голове образовалась каша. «Находясь в пассажиропотоке движения, водитель обязан помнить, что он является активным участником пассажиродвижения, управляющим транспортным средством, могущим нанести непоправимый вред здоровью другим участникам пассажиродвижения, в случае несоблюдения им Правил дорожного движения, а также превышения скорости или нахождения за рулем в нетрезвом состоянии».

Господи, кто сочинил этот текст? Неужели нельзя

было сделать его попроще? Ну типа — «Не пей за рулем, идиот!» или «Не превышай скорость, дубина!».

— Романова, седьмой компьютер! — гаркнул мужик, высунувшийся из двери кабинета.

На экране показалась картинки. Перекресток, несколько машин и вопрос: «Куда разрешен поворот для водителя «Волги»?» «Да» — налево, «нет» — направо.

Так, ответа не знаю, но нажму, как велели, «да». Появился жирный плюс, сработало.

«Что нужно делать, въезжая на главную дорогу?» Остановиться — «нет», ехать с прежней скоростью — «да». Естественно, остановиться, я точно знаю. Палец сам собой нажал на «нет». Компьютер странно тренькнул и вывел — минус. Эта консервная банка не засчитала правильный ответ. Больше я не экспериментировала, а просто тупо тыкала пальцем: «да», «да», «да»...

Наконец возник результат — 45 плюсов и один неверный ответ, коварный тест был благополучно сдан. Я в недоумении вышла в коридор, наткнулась на мирно курящего у двери инструктора и поинтересовалась:

— А как проходят испытания те, кто на самом деле знает правила?

Парень рассмеялся:

— Седьмой компьютер заклинило, он считает за правильный ответ лишь ответ «да», хоть кол ему на лбу теши, то есть на экране теши. Консервная банка, тупая и упрямая, ну никакого соображения, а еще болтают некоторые умники про искусственный интеллект.

— Почему его не чинят?

— Денег нет, — хитро прищурился инструктор, — и потом, туда не всех сажают, некоторых лишь, понимаешь?

— А-а-а, — дошла до меня истина, — сколько я вам должна?

— Ничего, — фыркнул парень, — на вот, держи еще протокол, тут по вождению «отлично» поставили.

— Но как же, хоть на бутылку возьми.

— Да не пью я совсем, — отмахнулся парень, — считай, спасибо говорю.

— За что?

— За то, что от бандюги вчера прикрыла, — вздохнул инструктор, — ведь и впрямь я виноват был, зазевался чуток.

С новенькими правами в кармане я отправилась в экспериментальный театр. Нельзя сказать, что его здание расположилось в самом удачном месте. Улица Двадцати шести бакинских комиссаров. Странное название для магистрали! Ведь у этих несчастных молодых людей, погибших, как они считали, ради счастья простых тружеников, существовали имена и фамилии, я даже знала одну — Фиолетов, запала в голову со школьных времен. Ну нельзя же так, всех вместе, скопом... Улица кончилась. Минуточку, а где театр? Пришлось обращаться к аборигенам. Но никто не мог подсказать местонахождение цитадели искусства. Ни молодая мать с коляской, ни женщина с продуктовой сумкой, ни бабулька... А у мужика, тащившего ящик с пивом, я сама не стала спрашивать, такой в театр не ходит.

Наконец две девочки возраста Лизы принялись долго и путано объяснять дорогу. Проплутав между одинаковыми блочными домами, я вырулила к небольшому кирпичному дому и увидела долгожданную вывеску: «Театр Зимина. Служебный вход».

ГЛАВА 10

Внутри не было дежурного. Вернее, он куда-то отошел. На письменном столе, установленном прямо у двери, лежали газета и очки. Обрадовавшись, что мне не придется объясняться с вахтером, я пошла по коридору.

За первой дверью переодевалась женщина примерно моих лет.

— Простите, — робко поинтересовалась я, — не знаете, где можно найти Лену Яковлеву?

— Кто же это такая, милочка? — сквозь зубы бросила дама, нанизывая на пальцы кольца явно из «самоварного» золота.

— Она в сегодняшней постановке играет горничную...

— Дорогуша, — протянула собеседница, — ну не могу же я знать всех статистов?! Право, смешно обращаться с подобным вопросом к приме. Ступайте, ангел мой, в 24-ю комнату, там находится помреж Ваня, у него и осведомитесь.

Чувствуя себя так, словно наступила на собачью какашку, я побрела на поиски нужного кабинета. Но никакого Вани там не оказалось. Пришлось остановить мужика, одетого во фрак.

— Где помреж?

— Ванька? В кулисе стоит, вон там.

Я увидела растрепанного мужика в весьма потертых джинсах, лихорадочно говорившего двум парням в синих комбинезонах:

— Если еще раз вместо зеленого загорится... Чего тебе?

Сообразив, что последняя фраза относится ко мне, я открыла было рот:

— Лена Яковлева...

— Нет, — застонал Иван, — только не говори, что она опять прислала подмену, дура, выгоню раздолбайку. О мой бог, как мне все надоело!

— Вы не поняли, она мне нужна.

— Мне тоже, — окрысился Иван, — между прочим, до начала всего ничего, а Яковлевой нет. Убью, когда придет.

Весьма нелогично, кто же тогда играть будет?

— А где можно найти Петю?

— Яковлевского бывшего хахаля? В двенадцатой.

Пришлось возвращаться назад и всовывать голову в душную, пропахшую потом комнату.

— Петя здесь?

— Петруччио, тебя! — крикнул высокий блондин в мятом камзоле.

— Ну? — высунулся из-за занавески еще один блондин. — Чего?

— Не знаете, где Лена Яковлева?

— Нет. И вообще, мы давно расстались, не обязан же я всю жизнь за ней следить, вот и Ванька на метле летает. Может, запила?

— Она пьет?

— Нет, но вдруг начала!

— Да ладно тебе, Петруччио, — хмыкнул один из одевавшихся парней, — у Ленки роль шикарная, во втором акте, небось через полчаса появится.

— А что за роль? — заинтересовалась я. — Большая?

— Классическая, — хохотнул говоривший, — два слова: «Кушать подано», правда, говорят, будто Яншин из подобной роли делал изумительную миниатюру.

Зазвенел звонок, и ожил динамик на стене:

— Первая картина, внимание, прошу не опаздывать.

Парни потянулись на выход. Петя сказал:

— Сядьте на диван у двери, сразу увидите, когда Ленка пойдет.

Я послушалась и устроилась на холодной коже. Вахтер, пожилой мужик, похожий на тучную мышь, поглядел в мою сторону поверх очков, но ничего не сказал. Я же пришла не с улицы, а вышла из глубины театра, и он посчитал меня за свою.

Время тянулось жутко медленно. От скуки я пересчитала все трещины на стене и дырки в линолеуме. Около десяти стало ясно, что я трачу время впустую: Яковлева не придет. Я дошла до станции метро «Юго-Западная», села на маршрутное такси и через сорок минут была уже на платформе Переделкино.

Утром, едва будильник показал девять, я позвонила Яковлевой.

— Алле, — ответил хриплый мужской голос.

— Лену позовите, Яковлеву.

— Ленка, — заорал мужик, — слышь, Ленка!.. Нету ее!

— Тогда Гулю.

— Ей, Гулька, Гулька, поди сюда!

— Да, — донеслось из трубки.

— Гуля? Я вчера была у вас, искала Лену... Она не приходила?

— Она не придет, — тихо-тихо пробормотала Гуля.

— Почему?

— Под машину попала, — всхлипнула Гуля, — из милиции около семи вчера позвонили.

— Сейчас я приеду! — выкрикнула я и понеслась к электричке.

Гуля открыла мне дверь и заплакала.

— Ну-ну, — пробормотала я, — ужасно, конечно, но слезами Лену не вернешь, жаль, такая молодая.

— Она жива пока, — всхлипнула Гуля.

— Ну да? — обрадовалась я. — Где лежит?

— В Склифосовского.

— Давай собирайся, поедем...

— Не могу, — хныкала Гуля, — на работу надо. Может, вы сходите, а?

— Родственники у нее есть?

— Мать с сестрой, в Коломне живут, вечером обещали приехать.

У станции метро «Проспект Мира» я купила килограмм черешни и несколько бананов. Но фрукты передать мне не удалось. Молоденькая медсестра в огромном накрахмаленном колпаке глянула на прозрачный пакет с ягодами и вздохнула:

— Она без сознания, на аппаратном дыхании.

— Жить будет?

— Состояние тяжелое.

— Как же такое случилось?

Сестричка пожала плечами.

— Автомобильная катастрофа, подробностей я не знаю. Наше дело лечить, а не разбираться, как это случилось.

— Говорить она может?

— Пока нет.

— А когда?

Девушка стала терять терпение:

— Знаете, что такое аппаратное дыхание?

— Нет.

— Грубо говоря, трубка в горле. Звоните завтра.

Я выпала на улицу и побрела вдоль проспекта к метро. Над магистралью стояло синее марево, то ли от жары, то ли от выхлопных газов. Шедшие навстречу люди разделись почти до неприличия. Мужчины в шортах и сандалиях на босу ногу, девушки в топиках и мини-юбочках.

Сев в вестибюле на скамеечку, я призадумалась. Ну и что теперь делать? Черт, надо было узнать у медсестры, какое отделение милиции занимается этим наездом или где произошел несчастный случай.

Дурная голова ногам покоя не дает. Съев мороженое и выпив бутылку противно пузырящейся на языке воды, я пошлепала назад. На этот раз у двери с надписью «Реанимация» сидела другая медсестра, пожилая.

— Елена Яковлева, поступившая вчера...

— Сейчас, — отозвалась женщина и крикнула: — Леонид Сергеевич, о Яковлевой спрашивают!

Высунулся парень в голубой пижаме, увидев меня, он посуровел и произнес:

— Проходите.

Я вошла в ординаторскую.

— Вы кто Яковлевой?

— Подруга, а что случилось?

— Она умерла.

— Как? — заорала я. — Почему? Еще час тому назад жива была!

— Травмы, не совместимые с жизнью, — начал перечислять доктор, — открытая черепно-мозговая, перелом позвоночника, разрыв печени, перфорация легкого. Просто удивительно, как она пережила ночь. К сожалению, подобные больные обречены даже после всех операций.

Я тупо кивала в такт его словам.

— Вам плохо? — участливо поинтересовался врач и тут же крикнул: — Катя, принеси валерьянку!

— Не надо, — пробормотала я. — А отчего с ней такие жуткие вещи произошли?

— Ее привезли по «Скорой», — пояснил доктор, — взяли сразу в экстренную хирургию. Организм молодой, сильный, боролся, как мог, но увы!

— Вы сообщили в милицию?

— Так работники ГИБДД все сделали, — спокойно пояснил врач, — только, как всегда, никого не найдут.

— Почему?

— Ну у нас тут, на этаже, много из-под колес, — разоткровенничался эскулап, — приходят следователи, и каждый раз одна картина. Ничегошеньки пострадавший не помнит: ни цвета, ни номера... Свидетели тоже чушь несут — гиблое дело. Если водитель сам на месте аварии не остался, все. А в случае с Яковлевой и спросить-то некого, она просто лежала, ее случайно шофер-дальнобойщик заметил, в кювете...

Я вновь дошла до «Проспекта Мира» и уселась на ту же скамейку. Оборвалась единственная ниточка, ведущая к убийце. И что же теперь делать? Искать его среди домашних Славина. Проверить надо всех: Нору, Тамару, Аню, милых деток Николая, Андрея, Сергея, тихую дочку Свету и саму Ребекку. Хотя нет, Бекки тут явно ни при чем, стала бы она нанимать меня, если бы была замешана в преступлении. Нет, Ребекка — единственный человек, который может помочь в поисках, вот сейчас вернусь домой и поговорю с ней.

Но сразу попасть в Алябьево мне не удалось. Отчего-то все электрички, следовавшие в сторону Калуги, были отменены. Вернее, на 14.10 я не успела, а следующая отправлялась лишь в 17.20, те, что в промежутке, доезжали только до Солнечной. Побродив около билетных касс, я приняла соломоново решение: доеду до Солнечной, а там сяду на маршрутное такси. Уже отъезжая от вокзала, я вспомнила, что забыла купить детективы, и расстроилась. Вряд ли на станции стоит лоток с книгами. Хотя почему бы и нет?

Самое интересное, что на платформе были сразу две точки, предлагавшие литературу. Одна меня не слишком заинтересовала. Худая, почти изможденная женщина с мрачно горевшими глазами, одетая не по погоде в глухое, темное платье, торговала книгами на религиозную тематику, зато в двух шагах от нее, на складных столиках, раскинулось настоящее великолепие — обожаемые мною издания в бумажных ярких обложках.

Я принялась отбирать томики. Продавец, молодой парень, лузгающий без остановки семечки, быстро подсчитал сумму. Я полезла в сумку и не нашла там кошелька. Пришлось в полном отчаянии вытряхивать на столик содержимое ридикюльчика: расческа, зеркальце, пудреница, носовой платок, пара ментоловых конфеток, ключи, водительские права, жвачка «Орбит», какие-то скомканные бумажки, ручка... Но кошелек, довольно большой, из искусственной кожи с надписью «Версаче», подарок Кирюшки на день рождения, исчез без следа.

Глаза наполнились слезами. Нет, это уже слишком! Вчера триста рублей, сегодня двести...

— Все потому, что бесовские книжонки купить решила, — злорадствовала тетка с церковной литературой. — Господь, он все видит. Вот кабы ко мне подошла, так и денежки бы остались. Это ангел-хранитель беду от тебя отвел, чтобы гадость не приобрела.

— Слышь, Настька, заткнись подобру-поздорову! — рявкнул парень и плюнул в сторону женщины шелухой. — Ей-богу, договоришься, поколочу. Надоела, богомолка хренова! А вы, дама, не расстраивайтесь. Примета такая есть — немного потеряешь, потом больше получишь. Я тут до девяти вечера просижу, книжечки ваши никто не возьмет, сходите домой за деньгами и возвращайтесь. А то, хотите, так забирайте. Завтра на работу поедете и занесете.

— Вы мне поверите? — удивилась я.

— Хорошего человека сразу видно, — усмехнулся парень.

— Можно, я тогда одну возьму, вот эту? А деньги — либо сегодня вечером, либо завтра привезу.

— Силен, дьявол, силен, — завела «церковница», — ангел упреждает, а бес искушает. Не бери книги, на Страшном суде ответишь! Подумай, зачем господь тебя денег лишил, покайся!

— Настька, закрой хлебало! — вызверился торговец.

— Правду говорю, — бубнила тетка, пока я складывала вещи в сумочку, — правду. Вон, у тебя ежели кто что купит, тут же расплата и наступает.

— Ты чего несешь?

— Ага, — засмеялась женщина, — сам знаешь. Третьего дня мужик бесовщину взял, отошел, да на ровном месте упал и ногу сломал, скажешь, не было?

— С каждым случиться может, он выпивши был.

— Бабка книжонку купила, так у ей сердце схватило, «Скорая» приезжала...

— Ну и что? Старая совсем, а жара какая?!

— Нет, — хрипло каркала фанатичка, — нет, божья кара настигла за разврат. А та девка расфуфыренная? Схватила дрянь и мигом под поездом оказалась.

От неожиданности я уронила незакрытую сумочку, и все сложенное высыпалось на платформу.

— Вы видели, как погибла Лика?

— Жуть! — дернулся парень. — Я два дня потом не мог торговать.

— Чуял свою вину, — прокомментировала Настя.

Я глянула на продавца.

— Как тебя зовут?

— Миша.

— Видишь ли, Мишенька, несчастная девушка, угодившая под электричку, моя родственница, не можешь ли ты припомнить, как все произошло?

Михаил наморщился, потом потер затылок и начал рассказ.

В тот день он, как всегда, торговал детективами и любовными романами. На бизнес не жалуется, народ хватает книжки, есть даже постоянные покупатели, заказывающие новинки... Но девушку, купившую произведение Джеки Коллинз, он не знал. Она впервые подошла к его лотку и, честно говоря, была мало похожа на человека, пользующегося электричкой. Незнакомка резко выделялась среди толпы, топтавшейся на платформе в ожидании поезда. Во-первых, элегантной одеждой, красивой ярко-зеленой сумочкой и такими же туфлями, во-вторых, прической. И пахло от нее потрясающе. Пока красавица перебирала книги, Миша наслаждался ароматом незнакомых духов. Его жена купила себе недавно «Русскую красавицу», и Мише нравился этот запах. Но от дамы веяло необыкновенным парфюмом, очевидно, так благоухает богатство.

Женщина разглядывала прилавок, и тут у нее в сумочке зазвонил телефон. Она вытащила маленький аппаратик и мелодичным голосом сказала:

— Жду тебя, хорошо, спасибо.

Потом сунула крохотный телефончик в карман, подняла на Мишу бездонные глаза и нежным голосом сказала:

— Вот эту, пожалуй.

Глядя в ее приветливо улыбающееся лицо, Миша пробормотал ошарашенно:

— Двенадцать рублей.

Отчего-то он назвал отпускную цену склада. Незнакомка изящной ручкой протянула пятидесятирублевую купюру, и тут сзади подошел мужчина и произнес:

— Ну, пошли!

— Николя, — воскликнула девушка, — это ты?

— Ясное дело, — ответил подошедший, — а что?

— Лицо у тебя какое-то... — пробормотала необычная покупательница.

— По поводу морды лица все претензии к маме и папе, — засмеялся мужчина, взял ее под руку, и они двинулись по краю платформы, в самый конец, туда, где обычно останавливается первый вагон.

Миша оглядел стройные ноги женщины, машинально отметил, как она красиво идет, даже не покачиваясь в зеленых туфлях на высоких каблуках, и вздохнул.

Пара смешалась с толпой и исчезла, тут только Михаил сообразил, что сжимает в кулаке ассигнацию, он забыл дать девушке сдачу.

Парень выскочил из-за лотка и быстрым шагом пошел за красавицей, и тут к перрону с ужасающим воплем подлетела электричка. Раздался жуткий скрежещущий звук, вагоны, лязгнув, попытались остановиться, электровоз изо всех сил старался удержать состав, потом послышался дикий, какой-то звериный крик. Толпа на едином дыхании ломанулась вперед. Миша бежал вместе со всеми, не понимая, отчего у него бешено колотится сердце. Людской поток скатился по лестнице вниз. Первое, что увидел Миша, были зеленые элегантные туфли и сумочка.

— Наверное, они пошли в поселок, — вздыхал Михаил, — и не заметили электричку. Хотя странно, она так гудела, прямо разрывалась, но там вообще гиблое место, косогорчик такой, и тропиночка вниз бежит, крутая. Небось не удержалась на каблуках, упала и покатилась.

— А мужчина куда делся?

Миша пожал плечами:

— Не знаю. Думаю, в обморок упал, только я там не мог долго стоять, к книжкам вернулся. Тут бабы говорили, несчастная эта еще жива была, когда из-под поезда вытаскивали, в машине померла, в «Скорой». Да вы у Катьки спросите.

— У кого?

— В кассе сидит, все знает всегда, просто ведьма.

— Господи, накажи его за язык поганый, — ожила Анастасия.

Я побежала к кассе и застучала в окошко. Хмурая, довольно пожилая баба с пережженными «химией» волосами гаркнула:

— Нет электричек, видишь объявление!

— Вы Катя?

— Ну?

— Миша, тот, который книгами торгует, сказал, будто вы видели, как девушка под поезд бросилась. Ее звали Лика Славина, она моя родственница...

— Ой, господи, — мигом подобрела кассирша, — ну-ка, обойди будку с той стороны, там дверка.

Я втиснулась внутрь крохотного помещения и чуть не скончалась от удушья. В небольшой комнатке, размером чуть больше сигаретной пачки, жутко воняло потом и дешевыми духами. Впрочем, жара в кассе стояла неимоверная, не спасал даже оглушительно стрекочущий вентилятор.

— Ой, господи, — причитала Катя, жадно вглядываясь в мое лицо, — как же она так, зачем? Из-за любви, да?

Я посмотрела на ее бесформенную фигуру и слишком ярко накрашенные губы. Надо же, лет кассирше около шестидесяти, а до сих пор верит в роковые чувства.

— Вы сами видели, как она бросилась?

— Нет, — разочарованно покачала головой Катя, — я подскочила, когда вытаскивали. Вот где ужас! Жива она была еще, по мне, так лучше сразу... В кровище все, ее на носилки кладут, а она бормочет:

— Сумочка где, сумочка...

Я ей говорю:

— Не волнуйся, тут все, и сумочка, и туфельки. А она как-то странно всхлипнула и спросила:

— Николя, почему? Николя...

И все, отключилась.

После вонючей кассы воздух на платформе показался упоительным. Я вдыхала его полной грудью и поторопилась к маршрутным такси. Николя! Мне известен только один человек с таким претенциозным прозвищем — Николай Славин.

И еще одно. Ну скажите, разве станет женщина, собирающаяся покончить с собой, за минуту до прыжка на рельсы покупать новый роман Коллинз?

ГЛАВА 11

Первое, что я увидела, войдя в ворота нашей дачи, был огромный, сверкающий, серебристый «Мерседес» и двух парней в черном, сидящих на скамеечке. Сердце нехорошо сжалось. Похоже, Игорь Серафимович откуда-то узнал мой адрес и явился получить должок. Сейчас эти громилы схватят меня и начнут ставить на живот раскаленный утюг.

Но бандиты встали и хором сказали:

— Здрасьте, Евлампия Андреевна.

— Добрый день, мальчики, — осторожно ответила я и вошла на террасу.

Перед глазами предстала чудная картина. Огромный круглый стол, который я перед уходом застелила белой, шуршащей от крахмала скатертью, был завален деликатесами. Чего там только не было: банки с икрой, форель, осетрина, ананасы, киви, целый таз клубники, два арбуза, персики, нектарины и гора колбасных изделий. Поодаль стояли три коробки с тортами...

На деревянном стуле сидел Игорь Серафимович. На правом его колене довольно улыбалась Муля, на левом щурилась от наслаждения Ада. Морды мопсих, впрочем, их жирные грудки тоже, были перемазаны белым. Внизу с остервенением что-то жевали Рамик и Рейчел. Клаус, Семирамида и Пингва, урча так, что казалось, на террасе заведен мотоцикл, быстро-быстро глотали какие-то розовые куски. При ближайшем рассмотрении это оказалась свежая семга.

— Лампа! — заорал Кирюшка, размахивая куском хлеба, на котором высился пятисантиметровый слой икры. — Гляди, чего дядя Игорь привез! Мы уже объелись, сил нет!

— Да, — подтвердила Лиза, — прямо тошнит.

— А мне хорошо, — пискнул Костя.

Муля гавкнула. Игорь Серафимович моментально схватил пирожное и сунул в ее выжидательно раскрытую пасть. Я поняла, что мопсихи перемазаны кремом, и обозлилась до крайности:

— Собакам нельзя столько сладкого.

— Прости, не знал.

— Зачем приехал? Сколько с меня еще за фару осталось? Давай счет из автосервиса и уматывай!

Лиза, Кирюшка и Костя замерли с набитыми ртами.

— А вы, — продолжала я злиться, — быстро съешьте по таблетке фестала и исчезните, обжоры!

— Мы не... — запищал Кирюшка.

Но Лиза дернула его за руку. Дети встали и выскочили во двор.

— Дядя Игорь, можно я в «мерсе» посижу? — донесся снаружи голос Кирюшки.

— Конечно, — ответил мужик и повернулся ко мне: — Такая маленькая, а такая революционная. Ну чего хорохоришься? Фруктов твоим детям привез, а тебе детективов, там в гостиной лежат.

Я распахнула дверь в комнату и увидела, что весь диван завален томами, причем не дешевыми карманными изданиями, а дорогими книгами в твердых, глянцевых переплетах. Похоже, Игорь Серафимович купил целый магазин, сгреб с прилавков все не глядя.

— Ну и зачем это?

Мужик рассмеялся:

— Триста рублей-то вчера у тебя пропали, нехорошо вышло! А про мать мою ты точно угадала. Подъезды она мыла и в поликлинике убиралась в стоматологической. Отца у меня не было, как и у твоих детей. Вот мать и кувыркалась. Жаль, до моего богатства не дожила.

— Меня очень тронул твой рассказ о несчастном, голодном детстве, — огрызнулась я, — только, прости, я занята очень, а подарки мне не нужны. Зарабатываю я нормально, нам хватает, дача есть!

— С дыркой в потолке, — хихикнул гость.

— Ну и что? Кирюшка вчера с чердака упал!

— Дети у тебя смешные, морды протокольные, хитрющие, мальчишка вообще класс! Девица его все к порядку призывает. А другой, Костя, ну от него скончаться можно!

— Дядя Игорь, можно мы «мерс» помоем, запылился, — донеслось со двора.

— Мойте, — благосклонно разрешил хозяин.

Дети влетели на террасу.

— Лампа, — завопил Кирюшка, — сейчас возьмем «Фэйри» и новые губки, идет? Те, что для нас купили...

— Зачем?

— Чтобы красоту не поцарапать, — выдохнул Костя.

Ребята засновали туда-сюда.

— Дай ключ от гаража, — велела Лиза, — там стоит полироль.

— Старательные, — хмыкнул Игорь Серафимович, — ты бы злобиться перестала и кофейку налила.

Я машинально включила чайник.

— И собачки классные, — как ни в чем не бывало улыбался гость, — вот эта, жирненькая, блеск.

Он почесал Мулю за ухом. Мопсиха засопела и неожиданно начала икать.

— Мульяна, — резко сказала я, — немедленно иди на пол.

— Ну что ты всех воспитываешь, — хмыкнул Игорь Серафимович, — давай спокойно кофейку попьем, поболтаем.

Не успел он замолчать, как Муля, особенно громко икнув, выплюнула на шикарные брюки гостя полупереваренный эклер.

— Это что? — уставился на неаппетитную кучку Игорь Серафимович.

— То, что и должно произойти с собачкой, которую обкормили сладким, — припечатала я.

Ну, сейчас он наконец-то обозлится и уйдет. Но гость поступил неожиданно.

— Ах ты, маленькая пройда, — засмеялся он, считая салфеткой руины пирожного, — значит, теперь твой бездонный желудок пуст, и ты можешь начинать ужинать снова!

Я невольно засмеялась, а не такой уж он и противный!

Светлые брюки Игоря Серафимовича выглядели отвратительно. Жирный крем размазался по колену, а другую брючину изгваздала в шоколаде Ада.

— Слышь, Ева, — сказал Игорь Серафимович.

Я вздрогнула. Нет, только не это имя. Давным-давно был в моей жизни мужчина... Я его почти полюбила. И он звал меня Ева. Единственный, кому пришло в голову подобным образом сократить Евлампию, писатель, талантливый, богатый литератор, убийца и негодяй.

— Не смей звать меня так!

— Ладно, — удивился Игорь Серафимович, — а как величать-то? Евлампия тяжеловато...

— Лампа.

— Если тебе так больше по душе, хотя Ева...

— Этот вопрос не обсуждается!

Игорь Серафимович ухмыльнулся:

— Теперь понял, почему ты одна с детьми осталась. Скажи, ты веришь в переселение душ?

— Ну, не слишком.

— Кажется, я знаю, кем ты была в прошлой жизни. Предводителем татарского войска. Лучше дай какие-нибудь штаны, а то эти липкие и мокрые.

— Ну откуда у меня мужские брюки? Хочешь мои джинсы?

Игорь захохотал, высунулся в окно и крикнул:

— Рома, там где-то в багажнике штаны валяются, тренировочные!

— Эти? — закричал один из парней, тряся голубыми спортивными брюками с белыми полосками.

— Тащи сюда!

Через десять минут Игорь Серафимович влез в «Адидас» и велел Роме:

— Это состирни.

Парень послушно пошел в ванную.

Тут ворвались дети.

— Ой, какой автомобиль! — кричал Кирюшка.

— Любишь машины?

— Ага.

— У вас какая?

— Две, — гордо заявил Кирка, — «Жигули»-«копейка» и «Форд», белый, 1968 года выпуска.

— Хорошие механизмы, — вежливо ответил мужчина, — а Лампа на какой ездит?

— Ни на какой, она только права получила.

— Слушай, — оживился Игорь Серафимович, — давай выкатывай тачку, и поедем, заправим твою «копейку» бензином. Лучше на «Жигулях» начинать, и тебе не так страшно будет со страховкой. Эй, ребята, хотите в «Мерседесе» покататься?

Я попробовала сопротивляться, но ситуация вырвалась из-под моего контроля. Услыхав про поездку в «шестисотом», Кирка схватил меня за кофту и жарко зашептал:

— Лампуша, умоляю, соглашайся!

Глядя на его лицо, я невольно кивнула.

— Класс! — завопил Кирюшка. — Лизавета, открывай гараж!

— Но Катюшины «Жигули» полгода стоят без движения, — промямлила я.

— Сейчас Роман посмотрит, — моментально отозвался Игорь Серафимович.

Через полчаса «жигуленок» тарахтел на дорожке возле сверкающего «мерса». Выглядели машины невероятно: великолепная, навороченная тачка, старательно натертая детскими руками до зеркального блеска, и ржавая «копейка» с облупившейся краской.

— Прямо так ехать? — с ужасом спросила я.

— Криво не надо, — хихикнул Игорь Серафимович и полез за баранку.

— Игорь Серафимович! — крикнула я.

Мужик высунулся в окно и сказал:

— Сделай милость, называй меня Гарик.

— Гарик, у вас брюки тренировочные на ногах...

— А где они должны быть, на руках? И потом, штаны от костюма мокрые. Тебе стыдно, что я так одет? Ладно, не буду выходить, а сверху все в порядке, гляди — пиджачок, рубашечка...

— Ничего мне не стыдно, — возмутилась я, — я думала, вы забыли!

— Я никогда ничего не забываю, — серьезно ответил Гарик и скомандовал: — Давай вперед!

— Может, Роман машину за ворота выведет?

— Нет!

— Он водить не умеет?

Шкафоподобный Рома хмыкнул.

— Умеет, — спокойно пояснил Гарик, — и Леня тоже, только поедешь сама, одна, остальные со мной, начинай!

Я была единственным ребенком в семье, и мама опекала дочурку всегда. Поэтому, если собеседник переходит на командный тон, я повинуюсь мгновенно. Старательно соблюдая последовательность действий, я завела мотор и, замирая от ужаса, выползла на дорогу.

Добравшись до шоссе, я затормозила. «Мерседес» мигнул фарами. Гарик высунулся в окно:

— Давай, давай, вперед!

— Там полно машин.

— Ничего, мы с тобой, прикроем.

Кое-как повернув направо, я со скоростью 40 километров в час поползла по шоссе. «Жигуленок», словно застоявшийся конь, рвался вперед. На дороге замаячил пост ГИБДД. Я поравнялась со стеклянной будкой, и вдруг постовой, неожиданно свистнув, указал жезлом в бок. Пришлось припарковаться к обочине. Довольно пожилой милиционер вразвалочку подошел к машине и сказал:

— Документы попрошу.

Я протянула права, техпаспорт и доверенность.

— Что-нибудь нарушила?

— Так-так, — пробормотал мент, оглядывая «Жигули».

Потом его взор упал на «Мерседес».

— А вы чего встали? — недовольно крикнул постовой. — Ехайте себе дальше.

Гарик открыл дверцу:

— Жену жду.

— Кого? — удивился мент.

— Там в «Жигулях» баба моя катит.

— Ваша супруга? — недоверчиво произнес постовой, оглядывая роскошный «шестисотый» и сидящего за рулем Гарика в льняном пиджаке от Кардена.

— Ясное дело, моя, — хмыкнул Игорь Серафимович, — только вчера права получила, вот и едет на раздолбайке, тренируется, а мы сзади с ребятами подстраховываем.

— Ага, понятно, — кивнул страж дорог, — ну ехайте тогда!

— Слышь, командир, — засмеялся Гарик, — вы же тут на посту всегда?

— Ну?

— Запиши ее номерок, она теперь ездить станет, туда-сюда, и по смене передай, мало ли чего, начинающая... Рома, расплатись.

Роман протянул постовому пару зеленых бумажек.

— Конечно, — обрадовался тот, — все тип-топ будет.

— Где здесь заправка? — робко спросила я.

— Ехай все время вперед, — заулыбался мент, — никуда не сворачивай, до кладбища.

— Зачем? — испугалась я. — Мне не надо к могилам.

— А там заправочка стоит.

— На погосте?

— Ага.

Я завела мотор, и «колонна» двинулась. Примерно через полчаса впереди показались железные ворота, домишко из красного кирпича и вывеска «АЗС. Кафе и магазин».

Дорога закончилась. В синем-пресинем небе носились птички, тишина стояла замечательная, как на кладбище. Правда, мы и находились на нем. Прямо у заправочных колонок начинались надгробья.

Сидевший на раскладном стульчике парень в зеленом комбинезоне встал и взял «пистолет».

— Заезжайте сюда, — велел он, — вам 92-й?

Я посмотрела на узкое пространство между колонной и кирпичным домиком:

— Въехать в эту щель?

— Тут полно места!

— Ну, я не сумею, — промямлила я, — может, поможете?

— Мое дело бензин заливать, — не пошел на контакт парень.

— Но я не могу, плохо вожу.

— Значит, не заправишься, — заявил служащий и, выжидательно поглядев на сверкающий «Мерседес», добавил: — Тогда отваливай, вишь сзади какой клиент!

— Гарик, — заорала я, — помоги!

«Мерс» распахнулся, из него горохом посыпались Кирюшка, Лиза, Костя, Муля, Ада, Рамик и Рейчел. Следом, сохраняя полное достоинство, вылезли Роман и Леня. Надо сказать, что юноши, одетые во все черное, выглядели в этой ситуации наиболее адекватно. Потом раскрылась дверь шофера, и, небрежно размахивая сотовым телефоном, показался Игорь Серафимович.

Заправщик разинул рот. Группа клиентов действительно выглядела живописно: куча детей и животных, потная тетка, всклокоченная, как банный веник, два парня, явно криминального типа... Завершал картину Игорь Серафимович, верхняя часть которого, одетая в дорогой летний пиджак и безукоризненную сорочку, сильно отличалась от нижней, облаченной в мятые тренировочные штаны. Правда, на ногах у него красовались изумительные ботинки из кожи антилопы.

— Ну, — завел Гарик, и тут зазвонил телефон.

— Да, — рявкнул он, — ты меня достал! Покупай, подумаешь, деньги, сто тысяч зеленых! Только больше не звони, отдыхаю я!

— Дайте ключики, — тихо пробормотал заправщик, — подгоню машину к колонке.

Увидев, что он открыл бензобак, я налетела на Кирюшку:

— Жабу Гертруду не взяли?

— А надо было? — удивился мальчишка.

— Естественно, нет, впрочем, собак тоже.

— Ну когда бы они еще на «Мерседесе» прокатились? — вступилась за друга Лиза.

Действительно, когда? Я отвернулась от детей, села на большой камень у обочины и расслабилась. Несмотря на вечер, стояла тяжелая, удушающая жара. Роман и Леонид, словно тени, маячили у «мерса». Лиза, Кирюшка и Костя накинулись на ларек со жвачками, стоявший у входа на кладбище. Одуревшие от жары и долгой поездки в автомобиле собаки с оглушительным лаем бегали по пустырю. Я облокотилась на колени и заметила, что тапки, тряпочные, синие, купленные мною у метро за двадцать пять рублей, окончательно порвались, и наружу торчат большие пальцы ног. Игорь Серафимович продолжал орать в трубку. В воздухе клубились слова: «миллион», «сальдо»... Заправщик старательно закрыл бак. Тяжелый вздох вырвался из моей груди — ну почему у меня всегда так: если заправка, то обязательно на кладбище?

ГЛАВА 12

На следующее утро я, быстренько собравшись, сбегала к Ребекке, обсудила с ней кое-какие проблемы и в полдень уже подъезжала к Солнечной.

Мишин ларек с книгами стоял на прежнем месте. Я отдала парню деньги за детектив, потом достала из сумочки только что полученную от Бекки фотографию Николая и спросила:

— Не припомнишь случайно, не он ли подошел к той женщине, что под поезд попала?

— А, — протянул Миша, — так вы, значит, из милиции.

— Тьфу, — сплюнула Настя, стоявшая рядом со

своей религиозной литературой, — то-то, гляжу, морда больно противная, а она из легавки!

Я невольно покосилась в ее сторону: надо же, какой странный лексикон для богомольной женщины.

— Не обращайте внимания, — ухмыльнулся Миша, — она на зоне была, ворюга, а потом уверовала и теперь всех жизни учит, просто смешно. Вовсе она не такая, как кажется. Впрочем, и мы все тоже корчим из себя невесть что, а в сущности...

Он взял снимок и стал внимательно разглядывать.

— Изыди, сатана, — буркнула Настя и демонстративно отвернулась.

— Точно, — отозвался Миша, — этот самый и есть. Морда толстая. Весь из себя такой, с золотыми часами, небось бешеные бабки зашибает...

Уже несясь в электричке к Москве, я невольно подумала: ведь торговец прав. Все мы также корчим из себя невесть что, лишь бы никто не узнал о том, какие демоны таятся в душе. Моя лучшая подруга Катюша, хирург, однажды, в особо злую минуту, сказала:

— Знаешь, Лампа, чего в человеке больше всего? Дерьма, причем не в переносном, а в прямом смысле этого слова, как врач говорю.

Да, милый Николя́ тоже усиленно пытается изобразить, что его внутренности заполнены розовыми лепестками... Интересно, зачем он встречался с Ликой на платформе? Что ж, придется задать мужику этот вопрос, но сначала побеседуем с некоей дамой Ириной Леонидовной Самохваловой. Ребекка сказала, что эта особа великолепно знает всех сотрудников академии и даст исчерпывающую информацию не только о них, но и о Славине, она была руководителем кандидатской диссертации Вячеслава Сергеевича, и благодарный профессор потом всю жизнь поддерживал ее и взял на работу в свой вуз.

Приоткрыв дверь с табличкой «Отделение экономики», я увидела даму лет шестидесяти, с супермодной прической и безукоризненным макияжем.

— Простите, где найти Ирину Леонидовну?

— Входите, входите, — пропела женщина глубоким грудным контральто, — вы та самая журналистка с дивным русским именем Евлампия, которая собирается писать книгу о Вячеславе? Идите, идите, Ребекка меня предупредила, жду вас!

Не веря своим ушам и глазам, я села напротив Самохваловой. По самым скромным подсчетам, ей около восьмидесяти, но больше шестидесяти никак не дашь! Поняв, какое впечатление она произвела, Ирина Леонидовна улыбнулась:

— Ну, и о чем станем беседовать?

— Расскажите о Вячеславе Сергеевиче...

— О, дорогая, какой всеобъемлющий вопрос, — улыбнулась дама и начала.

Полтора часа она пела осанну покойному. Честно говоря, я загрустила. Ни одного плохого слова не слетело с ее губ, накрашенных элегантной помадой светло-коричневого цвета. Судя по этому рассказу, Славин был просто ангел во плоти, добрые дела которого невозможно перечислить. Поток слов лился плавно. Как профессиональный преподаватель, Ирина Леонидовна говорила четко, иногда переспрашивая:

— Вам понятно?

Я кивала, все больше погружаясь в пучину тоски. Наконец, когда Самохвалова перевела дыхание, я быстренько поинтересовалась:

— А дети его? Так же талантливы?

Ирина Леонидовна скорчила недовольную гримасу:

— Ах, дорогая, природа отдыхает на отпрысках гениев, а в случае Вячеслава она не просто устроила себе отпуск, а легла спать надолго.

— Не понимаю, — прикинулась я идиоткой.

— Сейчас объясню, — обрадованно сказала дама.

Даже покорив научные Гималаи, получив всевозможные звания, дипломы и регалии, женщина всегда остается женщиной, и посплетничать о близких и знакомых доставляет ей невероятное удовольствие.

— Вы видели Нору и Тамару?

Я кивнула.

— Ну и как они вам?

— Нормальные женщины, вполне интеллигентные и воспитанные!

Ирина Леонидовна гневно щелкнула зажигалкой:

— Глупости, полные дуры! Как, впрочем, все его пассии. Прямо странно, с какой настойчивостью Слава выискивал совершенно неподходящих жен и любовниц. Удивительно! И это когда рядом находились чудные девушки, моя дочь, например.

Она вздохнула и с горечью добавила:

— Карина была влюблена в Славу, лучшей пары и не придумать! Оба увлечены наукой, общность интересов сближает. Слава потому и скакал из постели в постель, что никак не мог отыскать родственную душу. Сначала дурацкий брак с Ольгой, сразу было ясно, что ничего хорошего не выйдет! Потом Нора! Тот еще фрукт — злая, жадная, абсолютно базарная, но родила ему четырех детей, очень неудачливых, надо сказать, и Славин терпел ее ради малышей.

— Почему неудачливых? Николай вроде доктор наук?

Ирина Леонидовна рассмеялась:

— Знаете эпиграмму Пушкина:

> В Академии наук
> Заседает князь Дундук,
> Отчего он заседает?
> Отчего же Дундуку такая честь?
> Отчего он заседает?
> Оттого, что жопа есть.

Николай, или, как маменька зовет его, Николя, питался отцом, как червь яблоком. Обе диссертации: и кандидатскую, и докторскую — написал Славин. Я еще когда говорила:

— Слава, отдай мальчишку в ПТУ, пусть хоть руки развивает, головы у него все равно нет!

Но Вячеслав Сергеевич упорно тащил сыночка, сначала пристроил в институт, потом в аспирантуру, сделал профессором. У них даже монографии совместные выходили — В. Славин и Н. Славин. Народ только улыбался в кулак, всем вокруг было понятно, кто автор многостраничных «кирпичей». А создав свой вуз, академик сделал сынка первым заместителем.

— Значит, сейчас Николай «рулит» в учебном заведении?

— Пытается, — фыркнула Ирина Леонидовна, — но ничего не выходит, думаю, мы провалим прием. Народ шел, привлеченный именем Славина и кое-кого из профессуры. Допустим, к Репнину, Савельеву или Кавалерову. Но Сергей Репнин уже сейчас сообщил, что уезжает по контракту в Америку, а Жора Савельев собрался в Канаду. Крысы бегут с корабля, думаю, и Кавалеров не задержится. Так что наша академия скоро развалится, если, конечно, не принять экстренных мер! Но Слава, земля ему пухом, не терпел около себя конкурентов в научном плане, все о детках пекся!

Она примолкла.

— Получается, что Николай ничего не выиграл от смерти отца?

— Конечно, нет! Он без папули ничто, ноль без палочки. Да ему не под силу руководить не только такой академией, как наша, но даже и школой первой ступени в Чукотском крае! Ничего, абсолютно ничего не получил он от Славы: ни ума, ни трудолюбия, ни активности, вылитая Нора.

Внезапно она заткнула фонтан желчи, загасила окурок и спокойно добавила:

— Впрочем, я несправедлива. Один талант ему все-же достался.

— Какой?

— Умение кобелировать. Наш Николай постоянно носится по бабам, а чадолюбивый Слава пристраивал всех его бывших любовниц, что, честно говоря, было трудно, потому что Николаша, чувствуя собственную ущербность, всегда подбирает дам из другого социального строя, из андеграунда, так сказать! Одна из его находок Леночка, секретарша Славы. Вы не поверите, она вначале говорила посетителям: «Повесьте польты в шкафик». Мрак! Правда, сейчас пообтесалась.

Самохвалова вытащила новую сигарету и понеслась дальше:

— Но Николай по сравнению со своими братьями просто Конфуций, он хоть может изобразить интеллектуала и хранить этакое многозначительное молчание в нужный момент, а Андрей!

Боже, вы бы видели его на защите кандидатской! Слава сидел весь красный, мальчишка не сумел даже нормально ответить на заранее подготовленные вопросы. Стыд и срам, нес полную фигню, да любого другого давно бы выгнали и уж точно прокатили бы с треском, нашвыряли черных шаров. А здесь вскрыли урну — все бюллетени положительные, только один испорчен. Небось у старика Ковалева рука от стыда дрогнула.

Из Сергея даже не пытались сделать кандидата наук. Парень с трудом закончил десятилетку. Пришлось пристроить его на журфак, а потом впихивать в различные околонаучные издания типа: «Мир новых исследований» или «Горизонты экономики», но даже там Сережу держали на последних ролях, просто из милости, учитывая заслуги Славина.

— Зато Ребекка — хорошая актриса!

Ирина Леонидовна закатила глаза:

— Она милая девочка, воспитанная и приветливая, но не Сара Бернар и даже не Джейн Фонда, отнюдь!

— Но недавно она снялась в очень популярном сериале!

Самохвалова поинтересовалась:

— И давно вы, душечка, работаете в журналистике?

— Не слишком...

— Оно и видно! Роли получают не за талант! У режиссера, снявшего ленту, два сынка-оболтуса, и оба теперь учатся у нас, между прочим, взяты, как дети из многодетной семьи, бесплатно. Ясно?

Я кивнула.

— После смерти папы Бекки не на что надеяться! Абсолютно, станет играть «кушать подано!».

— А Светочка?

— Бледная немочь, — фыркнула Ирина Леонидовна, — просто застиранная кофточка, ни ума, ни блеска, ни шарма. Пожалуй, из всех более чем неудачливых детей Бекки самая привлекательная. Вот моя Карина...

И она замолчала.

— А где работает ваша дочь?

Ирина Леонидовна аккуратно сложила валяющиеся на столе ручки в стаканчик.

— Карина умерла. Долгие годы ждала, что Слава все-таки обратит на нее внимание, а потом сгорела в одно лето, саркома.

Я насторожилась. В портрете идеального академика возник черный мазок. Значит, была девушка, любившая безответно Славина... Может, Ирина Леонидовна и наняла киллера?

— Простите, а когда случилась трагедия?

— В 1985 году, — ответила Самохвалова.

Я подавила тяжелый вздох. Пятнадцать лет — слишком большой срок для ненависти.

Узнав от Ирины Леонидовны все, что можно, я прошла на первый этаж и заглянула в приемную ректора. Симпатичная женщина, по виду около тридцати лет, строго сказала:

— Николая Вячеславовича нет!

— Вы Лена?

— Да. Что вы хотите?

Я втиснулась в приемную, сделала самое сладкое лицо и защебетала:

— Вы-то мне и нужны. Я представляю журнал «Вестник Академии наук». Собираемся давать статью о новом ректоре Николае Славине, нет ли у вас его биографических данных?

— Возьмите, — резко сказала секретарша.

Она протянула листок, тут дверь с треском распахнулась, и вошел мужчина лет пятидесяти, он нес в руках большую сумку. За ним семенила девица в невероятно обтягивающих фигуру бриджах и розовом полупрозрачном топике.

— Ты еще здесь, Лена? — удивленно спросил мужчина. — Не собралась? А я уже Ларису привел.

Он грохнул сумку на пол.

— Давайте, Ларочка, устраивайтесь!

Девица капризно оттопырила нижнюю губу и недовольным тоном произнесла:

— В приемной жуть, все менять надо, шторы, как в деревенской избе, и потом, такой стол мне мал!

— Тогда пошли, — вздохнул мужик, — покажешь, какой подходит.

Залившаяся краской Лена хранила во время этой беседы напряженное молчание. Я тоже притихла, стараясь стать незаметной.

Когда за мужиком и девицей захлопнулась дверь, Лена резко повернулась и зло буркнула:

— Ну, чего уставились? Если есть вопросы, это не ко мне, тут теперь новый секретарь появился, видали?!

— Вы давно здесь работали?

— Достаточно, — буркнула Лена и принялась сбрасывать в пакет ручки, календари и скрепки.

Ее пальцы дрожали, а шею и даже грудь, виднеющуюся в глубоком вырезе кофточки, покрывали неровные красные пятна, словно девушка внезапно заболела корью.

— Не нервничайте, — попробовала я утешить ее, — ну не могут же вас так просто выставить на улицу, права не имеют!

Лида подняла на меня абсолютно несчастные глаза и прошептала:

— А никто не выгоняет, перевели в другое место, даже оклад такой же!

— Вот видите, — обрадовалась я, — все хорошо, в приемной-то небось хлопотно сидеть!

Не замечая моих слов, она продолжала:

— Замечательное место, дежурной у входа в студенческое общежитие.

Я растерянно захлопнула рот. Лена еще пару секунд перекладывала карандаши, потом неожиданно положила голову на пачку бумаги и отчаянно зарыдала.

— Ну-ну, — забормотала я, — все будет хорошо, просто прекрасно...

Внезапно из коридора послышался шум. Лена подскочила и, подбежав к двери шефа, отчаянно выкрикнула:

— Сделайте что-нибудь, но только выгоните пока эту выскочку, я не могу показаться ей на глаза с таким лицом.

Не успела она исчезнуть, как в приемную влетела девица в бриджах. За ней шли рабочие, тащившие стол.

— Ставьте сюда, — распорядилась девчонка, — а этот унесите.

— Простите, — попробовала я вмешаться, — но, кажется, Лена не успела собраться...

— У нее было достаточно времени, — хмыкнула нахалка, — утром ей сообщили, что к обеду нужно освободить приемную. Николя, то есть Николай Вячеславович, хочет, чтобы тут все выглядело классно. Давай, ребята, шевелись!

Рабочие, отдуваясь, принялись двигать мебель. Я заметила, что на столе стоит бутылочка с чернилами «Пеликан», и, пока активная девица покрикивала на малоповоротливых пролетариев, мои руки быстро и незаметно откупорили крышечку и поместили пластиковый флакон на стул.

Девица, размахивая руками, раздавала указания, и в конце концов произошло неизбежное. Со словами: «Как я от вас устала, идиоты», — милая девушка шлепнулась на вертящееся кресло и тут же заорала. По светло-бежевым бриджикам потекли фиолетовые потоки.

— Какая... поставила сюда чернила, — взвыла девчонка.

Я пожала плечами:

— Понятия не имею. Следовало подождать, пока Лена соберется, глядишь, ничего бы не случилось.

Матерясь, девица вылетела в коридор. Рабочие, пересмеиваясь, пошли за ней. Я приоткрыла дверь в кабинет Славина и крикнула:

— Лена, выходите!

Очевидно, в апартаментах начальника была ванная комната, потому что Леночка появилась на пороге с умытым лицом.

— Мы можем уходить, — вздохнула я.

Лена уставилась на фиолетовую лужу, растекшуюся на светло-бежевом офисном кресле.

— Это что такое?

Я хихикнула:

— Подумайте, какая незадача вышла! Совершенно случайно на стульчике оказалась банка чернил, к тому же открытая, ей-богу, не пойму, как такое вышло! Конец бриджам! Очень жаль. Они ей были к лицу, вернее, к заднице.

Лена расхохоталась, подхватила пакет и предложила мне:

— Пошли, тут за углом великолепное кафе, слопаем по мороженому.

ГЛАВА 13

Мы сели у окна, и Лена сказала:

— Ну спасибо тебе! Весь день настроение на нуле было, а тут такая фишка с чернилами!

— Не переживай, — ответила я, — еще устроишься, хорошие секретари в цене.

— Да, конечно, я найду место, — отмахнулась она, — не в этом дело, знаешь, просто обидно до жути.

— Почему?

Лена повозила ложечкой по пластмассовой вазочке.

— Понимаешь, у меня был роман с Николя.

— С сыном Славина, Николаем Вячеславовичем? — прикинулась я сибирским валенком.

— Именно, — кивнула Леночка, — целый год. Я-то, дурочка, губы раскатала, думала, он на мне женится! Вот идиотка! Никогда разговора о свадьбе не заходило. Но вроде все хорошо было, я даже у него на квартире жила, на дачу он меня возил к Вячеславу Сергеевичу...

Она замолчала, потом вытащила из стаканчика салфетку и стала ее скатывать в шарик.

— Я-то таяла. Думала, к отцу возит, значит, уже вопрос решен. Меня в семье очень хорошо принимали. Вячеслав Сергеевич милый был, я никогда не ощущала неловкости.

Время шло, Леночка привыкла к мысли, что она — невестка Славина. Даже Нора сменила гнев на милость и вполне дружелюбно обсуждала с ней животрепещущую тему: что следует носить летом, узкие юбки или широкие брюки?

Счастье лопнуло в один день. Однажды Николай просто позвонил и сказал:

— Извини, Лена, но наши отношения окончены.

— Как? — растерялась девушка. — Что случилось?

Только в прошлую субботу они весело проводили время в Алябьеве, и ничто не предвещало такого поворота событий.

— Ничего, — спокойно ответил Николя, — просто я тебя разлюбил.

Лена даже не успела ничего сказать, как любовник отсоединился. Ничего не понимающая девушка стала названивать Николаю, но трубку на квартире и даче не снимали, а мобильник талдычил: абонент отключен или временно недоступен.

Промучившись часов до семи, Лена собралась и приехала в Алябьево. За большим столом на террасе, где она часто пила чай на правах законно признанной невестки, сидели Нора, Николай и незнакомая девушка в ярко-красном платье. Лену неприятно поразил тот факт, что Николя, весело рассказывая что-то, обнимал незнакомку за плечи.

— Здравствуйте, — тихо сказала Лена.

Николай повернулся, вздернул брови и протянул:

— А, это ты, проходи...

— Знакомься, дорогая, — прощебетала Нора, обращаясь к женщине в огненном наряде, — это чудесная девочка, наша старая подружка, Леночка.

— Очень приятно, Регина, — улыбнулась незнакомка.

— Региночка — невеста Николая, — сообщила Нора, — съешь, дорогая, пирожок, твой любимый, с яблоками, изюмом и корицей, словно знали, что ты придешь, и испекли!

У Лены помутилось в голове, громко всхлипнув, она ринулась в сад. Последнее, что донеслось до ее слуха, были слова Николая:

— Не удивляйся, дорогая, у Лены случаются странности.

Рыдая, Леночка понеслась по дорожке и врезалась прямо в Вячеслава Сергеевича, мирно шествовавшего от машины с коробочкой пирожных.

— Что случилось, Лена? — спросил он удивленно.

Но девушка, не отвечая, вылетела на дорогу и побежала к станции.

На следующий день, вечером, около девяти, к ней в гости пришел старший Славин.

— Не переживай, — сказал академик, — Николя наихудший вариант для семейной жизни, он не из тех мужчин, что любят одну женщину. Ты у него не первая и не последняя, лучше ответь, что у тебя с работой?

Леночка растерянно затеребила край пледа. Когда она познакомилась с Николаем, он тут же начал делать ей подарки, покупать одежду и косметику. Ужинали и обедали они в ресторанах, а на завтрак Лена ничего, кроме кофе, отродясь не пила. К тому же передвигались любовники исключительно на машине. Словом, весь этот сказочный год Лена даже не задумывалась о деньгах и совершенно забросила учебники. До начала бурного романа с Николя она училась в техникуме на секретаршу. Но потом, честно говоря, подумала, что работать ей не придется никогда. Да и зачем, Николай вполне способен обеспечить семью, а она станет воспитывать детей, двоих, лучше троих...

Вот так она и оказалась на обочине, без образования и работы. Остается только одно — прыгать из окна!

Вячеслав Сергеевич крякнул и вмиг устроил Леночкину судьбу. Посадил у себя в приемной и терпеливо сносил все ошибки помощницы, позвонил кому следует, и ее взяли на курсы. Теперь по вечерам девушка бегала на занятия.

Николя и глазом не моргнул, словно так и надо. По пять-шесть раз на дню, заглядывая к отцу в кабинет, он небрежно кивал Леночке, а на Восьмое марта и Новый год дарил ей дежурные коробки конфет. Ни о какой любви речи не шло. Николай словно вычеркнул ее из своей жизни, как будто и не было целого года, наполненного страстью.

Слабым утешением служил тот факт, что коварный Николя без конца менял женщин: Регина, Ольга, Настя, Вера... В конце концов Леночка запуталась и перестала вести его донжуанский список. А потом ей стало все равно, с кем бывший кандидат в женихи проводит время, потому что за ней начал ухаживать один из преподавателей академии, весьма положительный Игорь Вериев. Собственно говоря, у них уже все решено, и Леночка сама собиралась подать заявление об увольнении, но то, как с ней поступили сегодня, задело девушку за живое.

Утром, едва она успела включить компьютер, явился начальник отдела кадров и спокойно сообщил:

— В связи с реорганизацией ваша ставка ликвидируется. Теперь в приемной будет находиться не секретарь, а помощник ректора. Николай Вячеславович уже подобрал подходящую кандидатуру, а вам я могу предложить место вахтера в общежитии с сохранением оклада.

Униженная донельзя, Лена сначала наотрез отказалась покидать рабочее место, а потом пригрозила судом. Но кадровик лишь усмехнулся и вполне миролюбиво парировал:

— Любое разбирательство закончится в нашу пользу. Мы просто переводим сотрудника на другую должность, оклад остается прежним. И потом, трудовую дисциплину никто не отменял, работа начинается в десять. А во вторник вы явились в четверть одиннадцатого, в среду опоздали на полчаса, а сегодня и вовсе появились в полдвенадцатого. Не хотите по-хорошему, уволю по статье с соответствующей записью в трудовой книжке.

Лена так и замерла с открытым ртом. В академии был более чем свободный график посещений, и никто ни к кому не привязывался. А Леночка частенько задерживалась до одиннадцати вечера, не считаясь со свободным временем, подстраивалась под график Вячеслава Сергеевича.

— Кто бы мог подумать, что Николай такой подлый, — вздыхала Лена, превращая мороженое в кашу.

— Ну, если вспомнить, как он поступил с тобой раньше, то и нечего было ждать благородства. И потом, когда меняется начальник, он, естественно, набирает свою команду.

— Я это великолепно понимаю, — вздохнула она, — и морально была готова, что в течение полугода мне предложат другое место. Но чтобы так! Сразу! Да еще вахтером в общежитии! Хотя понятно, очень уж Николя боялся, что я останусь в академии, вот и подыскал должность дежурной, знал, что я откажусь от такой чести!

— Зачем ему тебя бояться? Он же хорошо небось знал про твой новый роман и понимал, что к нему ты приставать не начнешь!

Лена хмыкнула:

— Ну теперь после такого поведения он мне рот не заткнет, на всех перекрестках растреплю: Николай был любовником Лики, последней жены своего отца.

А я не удержалась и намекнула ему недавно, что все знаю. Он, правда, сказал, что я дура, но перепугался.

От неожиданности я вздрогнула и уронила кусок шоколадного мороженого на светлые брюки.

— Что ты глупости несешь! Лика обожала Вячеслава Сергеевича!

Лена рассмеялась:

— Ах, наша милая Анжелика, глазки в пол. Вежливая до отвращения: «Леночка, дорогая, подскажите, где Вячеслав Сергеевич? Спасибо, извините за беспокойство». Элегантная, как английская королева, с улыбочкой на ловко накрашенной морде. В ее присутствии мне всегда хотелось громко пукнуть, чтобы слегка разрядить обстановку. Фу-ты ну-ты, ножки гнуты! Я, между прочим, тоже думала, что Вячеслав Сергеевич для нее свет в окошке, ан нет! Точно знаю, спали они, трахались, обманывали академика, негодяи, да и только, он их кормил, поил, деньги давал — и вот благодарность получил!

— Ты ничего не путаешь?

— Ха! — выкрикнула Лена. — Настолько ничего не боялись, что прямо дома устраивались. Слушай!

За день до смерти Вячеслав Сергеевич забыл на даче кое-какие очень нужные документы и послал за ними Лену. После неприятной встречи с Региной она больше не появлялась в Алябьеве, и, честно говоря, ей жутко не хотелось отправляться по знакомому адресу. Но служба есть служба, пришлось садиться в машину Славина.

Ворота загородного дома были закрыты на ключ, сторож куда-то подевался, и Леночка пошла пешком к террасе. Но дверь, всегда приветливо распахнутая, на этот раз не поддалась. Удивленная, Леночка обошла дом кругом, увидела приоткрытое окно гостиной, заглянула в комнату, хотела крикнуть и онемела. В самом дальнем конце, у телевизора, стояли Николай и Лика. Ничего странного в этом не было, кроме двух вещей. Проходя по двору, Лена не увидела джипа бывшего любовника, но это поддавалось объяснению.

Скорей всего машина находилась в гараже. Шокирующим было другое. Николя был совершенно обнажен, а Лика одной рукой держала его за плечо, а другой гладила по животу.

«Ну что, — хмыкнул Николя, — убедилась?»

Лика молча кивнула, и тут раздался шум мотора, очевидно, вернулся сторож, и шофер въехал в ворота.

«Одевайся живей и прячься, — велела Лика, — это секретарша за бумагами явилась».

Леночка опрометью кинулась к террасе и забарабанила в дверь. Лика возникла на пороге, как всегда, невозмутимая, с приветливой улыбкой. Лена, у которой бешено билось сердце, только поразилась ее удивительному самообладанию. Дальше больше. Бумаг они сразу не нашли. Позвонили Вячеславу Сергеевичу, но тот ушел на заседание ученого совета и отключил мобильник.

«Может, Николай Вячеславович в курсе дела?» — спросила Лена.

«Его нет дома, — преспокойно ответила Лика, — хотя, хорошая идея, сейчас позвоним и спросим».

Она преспокойненько потыкала в кнопочки и поинтересовалась:

«Николя? Не знаешь, куда отец положил документы...»

— Вот ведь актриса, — качала головой Лена, вспоминая этот момент, — если бы я только что не видела голого Николая, запросто поверила бы!

Лика «поговорила» еще немного с Николаем и сказала:

«К сожалению, он не в курсе».

Пришлось Лене уезжать ни с чем, а Вячеслав Сергеевич потом нашел бумаги у себя в портфеле.

— Вот чем они занимались, когда никого дома не было, — резюмировала Лена, — сволочи!

— В гостиной? — изумилась я. — Отчего в спальню не пошли, не побоялись в общей комнате?

— А чего бояться? — хмыкнула Лена. — В доме никого, домработницу небось в магазин отправили. Кстати, Николай — большой любитель пикантных ситуаций, мы с ним один раз знаешь где трахались!

— Где?

— У переезда, пока шлагбаум закрыт был, в машине стекла затемненные... Так что гостиная меня не удивляет. Просто обидно за Вячеслава Сергеевича. Он-то ничего не знал. Между прочим, последний, кто с ним говорил, был Николай.

— Неужели?

Леночка облизала ложку и пояснила:

— Тот к нему в кабинет вошел, они о чем-то толковали, минут десять, может, пятнадцать. Потом Николай вышел, закрыл дверь, а из кабинета донеслось: «Николя, вернись!»

Сын приоткрыл дверь и сунул голову в кабинет: «Чего?»

Отец ответил:

«Устал я очень, хочу полежать часок, попроси Лену никого не пускать ко мне».

«Ладно, — согласился Николя и, закрыв дверь, повернулся к секретарше. — Вячеслав Сергеевич...»

«Я слышала», — перебила его Лена.

«Ну и чудесно», — ответил Николай, выходя в коридор.

— Он всегда звал отца по имени-отчеству?

— Да, во всяком случае, на службе, кстати, и Лика, и Сергей тоже. Все-таки он был ректор, и домашние не допускали в рабочей обстановке фамильярности.

— Значит, ничего страшного в визите старшего сына не было?

— Нет, — пожала плечами Лена, — только...

— Что?

— Минут через пять после ухода Николя Вячеслав Сергеевич позвонил и сказал: «Леночка, никого не пускай!»

— Ну и что тут необычного?

— Он почему-то воспользовался не внутренним телефоном, а городским.

— Подумаешь, небось спутал аппараты.

— Он никогда не звонил мне по городскому телефону, если находился в кабинете, — медленно произнесла Лена.

Обменявшись с ней телефонами, я поехала на вокзал. Перед тем как сесть в электричку, зарулила на Киевский рынок и накупила дешевых фруктов. Детективы мне в ближайший месяц не понадобятся, Гарик приволок все мыслимые и немыслимые новинки. Он не знал, что я читаю только женщин, и теперь у меня на полке стояли всякие Дышевы, Леоновы, Абдуллаевы...

Устроившись на жесткой скамейке, я закрыла глаза и стала размышлять. Что ж, вполне понятная ситуация. Вячеслав Сергеевич вытащил Анжелику из грязи, дал ей благополучие, образование и социальный статус. Благодарная девушка, преклонявшаяся перед своим академиком и восхищавшаяся его умом, первое время никак не могла прийти в себя от происшедшей с ней метаморфозы. Но брак — коварная штука. Начинаешь видеть партнера не только в костюме с галстуком в окружении восторженных студенток, а в ванной, в спальне, туалете и кухне. Постепенно начинаешь понимать, что твой супруг, умный, порядочный, ласковый, на самом деле такой же человек, как и все. Хочет есть, пить, любит пиво с рыбкой... Наверное, Лике было горько признавать эти истины. Говорят же французы, что император для всех император, кроме своего парикмахера. Может, Вячеслав Сергеевич храпел во сне, может, ковырял в носу... Ведь не ходил же он дома в идеально выглаженном костюме и не читал лекций. А Лика полюбила «парадный» вариант.

Наверное, в любом браке наступает момент, когда проходит острота чувств. И тут главное не ужасаться, а отыскать в своем партнере какие-то новые качества и попробовать строить взаимоотношения на дружбе или любви к детям, еще хорошо помогает общее дело...

Может, Лика и пришла бы к подобным выводам, но, как назло, в доме все время мелькал Николай, до ужаса похожий на отца. Собственно говоря, Анжелика не изменяла мужу, она просто вступила в связь с молодым Вячеславом Сергеевичем... Интересно, сколько длился их роман и когда он начался?

— Будьте осторожны, электропоезд отправляется, следующая Солнечная, — пробубнило радио.

Я подхватила кулек с нектаринами и двинулась в тамбур. Время еще не позднее, посмотрю внимательно на то место, где погибла Лика.

Сразу за платформой тропинка круто взбиралась вверх. Что ж, торговец Миша прав, место действительно опасное, стоит потерять равновесие, и мигом скатишься под поезд, тем более если на ногах туфли с тоненькими шпильками. Впрочем, для того чтобы покончить с собой, место тоже подходило идеально. Машинист состава, проезжающего Солнечную без остановки, естественно, не ожидает, что сверху кто-нибудь прыгнет, и, хотя он сбрасывает слегка скорость, проскакивая станцию, все равно мгновенно остановиться при виде катящегося под колеса человека ему не под силу. Я помню, как тревожно гудела электричка, пытаясь резко тормозить. Скорей всего, несчастный машинист видел летящую на рельсы Лику, но ничего поделать не мог. Представляю, какой он испытал стресс, наехав на женщину! Врагу не пожелаешь такого!

Солнце палило немилосердно. Я вытащила из сумочки бейсболку и нацепила на макушку, не хватало только шлепнуться в обморок, похоже, что этой тропкой редко пользуются. Под большой раскидистой елью мой взгляд приметил бревно. Чувствуя, как в ушах начинается звон, а перед глазами мелькают мушки, я вползла под елку и рухнула на деревяшку. Господь предназначил меня для жизни в средней полосе, а не в Африке...

Под огромным деревом стояла замечательная тишина и удушающе пахло хвоей. Длинные ветви свисали почти до земли, я сидела словно в палатке из иголок.

Вдруг послышался непонятный звук: шр-шр-шр. Я осторожненько посмотрела в просвет между еловыми лапами. Спиной ко мне стоял мужчина в белых брюках и кремовой сорочке. Он держал в руках длинную палку и раздвигал ею высокую траву. «Шр-шр-шр», — шуршала зелень. Мужик явно что-то искал. Минут десять он бродил на небольшом пятачке, потом злобно выругался и обернулся. Я отпрянула в сторону. Прямо на меня смотрело лицо Николая, искаженное гримасой. До сих пор я видела его только один раз, но ошибиться не могла. Человек, роющийся в лопухах, был сыном Славина.

Не скажу, что меня сильно обрадовала эта встреча. Выходить со словами: «Привет, Николя», — отчего-то не хотелось.

Наконец, нагнувшись в последний раз, доктор наук повернулся и зашагал вниз. Я осторожненько вылезла из укрытия, села в лопухах и увидела, как он бегом несется в сторону платформы, чтобы успеть на электричку, направляющуюся в Москву. Странно, что Николай не воспользовался своим роскошным джипом... Хотя небось на машине к этому косогорчику не подъехать!

Взгляд упал на часы — ровно шесть. Следующая электричка на Переделкино пойдет только через сорок минут. Интересно, что потерял здесь Николай?

Я подняла брошенную палку и принялась рыться в траве, но ничего достойного внимания не попадалось на глаза: рваный пакет, пустая бутылка из-под пива, окурки, нет, явно не то...

— Тетенька, — внезапно раздалось за спиной.

Я чуть было не свалилась от ужаса с косогора.

— Тетенька, — повторил дискант.

Обернувшись, я увидела около себя крохотную девчушку, грязную, в засаленном, когда-то белом платье. Жалкие косички были завязаны на концах тряпками.

— Чего тебе, деточка?

— Я знаю, что вы ищете! — хитро прищурилась девочка.

На вид ей было лет семь, не больше.

— Ну и что?

— Часы золотые, жутко красивые, — пропел ребенок. — А сколько дадите, если скажу, где они?

Я отшвырнула палку.

— Двести рублей хватит?

— Триста, — быстро накинула цену девица.

— Хорошо, только сама отведешь меня на место, и, когда я увижу часы, тогда отдам три сотни.

— Давай пошли, — велел ребенок, — у Павлика они, Кротова. Он их несколько дней тому назад нашел и мне похвастался. Говорит, стоят, как машина. Это правда?

— Не слушай глупости, врет, — быстро сказала я, — подумай сама, ну могут за часы такие деньги просить?

— Конечно, брешет, — согласилась провожатая, — врун он жуткий. Говорит всем, что его отец космонавт! Смешно. Ладно бы в городе врушничал, чужим, а то своим! Да кругом известно, что его папанька с пьяных глаз утонул, и мать у него водку жрет в три горла.

Мы добрались до одноэтажного барака, выкрашенного темно-зеленой краской, и девочка постучала в одно из окон.

— Слышь, Павлуха, выгляни.

Высунулся щуплый подросток:

— Чего тебе?

— Вот, тетенька за часами пришла!

Парнишка вмиг покраснел:

— За какими?

— Ладно тебе, Павлуха!

Мальчишка набычился:

— Вали отсюда, придумала дурь!

Он хотел захлопнуть окно, но я ухватилась за створки и проникновенно сказала:

— Павлик, а куда ты денешь эти часы? Они очень приметные, мы уже заявили в милицию о пропаже, и продать тебе их не удастся. Знаешь, что у дорогих часов номера имеются?

Павел кивнул.

— Ну и зачем они тебе тогда? Кто-нибудь накостыляет по шее и отнимет. А если сейчас вернешь мне пропажу, получишь деньги.

— Тысячу рублей, — мгновенно переориентировался мальчишка.

— Вынимай часы.

Павлик скрылся, потом вновь высунулся и показал довольно вульгарный золотой «будильник». На оборотной стороне были выгравированы буквы В.С. Наверное, этот дорогой, но абсолютно не интеллигентный прибор для определения времени кто-то подарил Вячеславу Сергеевичу, а тот передал сыну.

Павлик выдернул у меня из рук часы:

— Деньги давай!

— Понимаешь, такой суммы с собой сейчас нет, привезу завтра.

Мальчишка рассмеялся:

— Ишь, какая хитрая! Вот принесешь тысячу и получишь!

— Послушай, — возмутилась я, — между прочим, часы не твои.

— А где на них написано, что твои?

— Вот видишь буквочки В.С.? Это Вячеслав Славин.

— Может, Владимир Семенов? — ерничал Павлик. — Нет уж, тетенька, хотите купить за тысячу? Давайте деньги. Нет? До свидания.

— Погоди, сейчас съезжу домой и вернусь. Ты никуда не уйдешь?

— Неа, — пробормотал мальчишка и захлопнул окно.

— А где мои триста рублей? — ожила девочка. Я сунула ей бумажки и пошла в сторону электрички.

ГЛАВА 14

На этот раз во дворе стоял не серебристый «Мерседес», а черный роскошный «БМВ». Очевидно, Гарик менял машины под цвет костюма.

На веранде громоздился огромный торт, невероятный букет — роз сорок, не меньше, но ни детей, ни животных, ни Игоря Серафимовича не было. Впрочем, не было ни Романа, ни Лени, на скамеечке курил незнакомый парень с приятным добрым лицом.

Я толкнула дверь в гостиную. Возле стола, заваленного видеокассетами, прыгали Лиза, Костя и Кирюшка. Услышав скрип, они глянули в мою сторону.

— Вот она, — заорал Кирилл, — вернулась!

Гарик, рассматривавший книги на полках, мгновенно повернулся, и я уставилась в лицо... Вениамина Михайловича, наглого антрепренера, предлагавшего мне роль в телесериале.

— Ага, голубушка, — улыбнулся он, — думала, скроешься? Ан нет!

— Как вы меня нашли?

— Очень просто, — веселился Вениамин Михайлович, — знаешь, сколько женщин с потрясающим именем Евлампия прописано в Москве?

Я безнадежно села на стул. В январе этого года Володя Костин помог мне получить новый паспорт, я официально стала Евлампией, окончательно похоронив Ефросинью. И хотя кое-кто из старых знакомых удивляется, в моих документах стоит теперь Евлампия Андреевна Романова.

— Ну и сколько?

— Двадцать одна, — радостно ухмылялся администратор.

— И что, всех объехал?

— Душенька, — пропел Вениамин Михайлович, — двадцать из списка справили семидесятилетие, ты одна, голубушка.

— Про Алябьево кто сказал? — буркнула я, судорожно соображая, как от него побыстрей избавиться.

— Да, голуба, квартирка твоя закрыта, но вот такая милая старушка с нижнего этажа, приветливая бабуся, адресок в Алябьеве и дала вместе с телефончиком. Ну, а твои брат с сестрой сказали, что после шести прибудешь.

— Кто сказал?

— Мы, — пискнула Лиза. — Вениамин Михайлович так интересно представился, сказал, что хочет снимать тебя в телесериале, а потом спросил, где мама?

— Тут я и отвечаю, — перебил Кирюшка, — наша мама в Америке, а Лампа нам старшая сестра, молодая еще, тридцати нет.

Я только хлопала глазами. Кирюша с жаром продолжал:

— В кино-то только юных снимают, старухи не нужны.

Вениамин Михайлович расхохотался и щелкнул Кирку по затылку.

— Ну ты пройда, нам как раз нужна дама элегантного возраста.

— Какого? — не поняла Лизавета. — Почему элегантного?

Антрепренер вновь забулькал, судя по всему, у него было превосходное настроение.

— Вот, посмотри, привез кассеты, тут вся, так сказать, наша продукция. Вечером с ребятами и посмотришь.

— Брюс Уиллис тоже в вашем агентстве? — хмыкнула я, выуживая упаковку, на которой пламенела надпись «Крепкий орешек».

— Эта случайно попала, давай выброшу...

— Не надо, — испугался Кирюшка, — я люблю Брюса.

— Говно, — поморщился Вениамин Михайлович, — ни рожи, ни кожи, у нас бы он не пробился.

Я глубоко вздохнула: ничего, Уиллису и в Голливуде неплохо.

— Это сценарий, — шлепнул Вениамин на стол довольно толстую папку, — впрочем, весь можешь не читать, тут сверху краткое содержание сериала. И учти, я уже газетам отмашку дал: одну из главных ролей исполнит начинающая актриса, будущая звезда Евлампия Романова, вот! И он жестом фокусника развернул еженедельник «Новости теле- и киноэкрана».

Я уставилась в текст: «Студия «Кадр» совместно с агентством «Рашен стар» приступает к съемкам нового сериала по книгам популярного писателя-детективщика Оноре Волкова. В главной роли выступит обожаемая и любимая всеми Вера Глаголева. Зрителей ждут сюрпризы. Соперницу Глаголевой — Алевтину будет исполнять пока никому не известная, но суперталантливая Евлампия Романова. Руководитель «Рашен стар» Веня Селезнев отказался подробно представить нам дебютантку.

«Понимаете, — хитрил он, — в жизни всегда есть место для тайны. Пусть наше новое открытие скрывает дымка неизвестности».

Вашему покорному слуге не удалось ничего узнать, кроме того, что Евлампия — музыкант, арфистка, успешно концертирующая за рубежом. К сожалению, сейчас в нашем музыкальном мире сложилась такая нездоровая обстановка, когда ведущие исполнители, чтобы не прозябать, должны эмигрировать за рубеж. Евлампия выступала на лучших сценах Европы, но москвичи, увы и ах, с ней незнакомы. Впрочем, секретарша немногословного Вени шепнула мне, что господин Селезнев познакомился с будущей Алевтиной в Париже. Ждите новостей. Епифан Киношный».

Я уставилась на Вениамина.

— Ну как, впечатляет? — ухмыльнулся тот.

— Откуда это вранье? — обмерла я. — Лучшие сцены Европы, Париж! Выступала я в сборных концертах и никогда не пользовалась успехом, да и концертировать перестала бог знает сколько лет назад! Ну дела!

Веня довольно заржал:

— Это пиар, голуба.

— Что?

Веничка снисходительно пояснил:

— Пиар, сокращенно от «паблик релейшенз», грубо говоря, реклама. Любой товар следует аппетитно подать потребителю, заинтриговать. Никому не известная дама, арфистка из Парижа — это интригует! Зритель уже ждет необычайного. Пиар — великое дело. Знаешь анекдот? Крыса спрашивает у хомяка: «Скажи, дружочек, если разобраться по большому счету, мы оба с тобой грызуны. Но тебя кормят, поят, покупают хорошенькие домики, целуют и присюсюкивают, а меня травят. Почему?» Хомяк призадумался и ответил: «Знаешь, крыса, тебе следует сменить пиарщика!»

И он довольно заржал:

— Смешно, да?

— Очень, — вконец обозлилась я, — прямо до икоты, но в газете сплошное вранье, а люди читают!

— Не обманешь, не продашь, — хрюкал Веня, — и потом, ну кто сейчас доверяет газетам?

— Я всегда с уважением относилась к печатному слову.

— Ой, не могу, — захохотал Веня, — да встань ты у лотка и прочти заголовки. Инопланетяне похитили землянку, у собаки родились котята, мужик нашел волшебную палочку...

— Ты цитируешь газету «Скандалы», но ее читают в качестве прикола...

— Хватит спорить, — посерьезнел Веня, — нам надо сделать твои фото, но так, чтобы походило на заграницу. Думал, честно говоря, что сделаем на даче, но, извини, тут такой интерьер... Народ подумает, будто ты в арабском квартале живешь, не пойдет... И что делать — ума не приложу, снимки надо завтра в восемь утра отдать...

— А в Париже есть «Макдоналдс»? — робко спросила Лиза.

— Эта забегаловка имеется повсюду, — пробормотал Веня и потом вдруг резко подскочил: — А почему ты спрашиваешь?

— Тут на шоссе неподалеку есть «Макдоналдс», — пояснил Кирка, — можно туда поехать, и выйдет, как во Франции.

— Молотки, — взвился Веня, — вы настоящие пиарщики! Хвалю, сейчас получите за старание полное меню. Собираемся.

— Мне можно? — осведомился Костя.

— Естественно.

Дети кинулись во двор.

— Ну, клево, — кричала Лиза, — биг-мак!

Я возмущенно фыркнула, совершенно не понимая, почему обычная котлета с булкой вызывает такой ажиотаж.

— Никуда я не поеду и не собираюсь участвовать в этом дурацком спектакле.

— Лампа, — в отчаянии завопил Кирюшка, — ты с дуба упала! Сериал! Кино! Деньги!

— Не надо!

— Лампуша, ну ради нас, — ныли дети.

— Да, — бубнила Лиза, — мне в школе даже похвастаться нечем! У Машки мать детективы пишет, она книжки в класс таскает, знаешь, какой у нее рейтинг?

— Верно, — заорал Кирка, — а у Дашки папа заводом заведует, мороженое делают, на все праздники она гигантские ведра приносит!

— А мы, — стонала Лиза, — ну что у нас?

— Но я не умею играть!

— И не надо, — оживился Веня, — режиссер есть, научит.

— Но...

— Вот что, Лампа, — приказал Вениамин, — обратной дороги нет. Съемка начнется в июле, деваться тебе некуда, едем в «Макдоналдс». Ща такой Париж изобразим!

— Супер, — взвыл Кирюшка, — вчера на «шестисотом» катались, сегодня на «БМВ»!

Я почувствовала, как от злости у меня вспотела шея.

— Не поеду в «БМВ»!

— Милая, ты уже кривляешься, как звезда Голливуда, — хмыкнул Веня. — Ну чем тебе мой автомобиль не подходит?

— В своем отправлюсь. Сама водить умею.

— Что же у тебя за тачка? — радовался Веня. — Что за кабриолет такой распрекрасный, раз «БМВ» ты бракуешь? «Роллс-Ройс» ручной сборки, как у султана Брунея?

— «Жигули» у нас, — выкрикнул Кирюшка, — «копейка»!

Вениамин заржал, как боевой конь при звуках трубы.

— Класс, шикарная машина!

Окончательно обозлившись, я рванулась в гараж. Но, оказавшись у «жигуленка», слегка остыла. Его же надо выкатывать наружу, а как проделать эту ювелирную операцию? Выезд из гаража такой маленький, ей-богу, он у́же, чем багажник машины. Впрочем, скорей всего это не так. Может, попросить Веню? Никогда!

Уверенным жестом я включила скорость, отжала сцепление, поддала газ и весьма ловко покатилась назад. Вот вам! Никто не нужен, сама расчудесно справилась!

Раздался треск, оба зеркальца заднего вида, заботливо прикрученные Катей с левой и правой стороны машины, отлетели. «Жигуленок» выскочил на дорожку и, сломав куст жасмина, замер.

— Да ты ас, голуба, — восхитился Веня, — просто Шумахер! И давно в ралли Монте-Карло участвуешь?

Ничего не отвечая, я судорожно вздыхала. Предстояло еще миновать ворота дачи. Интересно, что я покрушу, проскакивая между деревянными створками?

— Она только что права получила! — вступилась за меня Лизавета.

— А, понятно, — хрюкнул Веня и скомандовал: — По коням, наш ловкий Спиди-гонщик впереди, а мы уж как-нибудь сзади. Сделай милость, помни, что позади тебя плетется развалюха «БМВ», и не выжимай больше двухсот сорока километров в час, идет, голуба?

Я молчала. Ну какой смысл общаться с таким.

— Эй, Лампа! — крикнул Веня, влезая в свою роскошную иномарку.

— Чего тебе?

— Ты шлем надела?

Вне себя от негодования я надавила на педаль газа. И неожиданно без всяких разрушительных последствий вылетела на ухабистую дорогу.

Может, у меня появился кое-какой навык, а может, злоба придавала силы, но по кочкам я проскакала весьма бодро и без особых проблем выскочила на шоссе. Сзади, словно гигантская сытая черная кошка, крался «БМВ».

Пристроившись в правый ряд, я тихонько порулила вперед. Показался пост ГИБДД. Внезапно парень в милицейской форме поднял руку. Я послушно затормозила и увидела знакомое лицо. Именно этот сержант проверял у меня документы, когда мы «прогуливались» с Гариком.

— Что-то нарушила?

— Нет, — улыбнулся постовой, — просто поприветствовать, ваш муж ведь просил...

— Чего случилось, командир? — крикнул Веня.

Сержант перевел взгляд на «БМВ».

— А, так вы опять вместе...

Веня вышел из автомобиля:

— Слышь, служба, отпусти ее, она только учится, на вот, возьми.

Парень поглядел на зеленую бумажку, потом на Веню, потом снова на бумажку.

— Вы-то тут при чем?

— Это моя жена, — не моргнув глазом, сообщил антрепренер, — едет на раздолбайке, а я сзади страхую.

Постовой сунул доллары в крагу и велел:

— Садитесь в машину, я без претензий.

— Ну и ладушки, — обрадовался Веня, — понимаю, что мы подозрительно выглядим, будь, мил человек, другом, передай дальше своим, чтобы не тормозили, а?

И он, дав парню еще одну ассигнацию, пошел в «БМВ».

Милиционер прищурился.

— Вроде у вас вчера был другой муж, на «шестисотом», или я путаю чего?

Я вздохнула:

— Все верно, вчера был «Мерседес», а сегодня «БМВ», видишь ли, я калахарка.

— Кто?

— Ну есть такая малая народность, калахары, нас всего-то на свете двадцать человек осталось, а из них только три женщины. Вот президент Путин и издал указ.

— Какой?

— У каждой калахарки обязательно должно быть по пять мужей, у меня еще есть джип, «Фольксваген» и «Форд»...

— Ага... — кивнул растерянно паренек и кинулся к стеклянному домику рассказывать напарнику о ненормальной бабе, разъезжающей в насквозь ржавой «копейке» в сопровождении элитных автомобилей.

В «Макдоналдсе» Веня мигом договорился с обслугой. Чего-чего, а таланта заставлять других людей делать то, что он хочет, у антрепренера было в избытке. На задний дворик притащили красивый зонт, заставили столик фирменными стаканами, пакетами и кулечками.

Рейчел и Рамик получили по гамбургеру, Муля и Ада лакомились жареной картошкой, дети уничтожали «чиккен магнагеттс». Мне всунули на колени довольно сопевших Аду и Мулю, а остальных псов сгруппировали у ног.

— Ну при чем тут собаки? — безнадежно сопротивлялась я.

Парень с добрым лицом вытащил из черного чемоданчика несколько фотоаппаратов. За все время он не произнес ни слова.

— Так, — удовлетворенно крякнул Веня, — это круто, лихая фенька. Теперь последние штришки.

Быстрым, ловким жестом он взлохматил мои короткие волосы.

— Зачем? — дернулась я.

— Молчать, — приказал Веня, — голову чуть левее, улыбочка! Да не разевай пасть, вместо рта яма на снимке получится, улыбайся, не разжимая губ. Веселей, огонь в глазах! Прижми собак к груди. Мулечка, Адочка, ну-ка, киски, улыбайтесь!

Вы не поверите, но мопсихи растянули коричневые губы и придали лицу, то есть морде, самое радостное выражение.

— Супер, — взвизгнул Веня, — давай, Лешка, дубль второй!

Парень защелкал затвором.

— Это ловко, это четко, — потирал руки Вениамин, — это то, что надо! Завтра вся Москва тащиться будет, о, какая фенька!

Старательно изображая неземную радость, я слегка скосила глаза в сторону и попыталась увидеть ситуацию в целом. У служебного входа столпились, побросав других клиентов, сотрудники «Макдоналдса». Кирюша, Лиза и Костя откусывали сразу от двух гамбургеров. Муля и Ада старательно улыбались у меня под мышками. Рамик, державший в зубах биг-мак, положил голову мне на колени, и тоненькая струйка кетчупа стекала по навсегда испорченной светло-бежевой брючине. Рейчел в той же позе застыла с другой стороны, только в пасти у нее находилось «филе о фиш». Наша стаффордшириха, если имеется выбор, безусловно, схватит рыбу, наверное, в роду у нее были крокодилы.

— Отлично, — веселился антрепренер, — мужья, любовники и дети всем надоели. У актрис вечно меняются спутники жизни, это не оригинально, а тут!

Арфистка с собаками, да такого никогда не бывало, ни у кого!

Я тяжело вздохнула. Точно подмечено. Дама, которая живет в Париже, выступает на лучших сценах Европы, ездит в «Макдоналдс» поужинать со сворой разнокалиберных псов! Да уж, титул «городская сумасшедшая» прилипнет ко мне навсегда.

— Эй, улыбайся, — крикнул Веня, — правую ногу чуть вперед, слегка повернись, живей!

Я покорно выполнила команду и неожиданно для самой себя спросила:

— Слышь, Веня, а что тебя на мне заклинило, кругом столько актрис!

Вениамин Михайлович взял чизбургер, куснул и сморщился:

— Холестерин в чистом виде, ну, и дрянь! Понимаешь, голуба, до сих пор все только выклянчивали рольки, а ты меня послала и вообще ничего не хочешь. Так?

— Так.

— А меня жутко заводит, ежели дама сопротивляется. Как это, я решил, а она против. Нет уж, обязательно настою на своем, психофизиология у меня такая.

— Смотри, провалится сериал из-за твоей психофизиологии, — фыркнула я.

— Наш народ все сожрет и не кашлянет, — спокойно пояснил Веня, — я после «Просто Мария» сомневаться перестал. Хочешь рецепт лучшего сериала? Полкило стрельбы, триста граммов секса, двести — розовых соплей и парочка актеров, о личной жизни которых приятно поболтать, чем чуднее, тем лучше. На первое место в рейтинге взлетит. А ты, голуба, проснешься знаменитой, ну поверь мне, звук медных труб завораживает.

— Прямо-таки знаменитой, — буркнула я.

— Костя Эрнст с ОРТ сказал гениальную фразу, — хихикнул Веня, — если в пиковое время каждый день показывать по телику в течение десяти минут одну и ту же обезьяну, то через неделю народ на улицах начнет узнавать мартышку и будет просить у нее автограф. Усекла? А теперь хватит трепаться, раньше начали, раньше закончим. Вперед, улыбку на морду!

Я вздохнула и оскалилась в объектив.

ГЛАВА 15

Утром, положив ровно тысячу рублей в сумочку, я стучала в окошко барака:

— Эй, Павлик, выгляни!

Но ответа не последовало.

— Павлуша, высунься...

Створки распахнулись, и высунулась баба с помятым лицом и торчащими дыбом сальными прядями.

— Тебе чего надоть?

— Павлика.

— А нетуть его.

— Где он?

— Хрен его знает, — закашлялась чадолюбивая мамаша, — может, на станцию побег, он иногда к ларькам ящики подтаскивает, а может, в Москву поехал на вокзал.

— Зачем?

— Чего пристала! — рявкнула бабища.

— Когда он вернется?

— Шут его разберет, днем, вечером, через неделю, чтобы он вообще пропал, спиногрыз! — гаркнула мамуля и с громким треском захлопнула окно.

— Тетенька, — раздался знакомый писк, — тетенька, давайте сто рублей, скажу, где Павлуха!

— Ты уже вчера триста заработала!

— Ну ищите его сами, вовек не найдете.

Испустив тяжелый вздох, я вынула розовую бумажку.

— Давай рассказывай.

— А он ваши часики дяденьке продал, — затарахтела девчонка, как проститутка засовывая купюру за резинку трусиков.

— Какому?

— С утра приходил, мордастый такой, в белом костюме. Подошел к дому, в окошко стукнул, Павлушка и высунулся. Мужчина сказал: «Слышь, парень, мы тут пикничок с приятелями устраивали, часы я потерял, не находил ли кто?» Павлушка не растерялся: «Две тысячи дадите?» — «Легко», — ответил пришедший и быстро отсчитал бумажки.

— Так, — пробормотала я, — а ты откуда знаешь?

— У нас в туалете, — ткнула девочка пальцем в голубую будочку, — доска на толчке сломалась, такая дырища! Запросто в дерьме утонуть можно. Я туда не хожу, боюсь.

— При чем тут сортир?

— А я в кустиках пописать села, тут дядька и подошел, — хихикнула девочка, — голос у него громкий, как загудел! Все и услыхала. Только не успела я у Пашки на конфеты попросить. Он в окно вылез, и они с тем мужиком вместе ушли.

— Куда?

— Павлуха в магазин побежал, за станцией стоит, плеер покупать и кассеты, давно мечтал. И повезло же ему, — вздохнула девочка, — а я вот никак на Барби не накоплю.

Не слушая ее жалобы, я понеслась к платформе и спросила у торговца Миши:

— Где тут магазин с плеерами?

— За углом, — ответил тот, — новая Маринина вышла, не желаете?

Но я уже бежала через рельсы к небольшой площади.

Назвать магазином железный вагон, набитый всякой всячиной, язык не поворачивался. На полках теснились самые разнообразные и подчас несовместимые предметы: вантуз, батарейки, жвачки, футболки турецкого производства и рыбные консервы. Этакая помесь сельпо с супермаркетом.

За прилавком скучала девица, она лениво переворачивала страницы «Мегаполиса» и, не поднимая глаз, буркнула:

— Чего ищете? Или просто так интересуетесь?

— Простите, сегодня с утра сюда не заходил мальчик за плеером?

Девчонка подняла на меня взор дохлой рыбы и простонала:

— Так и знала! Только я ни при чем, коли он у вас деньжонки скоммуниздил. Правда, я спросила: «Откуда у тебя, Пашка, столько средств? Небось обворовал кого?» Знаю, Павлуха на Киевском вокзале промышляет, прет все, что плохо лежит. А он спокойненько так говорит: «А тебе какое дело, Манька? Что, мои бумажки меченые?» Ну и продала ему плеер за шестьсот рублей и две кассеты.

— Куда он пошел?

Маша дернула острым плечиком:

— Хрен его разберет, говорил, будто в «Макдоналдс».

— Так далеко, на шоссе! — удивилась я.

— Это если на машине ехать, — ухмыльнулась продавщица, — кто на своих двоих через пустырь топает, раз — и ресторан, тут ходу десять минут от силы.

Я вышла из вагончика и увидела поле, все изрытое канавами и ямами. Ноги сами понеслись вперед. Но не успела я пробежать и двести метров, как до ушей донеслась тихая музыка. Через секунду стало понятно: откуда-то из-под земли доносятся звуки, издаваемые дебильным мальчишкой по кличке Децл. Телевидение частенько показывает тонкую фигурку этого подростка-недомерка, гнусавым голосом выкрикивающего: «Пепси, пейджер, МТВ, подключайся!» Если не ошибаюсь, подобное музыкальное направление называется хип-хоп, и в мою душу, воспитанную на классике, джазе и битлах, часто заползает червячок недоумения: ну почему то, что делает этот безграмотный, самоуверенный ребенок, тоже называется музыкой? Представляю, как переворачиваются в гробах Моцарт, Чайковский и Верди. Правда, современное поколение выбирает пепси и хип-хоп. Павлик, очевидно, фанател от Децла.

— Ну, Лампа, — сказала я громко сама себе, — чего стоишь на краю глубокого оврага и рассуждаешь о гармонии? Небось просто не хочешь смотреть вниз.

С тяжелым вздохом, зная, что сейчас увижу, я глянула на дно оврага. Там, скрючившись, как эмбрион, лежала маленькая, жалкая фигурка в грязных джинсах. Голова Павлика была неестественно вывернута, руки казались длиннее ног. Рядом валялся крохотный, похожий на мыльницу плеер, из выпавшего наушника доносится бодрый речитатив:

— У меня все плохо, у меня нет друзей...

Да, и у Павлика сегодня все плохо, просто хуже не может быть!

— Тетенька, — раздалось сзади.

Замызганная девчонка испуганно смотрела в овраг:

— Кто это его так, а? За что?

Я тупо пыталась собрать мозги в единое целое. Наверное, надо...

Девчушка начала спускаться в овраг.

— Ты куда? — схватила я ее за руку.

— Плеер возьму, он ему теперь не нужен.

— Вот что, — велела я, — пошли.

— Куда? — насторожилась девочка.

— Я — сообщить в милицию, а ты — домой, нечего здесь топтаться.

Девочка сначала покорно побрела следом, но потом стала выворачивать свою тощую ручонку из моей ладони:

— Пусти!

— Нет, иди домой.

Внезапно ребенок горько зарыдал. Крупные прозрачные слезы потекли по серым щекам.

— Да, — всхлипывала девочка, — сейчас менты приедут и плеер себе заберут или Пашкиной матери отдадут, а она его живо пропьет!

— Зачем тебе плеер? — устало спросила я, продолжая упорно волочь ребенка подальше от трупа. — Так Децла любишь?

— Да насрать мне на музыку, — рыдала девочка, — я поменять хотела плеер на Барби. Я на куклу полгода собираю, и никак. А маманька не дает. Говорит, за те деньги, что дурацкая куклешка стоит, месяц жрать можно да Борьке молоко покупать. Ему все, а мне ничего!

— Борька кто?

— Брат, младший, год ему.

— А тебе?

— Семь.

— Сколько же стоит Барби?

— Четыреста пятьдесят с платьем, — шмыгнула малышка носом и замолчала.

— Ну ты вчера триста рублей получила, а сегодня сто, совсем чуть осталось!

Девочка повозила носком туфельки по песку и ответила:

— Ленке дала деньги-то!

— Кому?

— Подружке своей, Ленке!

— Зачем?

— А у ней из родителей одна бабка, ругается и дерется все время. Она Ленку в Москву отправляет, на Киевский вокзал воровать. Ленка боится чужое брать и просто милостыню клянчит; если мало приносит, бабка ее палкой лупит, у Ленки все ноги в дырках да синяках. Она вчера только одну десятку насобирала и в кустах ревела, боялась домой идти, ну я и подумала... — Девочка помолчала, потом закончила: — Большая уже в куклы-то ляляляться, вот рожу своих деток от богатого, накуплю им всего и буду с ними играть. Больно Ленку жалко, маленькая она, шесть лет всего.

Этого я уже не могла вынести:

— А ну показывай, где твоя Барби!

— Вон, в ларьке!

Мы быстро пошли вперед и уперлись в лоток, заставленный игрушками.

— Ну, чего, опять приценяться пришла? — спросил продавец.

Я быстро спросила:

— Какая кукла больше всего тебе по сердцу?

— Блондинка, в красном платье, — шепнула девочка.

— Пожалуйста, — попросила я торговца, — у меня тысяча рублей. Дайте нам вот эту Барби и всего к ней в придачу, ну вот мебель за сто пятьдесят, холл с креслами, потом спальню за двести, ванну, туалет...

— Домик не хотите со всем содержимым? — улыбнулся парень. — Там два этажа, кухня, спальня, гостиная, ванная, туалет, с мебелью, посудой и даже домашними животными. Наши делать стали, завод «Огонек», по виду от американского не отличить.

— И сколько такой?

— Семьсот рублей.

Я быстро сложила семьсот и четыреста пятьдесят.

— С удовольствием бы взяла, но полтинника не хватает!

— Уступлю, так и быть, — продолжал улыбаться парень, — а то эта девица полгода ходит и глядит, прямо сердце разрывается, но не могу же я товар просто так отдать!

Он снял с витрины две коробки, одну большую, похожую на чемодан, другую поменьше, и вручил девочке:

— Владей.

Ребенок прижал к груди подарки. Я вытащила из сумки бумажку и написала свой телефон.

— На, меня зовут Евлампия. Если мама спросит, где взяла, скажешь, что я купила, а если не поверит, пусть позвонит.

Девочка кивнула, я пошла в сторону платформы.

— Тетенька, — раздалось сзади.

Я обернулась. Ребенок протягивал узенькую ладошку.

— Меня зовут Фрося!

— Как? — переспросила я, чувствуя, что ноги дрожат в коленях. — Как?

— Фрося, Ефросинья, — повторила девочка, — имя такое есть, старинное, я одна во дворе с ним. Вы теперь мой друг, ежели чего, к дому подходите и крикните: «Фрося», я выйду и все для вас сделаю. Хорошо?

Не в силах произнести ни слова, я кивнула. Фрося пошла в горку. Большая коробка била ее по худеньким, исцарапанным ногам. Внезапно показалось, что это я бреду вверх, прижимая к груди упаковку с куклой.

Стараясь не разрыдаться, я пошла через площадь к булочной, возле которой виднелась телефонная будка, надо позвонить в милицию.

Домой я явилась совершенно разбитая и рухнула на кровать прямо в тапках. Лиза и Кирюшка где-то бегали, мопсихи мирно спали в кресле. Рейчел гляделa в окно. У нашей стаффордширихи это главное развлечение. Люди смотрят телевизор, а она наблюдает за улицей. Впрочем, у Пингвы тоже есть любимое зрелище. Стоит только включить стиральную машину, кошка моментально прилетает в ванную и садится у круглого, прозрачного окошка в дверце. Сидеть так Пингва может часами, наблюдая за вертящимся бельем. Наверное, ее гипнотизирует мерное мелькание цветных тканей.

— Гав, — буркнула Рейчел.

— Фу, перестань, — велела я.

— Гав, — настаивала терьерица.

— Прекрати!

— Гав, — не успокаивалась собака, бешено крутя хвостом. Потом она соскочила с дивана и подлетела к двери. Я со вздохом села, так, кто-то идет!

Раздалось шуршание, и в гостиную вплыл гигантский мешок с собачьим кормом. При виде знакомой упаковки собаки начали восторженно лаять и размахивать хвостами.

— Эй, нет, погодите, — послышался голос Володи Костина.

Красное лицо майора выглянуло из-за пакета.

— Куда складывать?

— Тащи в кладовку, — велела я.

Отдуваясь, майор бросил набитый мешок и вытер потный лоб.

— Жара, жуть, помесь Африки с Австралией.

— Спасибо тебе, — проникновенно сказала я, — а то как раз вчера я подумала, что собачьи харчи заканчиваются, честно говорю, решила купить мешочек на пять кило.

— Пятьдесят килограммов дешевле получается, — ответил приятель, — еще совочек дали в подарок, красненький.

— Мне столько не дотащить!

— Ясное дело, поэтому я и привез. Пятый день в багажнике корм вожу, только сегодня случай вышел.

— Какой?

— Да так, — не захотел ничего рассказывать майор, — по делу приезжали. Ребята с арестованными уехали, а я к тебе ненадолго.

— Ты арестовал кого-то в Алябьеве?

— Ну не я, а...

— Погоди, — перебила его я, — кого?

— Какая разница!

Я рассмеялась:

— Нечего тень на плетень наводить. Пойду вечером в местный магазин и все узнаю от продавщицы Сони, у нее муж здешний участковый.

Володя вздохнул:

— Помнишь, мы с тобой на поминках встретились?

— У Славина?

— Да. Так вот брали его старшего сына Николая.

От неожиданности я уронила на пол чайные ложечки:

— Боже, за что?

Костин принялся сосредоточенно выуживать из пачки сигареты.

— Слушай, заканчивай идиотничать, — взвилась я, — Ребекка Славина моя хорошая подруга и обязательно расскажет о происшедшем!

Володя закурил и выпустил дым прямо на Мулю. Собака отчаянно расчихалась.

— Дело нехорошее, — забубнил майор, — понимаешь, у старшего Славина, Вячеслава Сергеевича, была секретарша...

— Знаю, Леночка.

— Ее...

— Уволили с треском, потому что Николя захотел посадить на это место свою новую любовницу.

Костин нахмурился:

— Небось слышала, что бывает с теми, кто слишком много знает!

— Тоже мне, секрет Полишинеля, да об этой истории весь институт гудел!

— Леночку нашли вчера вечером мертвой на скамейке у дома.

— У нее случился инфаркт?

— Нет, маленькая дырка в голове, — спокойно ответил Володя.

— А при чем тут Николя?

— Похоже, что он и есть автор выстрела.

— Когда умерла Лена?

— Между восемнадцатью и девятнадцатью часами.

— Где она живет?

— Улица Аэродромная, в Тушине.

В моей голове моментально возникли цифры. В пятнадцать минут седьмого я собственными глазами видела, как он садился на Солнечной в поезд, идущий к Москве. До Киевского вокзала добираться ему четверть часа, не меньше, да и потом минут сорок-пятьдесят ехать до Тушина. Что-то не складывается.

— Это не он.

— Почему?

— Понимаешь, в начале седьмого я видела его на

платформе Солнечная, а сегодня около девяти он был опять там.

— Дорогая, — проникновенно сказал Володя, окидывая взглядом стройные ряды книг в ярких обложках, — удручающая жара и огромное количество прочитанных детективов сильно повлияли на твои глаза и мозг. Мы приехали к Славину в девять пятнадцать и вынули хозяина тепленьким из койки. Между прочим, у него офигенная пижама, шелковая, прямо как в «Санта-Барбаре»...

Я переваривала информацию.

— И куда вы его дели?

— Поместили в изолятор временного содержания.

— Дай мне с ним свидание, — ляпнула я, не подумав и тут же горько пожалела.

Но слово не воробей. Костин резко нахмурился и отодвинул чашку.

— Слушай, Лампа, я понимаю, что ты мучаешься дурью от безделья, но немедленно прекрати идиотничать. Знаю, знаю твою идиотскую манеру совать во все длинный веснушчатый нос и мешать людям нормально исполнять свою работу. Имей в виду, узнаю, что роешься в деле Славина, мало не покажется! И вообще, заканчиваем беседу на данную тему. Лучше дай пожевать котлету или курочку.

— У нас только сосиски, — дрожащим от негодования голосом ответила я.

— Вот видишь, — вздохнул Володя, — жрать нечего, в доме грязь, дети носятся неизвестно где, у собак гастрит и колит, а ты из себя комиссара Мегрэ корчишь! И ведь закончится как всегда...

— Чем? — прошипела я. — Чем закончится? Кто помогал вам поймать хитрого убийцу отца Лизаветы, а?

— Слушай, давай не будем, — стукнул ладонью по столу майор, — убийцу Кондрата вычислили, разработали и взяли мы! Я и Самоненко, твоей заслуги тут ноль, дырка от бублика. А закончится все, как всегда, твоим заплывом в дерьме, и дай мне скорей поесть, сейчас с голоду сдохну! Ты домашняя хозяйка, а не следователь по особо важным делам, и мозги у тебя бабские, пойми наконец!

На негнущихся ногах я добралась до холодильника и зашвырнула в воду сосиски. Вот оно как! Веснушчатый нос! Абсолютная неправда, на моем лице нет никаких пятен. И орган, предназначенный для обоняния, у меня вовсе не длинный. Грязи у нас нет, просто на даче невозможно уследить за чистотой, а ребята не снимают ботинок, опять же собаки... Я не мою им тут, как в городе, лапы после каждой прогулки. Но у псов нет никаких желудочных заболеваний. И насчет убийцы Кондрата... Да кабы не я! Заплыв в дерьме! Ну погоди, Костин!

Я шмякнула перед Володей тарелку. Горка вермишели взлетела вверх и шлепнулась на сосиски.

— Горчички нет? — поинтересовался майор, вонзая зубы в ароматную кожицу.

— Нет! — рявкнула я, прекрасно зная, что на кухне стоят целых две банки, наша с ужасающим названием «Малюта Скуратов» и польская без всякого названия.

— На нет и суда нет, — миролюбиво завел разговор Володя, — все-таки ужасно пишут наши сотрудники, стиль хромает на обе ноги. Вот слушай, вчера читаю протокол и вижу фразу: «Возле трупа стояла трупья вдова и трупьи дети». Дальше еще хлеще: «...тело лежит на спине, правая нога согнута в колене, левая отброшена в сторону, еще две другие находятся у дивана». Спрашивается, он сороконожкой был? Ну не уроды?!

Я не поддержала разговор и ушла в кухню. В душе клокотал огонь, на котором доходил до кипения чайник злобы. Трупьи дети! У дорогих ментов не только с литературным языком беда, у них и с мозгами несчастье вышло. Трупья вдова! Как думают, так и пишут. Нет, Володечка, никогда тебе не распутать дело Славина, и я на этот раз помогать не стану. Сама найду убийцу и получу пятнадцать тысяч долларов. Вот тогда и поглядим, кто где плавает!

ГЛАВА 16

Избавиться от Володи сегодня оказалось не так просто. Обычно он торопится, глотает не жуя обед и уносится. Но сейчас, словно понимая, что обидел меня, майор начал расхваливать поданную еду:

— Нет, мало кто так умеет готовить сосиски, как ты, либо переварят, либо полусырыми на тарелку бросят! И вермишель замечательная, кто же такую производит? Италия?

— Россия, — буркнула я, — «Макфа» называется.

— Всегда говорил, что наши продукты лучшие, — улыбнулся Володя и сладко потянулся. — Эх, хорошо-то как! Поел, теперь бы чайку!

— А ты женись, — рявкнула я, — будет кому домашнее хозяйство вести!

— Лучше домработницу нанять, — вздохнул майор, — вот разбогатею и заведу прислугу. С супругой разговаривать нужно, то да се, нет уж, лучше сам помою и постираю!

— Кто бы мог подумать, что ты женоненавистник!

— Знаешь, какие кадры встречаются, — хмыкнул Костин, — нагляделся я на ребят! Медузы Горгоны, а не бабы, чистые крокодилы! Вот вчера Славка историю рассказал. Приходит тетка с заявлением о пропаже мужа. Ушел гулять с собакой и не вернулся. Ну ее начинают расспрашивать, то да се, наконец, вопрос задали:

«Приметы какие у мужа?»

Жена мнется и наконец произносит:

«Глаза вроде серые».

«Одет во что?»

«Не помню».

«Ну там есть чего необычного? Зубы вставные, коронки, шрамы, родимые пятна?»

Тетка только руками разводит:

«Кажись, аппендицит вырезали, а может, и нет».

Тогда ребята от полной безнадеги просят:

«Собаку опишите».

И получают ответ:

«Девочка, четырех с половиной лет, карликовый пудель, окрас серебристо-серый, правое ухо чуть темнее левого, на передней лапе след от пореза, глазной клык слегка скошен, хвост купирован на высоту семь сантиметров, на животе небольшое родимое пятно размером с десятикопеечную монету. Была одета в зеленый комбинезончик из плащовки, потому что вчера в Москве шел дождь. У одежки имеется карман, застегнутый на черную пуговицу, внутри лежит карточка, где написаны телефон, адрес и кличка сучки — Долли».

Я захихикала:

— А ребята что?

— Прибалдели немного, потом спросили: «Вам кого искать, мужа или пуделя?»

— А баба?

— Вздохнула тяжело и сообщила: «От мужа какой толк?» А Долли кормилица, каждый год по два помета из шести щенков приносит, мы на деньги от их продажи живем».

— Да уж, — продолжала я усмехаться, — хороший, наверное, у несчастной тети супруг.

Увидев, что на моем лице появилась улыбка, Володя обрадовался и сказал:

— Ехать пора.

Я дождалась, пока он выкатился на дорогу, закрыла ворота и побежала к Ребекке. Отчего-то идти было неудобно, ноги выскальзывали из туфель, но, только добравшись до дачи Славина, я догадалась, что обулась в пластмассовые широкие шлепки, принадлежавшие Кирюшке.

В гостиной было много народа. Я окинула взглядом присутствующих. Заплаканная Нора, бледная Ребекка, двое мужчин, молодых, страшно похожих друг на друга, и Тамара.

— Что произошло? — бесцеремонно спросила я.

— Ну вот, — в отчаянии заломила руки Нора, — уже весь поселок в курсе!

— Николай арестован, — пояснила Бекки, — жуткая нелепость, якобы он убил Лену, секретаршу папы. Вот уже чушь так чушь!

— Боже, — всхлипывала Нора, — после гибели Славы на нас валятся сплошные несчастья. Сначала у Андрюши беда...

— Мама, — укоризненно произнес один из мужчин, и я сразу узнала его.

Это он пытался успокоить Нору на поминках, высокий плечистый блондин.

— Мама, — повторил Андрей, — этот казус никому не интересен!

— Да, — рыдала Нора, — никому до тебя нет дела, кроме меня, потом у Сережи беда, потом у Бекки и, наконец, Николя! О-о-о!

Она начала раскачиваться из стороны в сторону, держась руками за голову:

— О-о-о! Горе, ужас! Это все Тоня, она! Она мне мстит! Она встретилась со Славой на небесах! Она, она, она... рассказала правду.

Плач перешел в визг, потом в хохот. Нора затрясла головой. Тамара побежала за водой. Ребекка, побледнев до цвета снятого молока, неожиданно выкрикнула:

— Значит, все же ты виновата!

— Я не хотела, чтобы она погибла, просто...

Нора продолжала взвизгивать и мотать головой. Андрей схватился за телефон:

— Михаил Иванович, можете срочно приехать? Маме дурно стало.

— Какая ты дрянь, — прошептала Бекки, — какая гадина!

Андрей, Сергей и Тамара уставились на нее. Нора заходилась в истерическом припадке.

— Ей плохо, — опомнилась Тамара, — Ребекка, принеси скорей воды.

— Лучше водки с керосином, — фыркнула актриса и вылетела из комнаты, я за ней.

Ребекка пробежала по коридору и вошла в комнату, дверь громко хлопнула. Секунду поколебавшись, я пошла следом.

Она стояла у окна и яростно щелкала зажигалкой.

— Что случилось?

— Ничего.

— А все же? О каких несчастьях говорила Нора?

Ребекка со вздохом опустилась в большое кресло.

— С нами на самом деле происходят сплошные неприятности, но они имеют реальное объяснение. Андрею предстояло ехать на два года в Англию, на стажировку. Не секрет, что он не слишком талантливый ученый, и папа ему много помогал.

О командировке в Лондон Вячеслав Сергеевич договорился в Министерстве просвещения. Есть такая хитрая вещь, как стажировка молодых специалистов, очень удобный способ пожить за границей на халяву. Расходы на билет туда и обратно, за жилье и питание несет принимающая сторона. Естественно, оказаться в числе счастливчиков, получивших направление на стажировку, нелегко, но для Вячеслава Сергеевича не существовало преград, и Андрей начал собираться. Отъезд намечался на 15 августа. Но тело Славина еще не успело остыть, как позвонили из министерства и сообщили: Лондонский университет, куда направлялся Андрей, в этом году никого не принимает. Можно попытать счастья через 12 месяцев.

— Не расстраивайтесь, Андрей Вячеславович, — бубнил чиновник, — собирайте бумаги по новой, готовьте научный доклад и подавайте документы на конкурс. Если выиграете, поедете на будущий год!

Ребекка прикурила от окурка другую сигарету.

— Всем понятно, что Андрею ничего теперь не светит, отец в могиле, и сынок-неудачник никому не нужен. Небось место для более нужного человека понадобилось!

Потом наступил черед Сергея. Незадолго до кончины Вячеслав Сергеевич договорился, что младшего сына возьмут на службу в «Экономические вести». К сожалению, Сереже достались от родителей только отрицательные качества. Ни трудолюбия, ни ума, ни доброты от отца он не унаследовал. Зато приобрел его вспыльчивость и неумение выслушивать оппонента. Нора, безусловно, обладавшая веселым, легким характером, «одарила» сына склонностью к истерикам и глупостью. А если прибавить к вышеперечисленным «достоинствам» Сереженьки амбициозность и редкостное умение наступать окружающим на больную мозоль, то станет понятно, отчего этот журналист не задерживался подолгу в редакциях.

Недавно он с треском вылетел из газеты «Мнение». Но Вячеслав Сергеевич моментально договорился в другом месте. Сейчас Сережа находился в отпуске, копил силы для новой работы, которая ждала его с первого августа. Однако несколько дней тому назад ему позвонили из «Экономических вестей» и вежливо, но твердо заявили:

— Наше издание переживает сейчас не лучшие времена, и, к сожалению, мы не можем расширять штат сотрудников.

— Боюсь, ему теперь никуда не устроиться, — вздыхала Ребекка, — сядет маме и Николаю на шею. Да еще и у меня...

— Что?

Она поморщилась:

— Если честно сказать, не слишком-то я талантлива. Но папа помогал и мне. Роль в сериале я получила только благодаря его протекции. Отец говорил: «Не тушуйся, дочурка, бери работоспособностью. Иной человек особыми качествами не обладает, зато усердием отмечен. Ничего, ничего, раза два-три снимешься, имя будет, станут звать сами. Знаешь, как студенты говорят: «Первые три года работаешь на зачетку, потом зачетка работает на тебя». Так и у артистов. Что толку быть отмеченной богом, коли ролей нет? Не расстраивайся».

Вячеслав Сергеевич договорился о следующих съемках. Ребекка, ее даже не вызывали на пробы, получила роль, но... Но сразу после поминок позвонил сценарист Оноре Волков, хороший приятель Славиных, и заныл:

— Извини, душа моя, сериал откладывается, денег нет, бери другую работу.

— Какую? — расстроилась Бекки.

— Да вот Ванька Клюкин кино снимает...

От отчаяния она согласилась на крохотную роль, но потом узнала, что сериал, в котором предполагалось ее участие, запускается в производство и идет подбор актеров. Вне себя от злости Ребекка позвонила антрепренеру, а тот, изобразив полное недоумение, протянул:

— Ну, голуба, ничего не понимаю! Мне Оноре Волков сказал, будто ты уже у Клюкина снимаешься!

— Красиво бортанули, — усмехнулась Ребекка, пряча сигареты, — можно сказать, ювелирно! Подсунули «кушать подано»... Хотя тоже понятно, небось роль для какой-нибудь профурсетки понадобилась! Путь на экран лежит через диван — это старая, всем известная истина.

— Как зовут твоего антрепренера? — пробормотала я.

— Вениамин Михайлович Селезнев, — ответила Бекки, — тот еще кадр: «Голуба, роль Алевтины откроет перед тобой все двери!»

Секунду я обалдело смотрела на нее, потом все же нашла в себе мужество и поинтересовалась:

— Про какую Тоню кричала Нора? За что она мстит?

Ребекка нахмурилась:

— Это не имеет никакого отношения к смерти папы.

— И все же!

— Очень давнее дело.

— Расскажи, пожалуйста.

— Не понимаю, зачем.

— Вдруг пригодится.

Бекки принялась крутить в руках шнурок от занавески.

— Иногда даже крохотная деталь может помочь следствию, — пробормотала я.

Девушка тяжело вздохнула:

— Ладно, хотя предупреждаю сразу, история не слишком красивая.

Вячеслав Сергеевич Славин был сиротой. В 1956 году, в возрасте 16 лет, он прибыл в Москву из крохотного местечка, расположенного возле Ветлуги. Симоново — так называлась деревенька. Отец Вячеслава погиб на фронте, мальчик его не помнил. Мать, надорвавшись на тяжелой крестьянской работе, скончалась в год, когда Славочка закончил школу. Была она полуграмотной бабой, никогда ничего не читавшей, Славины даже газет не выписывали. Оставалось удивляться, как получилось, что ее сын учился легко и без проблем, даже перескочил из пятого класса сразу в седьмой. Учителя только диву давались. Впрочем, в сельскую малокомплектную школу Слава ходил до восьмого класса, а потом начал мотаться в Ветлугу, в десятилетку.

Мать была против.

«На черта тебе энта школа, — бубнила женщина, — вон какой кабан вырос, иди работать! В колхозе конюха ищут, будешь шестьдесят рублей получать! А то чего удумал, в Ветлугу мотаться, да денег на одну дорогу сколько надо!»

Но мальчик с недетским упорством стремился к знаниям, в результате получил аттестат с золотой медалью. Да и было за что. Математику с физикой он знал лучше преподавателя, а его сочинения постоянно отправляли на разные конкурсы.

Мать умерла в январе, и полгода до окончания занятий мальчик жил у директора своей школы, Анны Ивановны Коломийцевой, именно она и посоветовала Славину поступить в МГУ.

Юноша послушался и с блеском выдержал вступительные экзамены. Начался долгий путь восхождения к высотам науки, к орденам, регалиям, научным званиям и... большим деньгам. Но все это было далеко за горизонтом. Студенческие годы Славин вспоминать не любил, голодное время. Собственно говоря, это все, что отец рассказывал о детстве.

— Один раз папа, правда, разоткровенничался, — вздыхала Ребекка, — и поведал, как ему предстояло идти на экзамен, а единственные носки просто развалились в лохмотья. Никогда не догадаешься, что он сделал.

— Попросил у ребят взаймы.

— Нет, — усмехнулась Ребекка, — у папы просто пунктик был: никогда ни у кого ничего не брать. Он взял баночку с гуталином и намазал ноги, получилось здорово, только пахло сильно!

Не сразу, но финансовое благополучие пришло, менялись жены, потом народились дети, появился дом в Алябьеве. Году эдак в 90-м, когда Вячеслав Сергеевич развелся с Тамарой и вовсю крутил роман с Аней, жарким летом он приехал на дачу с худенькой девочкой, на вид лет четырнадцати.

Нора и Ребекка удивились. Они знали, что у Славина горит любовный костер с наглой Аней, а Вячеслав Сергеевич, несмотря на репутацию Казановы, был человеком порядочным. Своей избраннице он не изменял до тех пор, пока любил ее. А найдя другую женщину, тут же рвал отношения с предшественницей. Вернее, переводил их в другое русло, из страстного любовника превращался в хорошего друга или, если хотите, заботливого отца. Крутить романы одновременно с двумя он не любил.

— Понимаешь, мышка, — объяснял отец Ребекке, — я стараюсь никогда не врать, так легче жить.

Незнакомая девочка просто пробормотала:

— Добрый вечер.

— Знакомьтесь, — радостно объявил Вячеслав Сергеевич, — моя будущая дочь Тоня.

— Твоя дочь! — воскликнула Нора. — Откуда? От кого?

Бывший муж расхохотался:

— Ну она пока не дочь, но, думаю, мы скоро это уладим!

— Да объясни же, наконец, в чем дело? — потребовала Нора.

Славин отмахнулся, и все сели пить чай. Девочка слегка осмелела, и женщины узнали, что ей не четырнадцать, как кажется, а семнадцать лет и ее прислала в Москву поступать в академию ее бабушка, Анна Ивановна Коломийцева, директор школы, где в свое время учился Вячеслав Сергеевич.

— Откуда же твоя бабушка узнала про то, что Вячеслав Сергеевич руководит вузом? — немедленно спросила Нора.

— А бабуля передачу видела по телику — «Герой дня» с его участием, — бесхитростно объяснила незваная гостья, — она мне письмо дала и сказала: «Езжай, внученька, используй шанс».

Нора гневно фыркнула.

После ужина она зазвала Вячеслава в кабинет и поинтересовалась:

— Что это ты насчет дочери говорил? Никто не понял.

Славин усмехнулся:

— Да все просто. Хочу ребенка в Москве пристроить, пока первое время она у нас поживет, потом куплю ей квартиру. Только она без столичной прописки, иногородняя. У нас так профессор Завадский сделал, удочерил племянницу из Ростова, чтобы ту прописали. И вообще, ей по жизни будет легче идти ребенком Славина.

— Ты с ума сошел, — взвизгнула Нора, — квартира, дочка, не жирно ли будет?!

— Где же ей жить потом? — удивился Славин. — Молодая, замуж захочет.

— Пока пусть живет в общежитии, — отрезала Нора.

— Знаешь, дорогая, — спокойно ответил Вячеслав Сергеевич, — я, как тебе известно, выучился на медные копейки и понимаю, как тяжело ребенку в чужом городе.

— Другие живут, и эта сможет! А уж об удочерении и речи быть не может, у тебя родных детей пятеро, — возмутилась Нора.

— Дорогая, — рассмеялся академик, — извини, конечно, что напоминаю, но мы с тобой давным-давно в разводе, и я волен делать все, что мне заблагорассудится. Если тебе не нравится, никого силой не удерживаю, можешь уезжать. Тоня останется тут.

Нора в гневе вылетела в коридор. Но Славина было не так легко заткнуть, он открыл дверь и крикнул:

— Дорогая, подожди секунду!

— Что еще? — обозлилась бывшая супруга.

— Просто хочу объяснить свою позицию, — спокойно продолжил Вячеслав Сергеевич, — бабушка Тони, Анна Ивановна, сделала для меня очень много. Жили Коломийцевы небогато, но, когда я остался сиротой, тетя Аня целых полгода кормила, поила и одевала меня, теперь мне следует платить по долгам.

— Можешь дать ей сколько угодно денег, — не успокаивалась Нора, — но удочерять ее в высшей степени глупо и безответственно!

— Спасибо, что разрешила мне распоряжаться моими средствами, — начал закипать Славин, — но почему тебя так завела эта ситуация?

И тут Нора в пылу спора сделала то, о чем потом горько пожалела, внезапно выпалив правду:

— Да потому, олух царя небесного, что после твоей кончины эта приблудная девка будет иметь равные права с Николя, Андре, Сержем, Ребеккой и Тамариной Светланой. Бог знает, что выйдет. Мы-то ее не знаем! Вдруг она решит дом делить!

Вячеслав Сергеевич расхохотался:

— Ну, дорогая, я знал, что ты рациональный человек! Уже и наследство распланировала. Кому дом, кому деньги, кому академию...

Внезапно он посерьезнел, схватил бывшую жену за плечи, тряхнул и довольно сердито произнес:

— Имей в виду, хозяин тут я. Захочу и всех наследства лишу, а Тонечке отпишу и дом, и счет в банке, и машину, и академию. Поняла, дорогая? Лучше тебе меня не дразнить. Никакого дома преткновения не будет, все произойдет, как я захочу!

Нора струхнула, зная вспыльчивый характер Славина. Еще и впрямь оставит детей ни с чем. Пришлось ей улыбаться Тоне и радостно чирикать при встрече с ней.

ГЛАВА 17

Вячеслав Сергеевич остыл и об удочерении больше не заговаривал. Потом в доме начались таинственные пропажи. Сначала исчез кошелек Николая, затем из ящика буфета, куда Вячеслав Сергеевич клал деньги на хозяйство, пропала довольно крупная сумма. В воровстве заподозрили домработницу и уволили плачущую женщину. Но серия краж не прекратилась. Неизвестный вор переключился на вещи. Невесть как пропали дорогая серебряная тарелка с сахарницей, видеокамера Андрея...

29 сентября Нора в слезах вбежала в кабинет Славина и показала ему пустую бархатную коробочку. Академик побагровел. Дорогущее антикварное кольцо из платины с крупными бриллиантами, которое он в свое время преподнес Норе в день рождения, испарилось без следа.

Вне себя от гнева, Славин, несмотря на истерические рыдания Норы, вызвал милицию и попросил сотрудников как следует обыскать особняк.

Поиски длились недолго. В комнате Тони, под матрацем, завернутая в тряпочку, нашлась пропажа.

Когда Тоня вернулась с занятий, Славин мрачно произнес:

— Зайди в кабинет.

Примерно через десять минут раздались рыдания, девушка выскочила в коридор с криком:

— Это неправда, я ничего никогда не брала!

В тот день в доме были только Нора и Ребекка.

Бекки предпочла не высовываться из комнаты, впрочем, ее мать тоже решила затаиться. Но у профессионального лектора Славина был громовой голос и очень четкая дикция, поэтому женщины услышали абсолютно все.

— Почему ты не пришла ко мне и просто не попросила денег? — гремел Славин. — Зачем надо было красть? Какая мерзость! И давно ты таким образом пополняешь свой бюджет?

— Я ничего не брала, — всхлипывала Тоня.

— Не ври, — оборвал ее академик, — у нас никогда ничего до этого не пропадало.

— Я говорю правду, — отбивалась Антонина.

— Вот что, — подвел черту Славин, — чтобы это было в последний раз! Имей в виду, никакого уголовного дела, естественно, я заводить не стану, но знай, если опять приключится кража, я самолично отведу тебя в милицию!

— Вы мне не верите? — выкрикнула девушка.

— Извини, нет, — ответил профессор, — кольцо-то лежало у тебя под матрацем.

Послышался дробный стук каблучков. Ребекка высунулась в окно и увидела, как Тоня, вся в слезах, бежит к воротам.

К ужину она не явилась, впрочем, на следующей день на занятия тоже не пришла. Обеспокоенный, Славин вновь обратился в милицию. Спустя два дня Тоню нашли в парке «Лосиный остров». Девушка повесилась на березе в глухом углу, куда редко забредали прохожие. В кармане у нее нашли записку. «Я не виновата, никогда ничего ни у кого не брала, пусть тот, кто на самом деле вор, и его дети, будут прокляты!»

Славин, тяжело переживая происшедшее, винил во всем себя:

— Налетел на ребенка, наорал! Надо было аккуратней, бог знает почему девочка решилась на воровство!

Нора старательно отвлекала бывшего мужа, пресекая все разговоры на щекотливую тему. Кто-то пустил по академии слух, что Антонина села на иглу и покончила с собой, когда узнала, что заболела СПИДом.

Абсолютно дикая версия, но она прижилась.

Ребекка замолчала, потом тихо добавила:

— Мне еще тогда кое-что показалось подозрительным. Ну зачем прятать кольцо под матрацем? Ведь она хотела его продать, не так ли? Значит, нужно было его унести, во всяком случае, я бы так и сделала... И потом, мама так странно себя вела после этой смерти. Все время нервничала, дергалась, а пару раз даже плакала. Меня это, честно говоря, удивило, она терпеть не могла Тоню. Конечно, жаль девушку, но Нора не слишком сентиментальна. Она, естественно, сказала все положенные в данном случае слова, устроила поминки, но рыдать... Рыдать бы не стала. Вернее, она могла картинно всхлипывать на кладбище, стонать на глазах у всех... Но дело в том, что мама плакала тихо, у себя в спальне, а вот это совсем не в ее духе. Словом, в голове у меня зародилось подозрение, но потом все забылось! И вот теперь получается, что Нора все подстроила, фактически убила Тоню. Даже, по-моему, статья есть в Уголовном кодексе — доведение до самоубийства. Дом преткновения!

— Что? — не поняла я.

— Папа так говорил, — пояснила Бекки, — есть выражение: камень преткновения, знаешь?

— Конечно.

— Ну вот, а у нас дом преткновения. Нора очень боялась, что после смерти папы особняк в Алябьеве придется делить между нами и Светой, дочкой Тамары. Сейчас, когда папы нет...

Она замолчала. Я удивилась:

— Но ведь Нора понимала, что Лика тоже наследница.

Бекки пояснила:

— Ну, когда произошла история с Тоней, о Лике и речи не было. Мама надеялась, что отец больше никогда не женится, она страшно любит своих детей, нас то есть, просто до умопомрачения, а этот особняк для нее нечто особенное. Папа получил участок в Алябьеве очень давно, в 70-м году, но тогда у них не было денег на роскошное строительство, и тут возвели простенький домик. Его постепенно переделывали, надстраивали и только в 94-м году, уже при Лике, отстроили этот дворец.

Но Нора самым парадоксальным образом считала, что дом принадлежит ей и детям. Они все станут тут жить, вместе, в родовом гнезде! Она даже пару раз в шутку сказала Лике:

«Вот, не дай бог, со Славиным что случится, и ты нас выгонишь из любимого дома».

Анжелика пропустила замечание мимо ушей и никак не отреагировала, но, когда Нора стала снова и снова повторять эту фразу, последняя жена Славина спокойно сказала:

«Не волнуйся, Нора! Если с Вячеславом Сергеевичем, не дай бог, произойдет несчастье, то и я жить не стану. У Светы есть отличная квартира, к тому же им с Тамарочкой просто не на что содержать особняк, так что дом твой».

«Я тоже не слишком обеспечена», — быстро ответила Нора.

Лика рассмеялась:

«Если ты продашь все бриллианты, которые дарил тебе Вячеслав Сергеевич, хватит на три жизни, пожалуйста, не жалоби меня, я прекрасно знаю, сколько стоят те драгоценности, что сегодня на тебе, а ведь они не единственные».

Нора вспыхнула. Лика как ни в чем не бывало продолжала:

«Хочешь, оформим у нотариуса бумаги?»

«Какие?»

«В случае кончины Славина я отказываюсь от всех прав на дом, но пойми, Нора, даже если у меня не хватит духу покончить с собой, все равно я не смогу жить в особняке, где была столь счастлива!»

Неожиданно Нора стала оправдываться:

«Пойми, у меня дети!»

«Конечно, — кивнула Лика, — ты — мать и думаешь в первую очередь о них».

Ребекка опять вытащила сигареты.

— Я поражалась Лике. Нора покупала занавески, меняла ковры, словно и в самом деле была хозяйкой, а Анжелика лишь улыбалась и говорила: «Хорошо, что есть человек, на которого можно положиться в трудном деле домоустройства».

Однажды Ребекка не выдержала и поинтересовалась у подруги:

— Скажи, тебе не обидно, что мама тут вовсю орудует?

Лика вздохнула:

— Для меня главное — покой Вячеслава Сергеевича, а если отнять у Норы любимую игрушку, то спокойной жизни придет конец. Честно говоря, мне без разницы цвет ковров, в своей комнате и спальне Славина я ей хозяйничать не дам, а остальное... да Аллах с ним.

Бекки замолчала и распахнула окно. Свежий вечерний воздух ворвался в помещение, запахло жасмином и чем-то сладким, приторным. На улице стемнело.

Ночью мне не спалось. Обычно я моментально проваливаюсь в сон, стоит только донести голову до подушки, но сегодня не помогло ничего: ни сорок капель валокордина, ни рюмка коньяку, ни чай с медом. Я вертелась в кровати с боку на бок, пытаясь вытянуть ноги между Мулей и Адой, преспокойненько храпевшими под пледом. Сон не шел. Измучившись вконец, я встала, открыла окно и, глядя, как на приветливый свет настольной лампы летит рой мошкары и глупых ночных бабочек, стала размышлять о том, кто убил Славина? Тот, кому его смерть была выгодна, или тот, кто его за что-то сильно ненавидел...

Но в академии Вячеслава Сергеевича обожали, после его безвременной кончины вуз, скорей всего, закончит свое существование, следовательно, педагоги останутся без работы. Наверное, академик не был таким уж белым ангелом, вероятно, у него случались конфликты и трения с сотрудниками, кому-то он объявлял выговор, кого-то ругал, но... Но, по большому счету, его любили, а главное, понимали — исчезнет Славин, пропадет вуз. И потом, подземный ход, сделанный ребячливым профессором!.. Нет, заказчика нужно искать среди домашних.

Опять неувязочка. Уж не настолько глуп Николай, чтобы не понять: без отца он — пустое место. Впрочем, и Андрей, и Сергей, и Ребекка знали, что живой Славин для них лучше, чем мертвый. Нора, та вообще не работала и жила исключительно на содержании бывшего мужа. Уж не знаю про Тамару и Свету, но две эти тихие серые мышки, лишний раз не открывающие рта, мало похожи на гражданок, замысливших преступление.

И ведь смерть Вячеслава Сергеевича потянула за собой цепь других убийств. Сначала попала под машину незадачливая актрисочка Лена Яковлева. Может, она, конечно, переходила дорогу в неположенном месте, но что-то мне мешает думать, будто это было самое обычное дорожное происшествие. Затем Лика... Ну зачем, спрашивается, Николаю уничтожать девушку? Никаких скандалов у них не было, отношения давно прервались... К чему лишний труп?

Я ожесточенно грызла ручку. Что-то никак не складывается картинка, все разваливается в разные стороны. Честно говоря, я подумала, что Николай сегодня выкупил у Павлика свои часы. Почему? Испугался, что их обнаружат на месте гибели Лики и начнут задавать ненужные вопросы? Ведь в милиции Николя сообщил, что в тот день, когда погибла Лика, он сидел безвылазно на работе...

А кто тогда лишил жизни несчастного Павлушку? Окончательно запутавшись, я затрясла головой. И каким образом Николай мог оказаться сразу в двух местах: я видела его на Солнечной, а он таинственным образом вмиг переместился в Тушино. Потом Фрося сказала, что мужчина покупал у Павла часы около девяти утра, но именно в это время за Николаем пришла милиция и нашла его дома!

Хотя... От неожиданной мысли я так и подскочила. Почему я решила, что часы купил Николай? Фрося просто сказала «мордастый дядька»...

Пытаясь успокоить бунтующие мысли, я легла на кровать. Завтра, обо всем подумаю завтра... Сон начал мягкой лапой нажимать на веки. Глаза захлопнулись, руки отяжелели, и, медленно погружаясь в объятия Морфея, я внезапно вяло подумала: а что, если разгадку нужно искать у Анны Ивановны Коломийцевой, потерявшей любимую внучку?

На следующее утро, накормив детей и собак завтраком, я решила провести следственный эксперимент. Положив в сумочку фотографию Николая и прихватив часы, я отправилась к Фросе.

На стук в окно никто не отреагировал. Крики: «Фрося, Фрося, Ефросинья!» — тоже не принесли никакого результата.

Устав от воплей, я толкнула дверь в барак и оказалась в узком, темном, вонючем коридоре. Налетая на велосипеды, ведра и какие-то сундуки, я кое-как добралась до первой двери и постучала.

— Войдите! — раздался высокий голос.

В комнате, тесно заставленной мебелью, царила дикая духота. Интересно, как здесь передвигаются обитатели? В небольшом пространстве находились три раскладушки, диван-кровать, обеденный стол, холодильник, штук шесть стульев и телевизор. Скомканное постельное белье возвышалось грязными кучами, а у левой стены, на небольшом свободном пятачке, восседал на горшке крохотный ребенок. Увидев меня, малыш испугался и зарыдал. Толстая тетка лет пятидесяти со всего размаха шлепнула его кухонной тряпкой:

— Заткнись, урод!

Потом повернулась в мою сторону и спокойно пояснила:

— Дочка в подоле принесла, любовь у ней вышла! Любовь-то прошла, а подарок остался... Вы из управы? Глядите, глядите, как живем!

— Нет, вы не знаете случаем, куда подевалась девочка Фрося?

— Так они уехали.

— Куда?

— Шут их знает! Райка, Фроськина мать, малахольная совсем. Она и сюда тоже заявилась год тому назад. В одной руке младенец, в другой девка. Устроилась дорожной рабочей, ей дали комнату в нашем бараке. А вчера заходит и говорит: «Прощай, Люська, сваливаем». Куда, чего, не сказала, перекати-поле она, цыганка.

— Цыганка?

— Ну не знаю, может, молдаванка, черная такая, юркая, говорливая. Фроська в отца небось пошла, а Борька, младший, — вылитый цыганенок!

— Здесь еще живет шестилетняя Лена...

— Иди в самый конец, последняя дверь, только от бабы Клавы толку не добьешься.

— Почему?

— А ты сходи и сама увидишь!

Стараясь не дышать, я добралась до нужного места и распахнула дверь. Комната была на удивление большой и почти пустой. Вместо занавесок на окне приколота кнопками пожелтевшая газета, стол тоже прикрыт какой-то рваной бумагой. В углу на железной кровати куча тряпок и разодранное одеяло, из прорех которого торчит серая вата.

— Есть тут кто? — что есть мочи завопила я.

Одеяло зашевелилось, показалась седая всклокоченная голова.

— Чего надо?

— Лена где?

— Убегла.

— Куда?

— Хрен ее знает.

— Как же вы отпускаете маленького ребенка одного! — пришла я в негодование.

— Пошла ты на... — буркнула бабка и смачно захрапела.

Пришлось абсолютно ни с чем идти на платформу. Сев в электричку, я посмотрела на часы. Так, теперь засечем время и посчитаем, за сколько минут можно добраться до Тушина.

Состав несся по залитой солнцем равнине. Большинство пассажиров уткнулись в газеты и журналы, у меня был с собой детектив. Но не успела я погрузиться в чтение, как рядом раздался тихий голос:

— Простите, это про вас написано?

Милая девушка с приятной улыбкой протягивала мне газету:

— Вот тут ведь вы, правда? Я сразу узнала!

Я глянула на страницу и почувствовала, что сейчас упаду в обморок. Под броской «шапкой», гласившей «Необычное имя — редкий талант», красовались фотографии. На одной — всклокоченная женщина с идиотской ухмылкой ребенка, страдающего болезнью Дауна, держит на руках бочонкообразных собак. На другой — та же тетка, еще более взлохмаченная и с полубезумным взором, пытается откусить от завернутого в бумагу чизбургера.

— Сразу узнала, — радостно тараторила девушка, — сделайте милость, напишите вот здесь, в уголке!

Я в ужасе посмотрела на говорившую. Она сразу узнала?! Неужели я такая? Честно говоря, я считала, что вгляжу куда более привлекательно! И почему Ада с Мулей похожи на гигантские перевернутые груши? Они же вполне нормальные собачки.

— Ну вот тут, напишите, — ныла девица.

— Что писать?

— Как — что? — изумилась попутчица. — «Дорогой Свете от...» Вас правда так странно зовут?

Взяв протянутую ручку, я быстренько накорябала требуемое и, натянув бейсболку как можно ниже, перешла в другой вагон. Но и там многие читали эту газету, впрочем, в метро тоже, потому до Аэродромной улицы я ехала, не снимая кепки, водрузив на нос темные очки. Отчего-то было стыдно и неуютно.

Дом, где жила Лена, стоял в глубине просторного

двора. Хорошая погода выгнала обитателей хрущобы на улицу. Куча разнокалиберных собак бегала по грязной траве. Детей не было видно, очевидно, их вывезли на дачи. На скамеечках тесно сидели женщины, чуть поодаль, вокруг деревянного, потемневшего от дождя стола устроились доминошники. Я обратила внимание на небольшую странность. Самая удобная лавочка, тосковавшая в тени раскидистого тополя, отчего-то была пуста. Бабы предпочли тесниться на двух других, находящихся на самом солнцепеке.

Посмотрев на часы, я произвела расчеты. Так, в электричку я села в 10.30, а сейчас половина первого. И ведь нигде не задерживалась ни на минуту, переходя со станции на станцию, неслась, словно курьерский поезд! Получается, что меньше чем за два часа сюда не добраться. А может, он от Киевского вокзала сел в машину? Что ж, завтра проверю, а сейчас попробую что-нибудь выяснить у этих теток, небось весь день во дворе торчат.

Я подошла к одной из скамеек и поинтересовалась:

— Не подскажете, 119-я квартира в каком подъезде?

Бабы настороженно глянули на меня, потом одна толстая, смахивающая на сейф старого образца, осторожно осведомилась:

— Вам кого надо?

— Лену.

— Зачем вам Ленка? — спросила другая женщина в цветастом халате. — Дело какое или вы ей родственница?

— Понимаете, — вдохновенно соврала я, — я квартиру решила менять, ваш район нужен, мать тут живет, больная совсем, мне из Лианозова не наездиться.

Женщины шумно вздохнули, потом «сейф» сообщил:

— Ищи другой вариант.

— Почему? — делано удивилась я. — В Лениной комнате что-то не так?

— В квартире-то порядок, — буркнула тетка, — с самой Ленкой беда вышла, убили ее!

— Как же это! — взвилась я. — За что? Кто? Ужас!

— Страсть господня, — закивал «халат», — прямо во дворе и порешили, вон на той скамеечке, мы теперь боимся туда садиться! Вот в РЭУ позвонили, попросили лавку убрать, да разве они сделают?

— Мой Мишка с работы придет и все как надо оформит, — сказала до сих пор молчавшая женщина в ярко-синих тапочках.

— Твой молодец, рукастый мужик, — вздохнула толстая.

— Кто же ее? — направила я разговор в нужное русло. — Вы видели?

— Не-а, — пробурчала одна, — вон, Зинка знает.

Зина всплеснула руками:

— Ну ведь словно нарочно время подобрал, сериал шел по НТВ, все в экраны и впялились. Народу во дворе никого, а я на кухне что-то готовила, окошко раскрыла, чтобы не задохнуться, гляжу, Ленка с мужиком идет. Я еще порадовалась!

Она замолкла.

— Чему порадовались? — удивилась я.

Зина усмехнулась:

— В нашем-то доме ничего не скрыть! Стены картонные, двери бумажные... Вон у Аллы ругаться станут или у Сашки, вмиг по подъезду разносится. Ленка была хорошая девка, не пила, не курила, в долг всегда давала, когда могла, правда ведь говорю?

Бабы закивали.

— Девка что надо, — продолжала Зина, — только с кавалерами никак не получалось. Ухаживал один за ней, мордастый. Видно, из богатых, она у него даже жила одно время, ну а потом он ее бросил. Ясное дело, небось в семье невестку-голодранку не захотели. Ленка все глаза проплакала, нам ее жаль было.

Бабы снова закивали, как китайские болванчики.

— А тут смотрю, он снова с ней сидит!

Я вытащила снимок Николая:

— Этот?

Зина тяжело вздохнула:

— Коли в милиции работаешь, чего прикидываться? Мы же понимаем, убийство — дело серьезное, не машина украденная. Похож очень, только я его издали видела. Но похож, лицо толстое, но не он убивал, точно знаю!

Зина готовила ужин, изредка бросая любопытный взор в широко распахнутое окно. Лена и мужик спокойно сидели на скамейке. Потом вдруг девушка вскочила на ноги и вскрикнула:

— Ты мне рот не заткнешь!

Мужчина схватил ее за руку и усадил на лавочку. Зина поняла, что бывшие любовники выясняют отношения, и принялась жарить котлеты. Потом с улицы раздался громкий гневный голос:

— Хочешь злиться, злись сколько угодно!

Зина вновь глянула во двор. Мужик стоял спиной к дому и, бурно жестикулируя, почти кричал:

— Я хотел, как лучше, а ты просто вздорная баба, ну и живи одна!

Лена сдавленным голосом тоже крикнула:

— Убирайся!

Мужчина быстрым шагом пошел к метро.

— Николай! — крикнула Лена.

— Что? — остановился мужчина.

— Прости меня!

— Ну уж нет, — рявкнул любовник, — теперь на самом деле хватит!

Лена зарыдала. Зина обратила внимание, что она сидит как-то странно, свесив голову на грудь. А панамка, супермодный этим летом головной убор, свалилась ей чуть ли не на нос. Бурные рыдания доносились со двора.

Мужчина секунду поколебался, потом резко махнул рукой и ушел. Стоило ему исчезнуть, как горький плач стих.

Зина перевернула котлеты и опять посмотрела в окно. Лена по-прежнему сидела в неудобной позе.

Женщине стало жаль девушку, и она уже совсем хотела выйти во двор и сказать той какие-нибудь слова утешения типа: «Не плачь, Ленка, все мужики сволочи», — но тут появился муж и пришлось кормить его ужином, мыть посуду... Словом, только поздним вечером Зинуля, подхватив переполненное мусорное ведро, пошла к помойке. Путь лежал мимо скамейки. Каково же было ее удивление, когда она увидела... Лену на лавочке все в той же панамке.

В тот день телевидение демонстрировало страшно завлекательную программу. Сначала шла «Каменская», и все обитатели хрущобы пялились на экраны, потом бабы побежали готовить жрачку, а мужики впились в чемпионат мира по футболу. Поэтому во двор допоздна никто не высовывался.

Зина крикнула:

— Ленка, иди домой, ночь на дворе!

Ответа не последовало. Тогда женщина дернула соседку за плечо и заорала с такой силой, что все жильцы, побросав дела, вылетели на улицу.

— Вы точно помните, что, когда Николай уходил, Лена была жива?

— Так она плакала, — всплеснула руками Зина, — он к метро топает, а рев так затихает — у-у-у! Еще я подумала, ну ни за что перед мужиком так унижаться не стала бы! Уходит, и хрен с ним!

Я совсем растерялась. Кто же тогда застрелил Лену и почему арестовали Николая? Получается, что он не виноват.

ГЛАВА 18

Домой я вернулась обескураженная, и первое, что увидела во дворе, был роскошный «БМВ».

— Эй, голуба, — заорал Веня, — топай быстрей, глянь, чего покажу!

И он замахал газетой.

— Уже видела, — процедила я, еле сдерживаясь, — все в электричке читали.

— Ну и что я тебе обещал, — радостно ухмыльнулся антрепренер, — слава подкрадывается неслышным шагом!

— Отвратительно, — буркнула я, бросая на стол сумку с фруктами, — представь, одна идиотка попросила меня расписаться на газете!

— То ли еще будет! — заржал Веня. — Да после сериала тебе проходу не дадут.

Я почувствовала острое желание швырнуть в его довольное лицо пакет с только что купленной черникой. Остановила меня жадность, я заплатила за полезные ягоды пятьдесят рублей, а если они размажутся по Вене, съесть их будет уже невозможно.

— Как я тебе завидую! — заорал Кирюшка. — Обо мне никогда в газетах не писали.

— И обо мне, — вздохнул Костя.

— Я бы от счастья умерла, — вторила Лиза.

— Ну, голуба, не куксись, как Василий Иванович перед белыми, — веселился Веня, — ну, крошка, гляди веселей...

— Кто такой Василий Иванович? — спросил Кирюшка.

Веня уставился на мальчика:

— Ты что, про Чапаева не слышал?

Кирюшка покачал головой.

— И чему их теперь в школе учат?! — возмутился Веня. — В наше время каждый младенец знал про Василия Ивановича, Петьку и Анку-пулеметчицу.

— А, — протянул Кирка, — это кадры из анекдотов.

— Я про них знаю, — влез Костя, — вот только никак не пойму, он что, индеец был?

— Кто? — растерялся Веня.

— Василий Иванович.

— Почему индеец?

— Ну, он же с белыми воевал, — объяснил Костя, — а с ними только индейцы и негры дрались.

Что-то мне подсказывает — негром он не был, значит, индеец!

Веня несколько секунд стоял с открытым ртом, но потом захохотал так, что зазвенели чашки на столе:

— О боже, индеец! Рассказать кому, не поверят!

Внезапно со двора раздалось настойчивое гудение. Я высунулась в окно и увидела, что от ворот идет весьма недовольный Гарик. За ним тащили огромные сумки Роман и Леонид.

— Здравствуй, Лампа, — крикнул Игорь Серафимович, — кто это такой умный, что бросил свою грязную тачку прямо у входа!

Веня побагровел. Гарик влетел на террасу и по-хозяйски приказал:

— Давай разбирай, тут кой-чего детям и животным. Кисонька моя золотая, Пингвочка, иди сюда, на, на, девочка, кушай, вырезка свежая.

Я постаралась проявить светское воспитание:

— Знакомьтесь, пожалуйста, Вениамин Михайлович, а это Игорь Серафимович.

— Очень приятно, — одновременно произнесли мужики сквозь зубы и посмотрели друг на друга взглядом голодных крокодилов.

— Вот что, Кирюшка, — отмер Гарик, — на стол накрывайте, Лизавета, режь хлеб, ты, Костя, мажь бутерброды с икрой и угощай всех, да про Вениамина Михайловича не забудьте, он небось такую икорку не пробовал!

Веня побагровел и на секунду замер, переваривал хамство Гарика.

— А почему икра не черная, а серая? — спросила Лиза.

— Это белужья, самый дорогой сорт, — пояснил Гарик, — настоящий гурман ест только ее, другая — бросовый товар.

— Ну-ка, Кирюшка, — фальшиво-бодро ответил Веня, — посмотри-ка, тортики, что я привез, отморозились? Мы сейчас по сладкому ударим. У меня, к сожалению, на белужью икру аллергия. В детстве маменька перекормила, я очень слабенький был.

Кирюша метнулся в кухню и приволок две огромные коробки с замороженной выпечкой, произведенной во Франции. Я никогда еще не пробовала такое лакомство. Стоят произведения кондитерского искусства бешеных денег, у меня просто нет такой свободной суммы, чтобы отдать ее не задумываясь за бисквит со взбитыми сливками. Впрочем, даже если бы средства и нашлись, то скорей всего меня бы задушила жаба!

— Тортики класс, — завопил Костя, — один раз я ел такой, чуть не умер от наслаждения!

— Сладкое — вредная вещь, — отрезал Гарик и начал метать на стол деликатесы: балык, семгу, копченую вырезку и кур-гриль.

— Вот что, Лампа, — вмешался Веня, — ты много соленого на ночь не ешь, морда опухнет, а завтра придет мой корреспондент снимать по новой, на природе, в зелени.

— Какой такой корреспондент? — притормозил Гарик. — Зачем снимать? Почему есть нельзя? Собирайтесь живо, в ресторан пойдем, в «Золотой дракон»!

— Вау! — взвизгнула Лиза. — Там палочки дают?

— Никаких ресторанов, — взвился Веня, — для актрисы режим главное!

— Так она давно не играет!

— Евлампия начинает на днях сниматься в сериале.

Гарик побагровел:

— Что? Она? В сериале? Нашел шлюху! Ты, вообще, кто такой?

— Господин Селезнев, антрепренер, — церемонно поклонился Веня, — между прочим, мои актеры заняты во всех пиковых постановках. Если за дело берусь я, то делаю из человека звезду мирового класса, вот.

— Все актрисы — бляди, — преспокойно заявил Гарик, — раз у тебя прошмандовок навалом, незачем к порядочным женщинам привязываться. Лампа сниматься не будет, если денег на жизнь нет, я ей так дам! Эй, Роман, вынимай «капусту».

Парень достал их кармана толстую пачку зеленых купюр, перетянутую розовой резинкой.

— Бери, Лампа, — велел Гарик, — а этого антре-пренеришку гони в шею, нам такие в доме не нужны!

— Чего это ты тут распоряжаешься, — завелся Веня, становясь похожим на гнилой баклажан, — ты Евлампию купил, да? Между прочим, мы сейчас контракт подпишем, вот...

И он швырнул на стол несколько листков, скрепленных веселенькой зеленой скрепочкой, и толстую, похоже золотую, ручку.

— Имей в виду, — прошипел Гарик, — что я решил жениться на Евлампии, и моя супруга кривляться перед тобой не станет! Если надо будет, сам фильм сниму!

— А ну, заткнитесь оба, — рявкнула я, — и пошли вон!

Мужики уставились на меня.

— Дорогая, — вкрадчиво пробубнил Гарик, — ты хоть знаешь, кто я такой?

— И знать не хочу!

— Видишь ли, я — владелец Нефтепрома, крупнейшей нефтяной трубы, холостякую в одиночестве. Бабы ко мне в очередь становятся, просто пачками падают, что только не делают, лишь бы под венец затащить, а повезло тебе, я тебя выбрал.

Вообще, я человек спокойный и очень редко выхожу из себя, но сейчас в голове у меня начали быстро-быстро стучать молоточки, а уши — гореть огнем.

— Видишь ли, мне всегда казалось, что решение о бракосочетании принимают оба участника данной процедуры. Извини, но пока у меня нет никакого желания связывать с тобой свою жизнь.

— Как это, — опешил Гарик, — ты не поняла, журнал «Глоб» включил меня в сотню самых богатых людей мира. В России, да и на всем земном шаре мало людей с таким состоянием.

— У султана Брунея скважин побольше, он покруче будет. Но даже если сей султан предложит мне возглавить его гарем, я откажусь.

— Да почему?

— Ты мне не нравишься как мужчина, — отрезала я, — замуж я вообще не хочу.

— Правильно, — взвизгнул Веня, — подписывай контракт!

— И ты убирайся, — велела я.

— Но!.. — хором сказали мужики.

— Никаких «но»!

— Имей в виду, — налился синевой Веня, — мне отказывать нельзя.

— Мне тоже, — протянул Гарик, — не хочешь, заставлю. Впрочем, я не хам, вы, бабы, любите подарки. Небось цену себе набиваешь, презент ждешь. Ну гляди, меня в жадности еще никогда не упрекали. Рома, давай!

Охранник вынул из кармана красную бархатную коробочку и протянул мне. Моя рука машинально открыла крышечку. На ярком ворсистом материале огнем горело толстое золотое кольцо с огромным прозрачным камнем.

— Ух ты, — присвистнула Лиза, — какой брильянтище!

— Давай надевай и кончай кривляться, — улыбнулся Гарик, — будь умницей — и в уши висюльки получишь, точь-в-точь такие. Да не одна баба перед такими цацками не устоит!

У Сережки, старшего брата Кирюшки, очень спокойного, выдержанного и тактичного молодого человека, иногда случаются дикие припадки ярости. Один раз младшенький так довел братца, что тот с побелевшим лицом, сжав кулаки, кинулся за ним. Кирюшка перепугался и заперся в туалете. Сережка со всего размаху треснул по двери и пробил ее насквозь. Пришлось нам менять дверь, и я стала ругать Сережу:

— Ну разве можно так махать руками!

— Понимаешь, Лампа, — оправдывался парень, —

ну я совершенно порой не руковожу собой. В глазах туман, в ушах звон. Убью и не замечу. Потом, естественно, пожалею, но в момент ярости — убью.

Я только качала головой. Нельзя распускать себя до такой степени!

Но сегодня первый раз в жизни я поняла Сережку. В голову словно налили кипяток, сердце застучало так, будто я без остановки взлетела на Эльбрус, ноги мелко-мелко задрожали, перед глазами зароились мушки.

Трясущимися пальцами я вынула из коробочки кольцо, потом засунула его поглубже в один из роскошных тортов и метнула бисквит в Гарика.

Вообще, я обладаю на редкость кривым глазомером, и если придется швырять мяч в баскетбольную корзину, то наверняка промахнусь, но сегодня я попала точно в цель, прямо в противно ухмыляющуюся физиономию Игоря Серафимовича.

Ошметки липкого крема сползли на безупречный костюм. Веня зашелся в диком хохоте. Но он зря веселился. Через секунду другой тортик угодил ему прямо в грудь.

— А ну пошли вон, оба! — завопила я так, что Рейчел с перепугу стала лаять, а мопсы, осев на задние лапы, завыли.

Мужики вылетели во двор. Совершенно не владея собой, я сгребла со стола «дары данайцев» и принялась швырять ими в машины. Облепленные икрой, семгой, осетриной и шоколадными конфетами «шестистый» «Мерседес» и «БМВ», чуть не столкнувшись в воротах, вынеслись на дорогу и заскакали на ухабах.

Я закрыла окно и, почувствовав жуткую усталость, посмотрела на притихших детей.

— Вот так! Кто к нам с мечом придет, тот от меча и погибнет!

— А мы чего, мы ничего, — испуганно пробормотал Кирюшка, — жаль только тортик, когда еще такой попробуем.

Лизавета моментально треснула его по затылку:

— Молчи, обжора, за сладкое родину продашь!

На следующий день я сидела в электричке, скоро мчащейся к Ветлуге. За окнами мелькали дома, деревья, платформы. В голове царил сумбур. Еще пара деньков, и придется признать свое поражение. Единственная версия, представлявшая хоть какой-то интерес, выглядела шатко. Бабушка погибшей Тони, Анна Ивановна Коломийцева, решила отомстить Славину за смерть внучки и наняла убийцу.

При более детальном изучении версия не выдерживала никакой критики. Ну зачем, спрашивается, было столько лет ждать? «Она не слишком обеспечена, — цеплялась я изо всех сил за версию, — небось на киллера копила». Все остальные ростки сомнения я просто растоптала каблуками. Мэрия Ветлуги располагалась в отремонтированном здании. Похоже, в городе неплохо идут дела. Вокзал тоже сверкал новыми стенами, а на площади бойко торговали ларьки.

— Где у вас тут роно? — спросил я у дежурной.

— Это что такое? — не поняла тетка.

— Ну кто занимается школами?

— А, идите на третий этаж к Розе Ибрагимовне.

Я послушно пошла по лестнице вверх.

— Вы ко мне? — спросила женщина с простым, открытым лицом. — Проходите, слушаю вас внимательно. В чем проблема?

Я вздохнула. Редко встретишь такого внимательного человека на государственной службе.

— Я разыскиваю Анну Ивановну Коломийцеву, она работала директором школы, не подскажете случайно ее адрес?

— Простите, — вежливо осведомилась Роза Ибрагимовна, — зачем вам эти сведения?

— У нее когда-то учился Вячеслав Славин. Мальчик получил золотую медаль, поступил в МГУ, сделал блестящую научную карьеру. Но, к сожалению, Вячеслав Сергеевич недавно скончался, он завещал Анне Ивановне довольно большую сумму, но не указал ее точный адрес. Только сообщил — Анна Ивановна Коломийцева, директор школы в Ветлуге.

Роза Ибрагимовна внимательно посмотрела на меня:

— Вы ничего не путаете?

— Нет, а почему вы спрашиваете?

Роза Ибрагимовна с лязгом открыла допотопный сейф и вытащила ящик, забитый карточками.

— Понимаете, в Ветлуге двенадцать школ, но директора по фамилии Коломийцева не было здесь никогда.

— Не может быть!

— У нас люди работают на одном месте десятилетиями, — пояснила Роза Ибрагимовна, — текучки практически нет, мы всех ветеранов знаем и поддерживаем, ну деньги выписываем, продукты выдаем. Поверьте, Коломийцевой никогда не было.

— Вдруг он перепутал, — растерянно бормотала я, — может, Анна Ивановна работала завучем или просто учительницей.

— Я сейчас посмотрю по картотеке, — отозвалась чиновница.

Минут десять она перебирала карточки, потом разочарованно покачала головой:

— Нет никакой Коломийцевой даже среди уборщиц. И знаете, что еще странно?

Не ожидая ничего хорошего, я пробормотала:

— Что?

— В Ветлуге не так уж много детей, имеющих золотые медали, — вздохнула Роза Ибрагимовна, — правила получения этой награды строги и не учитывают специфики сельского образа жизни.

— Ветлуга — довольно большой город.

— Но люди у нас ближе к земле, — улыбнулась Роза Ибрагимовна, — кормятся от огородов, и, как только посевная начинается, классы пустеют. Ну да не будем спорить о всякой ерунде. К чему я речь веду. Всех медалистов мы заносим в Почетную книгу. Вот, смотрите!

Роза Ибрагимовна встала, взяла с полки толстый альбом, сдула с него пыль и протянула мне.

Я стала перелистывать тяжелые темно-серые страницы. Летопись начиналась в 1951 году. Тогда золотую медаль вручили Юшенковой Людмиле. Следом шесть лет никто престижной награды не получал. Затем, в 1957 году сразу трое — Матюшина, Костренко и Любавина... Дальше можно было не смотреть.

Вячеслав Сергеевич родился в 1940 году, Ребекка сказала, что он перескочил через класс и получил аттестат в 16 лет. Но в 1956 году никто из ветлужан особо отмечен не был.

Я в растерянности смотрела на Розу Ибрагимовну. Та развела руками:

— Простите!

Назад я ехала в полном недоумении и, не заходя домой, кинулась к Ребекке:

— Вячеслав Сергеевич учился в Ветлуге?

— Да.

— И медаль там дали?

— Конечно.

— Директрису, бабушку той несчастной девочки Тони, звали Анна Ивановна Коломийцева, ты ничего не перепутала?

— Нет, — ответила Ребекка, — я отлично помню, а почему тебя это вдруг заинтересовало?

— Вы когда-нибудь были на родине отца?

Бекки покачала головой:

— Он очень не любил вспоминать голодное детство, а потом, деревенька, где папа вырос, давно уничтожена. На этом месте сделали водохранилище, родных у него не осталось.

Я рухнула в кресло и затрясла головой.

— Да в чем дело? — недоумевала Бекки.

— Скажи, вы завещание читали?

— Чье?

— Да Славина же.

— Конечно, нет пока, — удивилась Ребекка, —

только, думаю, там ничего особенного... Папа небось обеспечил всех: Нору, Тамару, Свету и нас.

— Аня ничего не получает?

Ребекка помолчала:

— Наверное, нет, в завещании скорей всего указаны только дети и законные жены, вернее, только Нора и Тамара. Оля и Женя не будут упомянуты, ну да и понятно. Обеих давным-давно нет в России. Аню отец обеспечил иным образом.

— Каким?

— Он помог ей написать и защитить докторскую диссертацию и устроил преподавать пятилетний курс «Экономика России» в один из университетов Калифорнии.

Бекки глянула на будильник:

— Примерно через три часа наша Анюта совершит посадку в США.

— Как? — изумилась я.

— Просто, — объяснила Ребекка, — улетела сегодня рано утром, обещала не забывать, звонить и писать. Нюта девушка бойкая, по-английски лопочет свободно, языкового барьера никакого. Кстати, и преподаватель она неплохой. Говорят, студенты ее любят. Надеюсь, найдет за океаном счастье.

— Сколько же ей лет?

Бекки хмыкнула:

— О, это тайна, покрытая мраком. Никто правды не знает, по-моему, и папа не в курсе был, я ее знаю десять лет, и она сначала, в начале 90-х, говорила, что ей тридцать, году этак в 95-м, мы достаточно шумно отмечали ее тридцатипятилетие. Представь теперь мое удивление, когда в 96-м на торте оказались две гигантские цифры из крема — 34. А в 96-м стало еще меньше, всего 33. Очевидно, возраст Христа показался Нюте самым привлекательным, потому что теперь она всем говорит, будто ей тридцать три года. До смешного дошло. Во время защиты диссертации зачитывается вслух анкета соискателя, ну там родился, женился, учился... Обычно члены ученого совета и гости просто мирно спят, впрочем, кое-кто не просыпается и на самой защите. Так вот, когда представляли Анькину работу, то про дату рождения ни слова не сказали. Прямо цирк! Но, честно говоря, я думаю, ей за сорок, даже сорок пять.

— А кому, интересно, достанется дом, — пробормотала я.

— Дом перейдет нам, — горестно вздохнула Бекки, — детям, всем пятерым. Но Светка никогда его не любила, да и Тамара скорей всего не захочет теперь часто приезжать. Словом, наконец сбылись мамины мечты, она через полгода станет полноправной хозяйкой в особняке. Других-то законных наследников, кроме детей, нас то есть, нет. Все понятно и ясно, даже читать ничего не надо.

ГЛАВА 19

Домой я добралась, еле-еле волоча ноги, и мрачно села на веранде. Собаки, радостные оттого, что видят свою хозяйку, подняли веселую возню, кошки скакали вместе с ними. Но мне было не до зверей. Слава богу, что дети затеяли что-то в гараже и не показывались в доме.

Бесцельно передвигая на столе посуду, я все время задавала себе один и тот же вопрос. Ну зачем Вячеславу Сергеевичу Славину, человеку незапятнанному, рассказывать неправду про Ветлугу? В шестнадцать лет талантливый мальчик из провинции поступил в МГУ. У ребенка, родившегося в малообеспеченной провинциальной семье, не было никакого блата, никакой волосатой руки, никто не подставлял пареньку «лесенку», всего он достиг благодаря только трудолюбию и упорству.

Начиная с шестнадцати лет, вся жизнь Славина легко просматривается, она прозрачна, как горная речка. Сначала студент, потом аспирант, словом, подающий большие надежды ученый.

И зачем бы такому человеку вводить в заблуждение близких? Ну какой смысл придумывать про Ветлугу? Правда, иногда особо тщеславные люди, став богатыми и знаменитыми, стесняются своих крестьянских предков и начинают выдумывать невесть что! Да и у нас в консерватории учился Максим Норкин. Всем рассказывал, что его родители дипломатические работники. Папа — посол, мама — послиха, а он, Макс, живет в общежитии потому, что предки побоялись оставлять его одного в гигантской квартире. И только на выпускном концерте мы увидели его маменьку, почти бестелесную женщину с огромными, лопатообразными ладонями. А какие, по-вашему, руки должны быть у бабы, вскапывающей огород, доящей трех коров и таскающей мешки с картошкой. Матушка Макса оказалась простой колхозницей...

Я бы еще поняла, придумай Вячеслав Сергеевич «охотничью» историю про каких-нибудь необыкновенных родственников. Правда, в начале пятидесятых всякие князья, графы и бароны были не в чести, но, в конце концов, существовали генералы, капитаны дальнего плавания, писатели...

Наврал бы, что его отец — маршал, а матушка — прима-балерина какого-нибудь провинциального театра. Ну никто ведь проверять не станет! Ан нет! Зачем-то, кстати, очень неохотно, по словам Бекки, он рассказывал о детских годах, студенческие вспоминал чаще. Да еще упоминал об отце, простом солдате, и матери — малообразованной тетке из крохотного поселка Симоново. Почему он выдавал небылицу? Нет, есть только один способ, чтобы узнать правду.

Я схватила телефон и набрала 09.

— Четырнадцатая, здравствуйте.

— Дайте мне телефон МГУ.

— Какой факультет?

— Мне нужен архив.

— Пишите справочный номер.

Следующий час я безуспешно пыталась соединиться с флагманом образования. Но занято там было постоянно. Наконец, когда умерла уже всякая надежда соединиться с архивом, раздался весьма недовольный голос:

— Справочная.

— Дайте, пожалуйста, телефон архива.

Тетка, очевидно, начала рыться в справочнике, потому что до моего уха донеслось шуршание. Но, получив нужные семь цифр, я поняла, что праздновать удачу рано. Теперь кто-то удавился на телефонном шнуре в бумагохранилище. От злости я вспотела. Ну наберу в последний разок, и все!

И тут раздалось бодрое:

— Архив!

— Позовите, пожалуйста, заведующую.

— Слушаю.

— Вас беспокоит журнал «Лица эпохи», корреспондент Евлампия Романова.

— Очень приятно, Валентина Николаевна Столярова, — церемонно представилась дама.

— Уважаемая Валентина Николаевна, — затараторила я, — вы располагаете сведениями о золотых медалистах, поступивших в МГУ?

— Конечно, срок хранения анкет составляет семьдесят пять лет. Правда, первые десять годков дела лежат непосредственно на факультетах.

— Информация о поступивших в 1956 году существует?

— Естественно, — оскорбилась заведующая, — у нас ни один клочок не пропадает, а вам зачем?

— Да вот поручили сделать статью про покойного академика Славина, и я подумала, может, сфотографировать его аттестат? Для украшения материала.

— Приезжайте, — любезно разрешила Валентина Николаевна, — только завтра, мы скоро закрываемся.

— Конечно, — обрадовалась я, — адрес подскажите.

На вечер у меня не было ничего запланировано, и я отправилась на кухню, делать любимый детьми салат. И Лиза, и Кирюшка, и наш вечный гость Костик никогда не кривляются за столом. Съедают все подчистую. Впрочем, Кирюшка на дух не выносит молоко, но кефир, ряженку, йогурты, творог и сметану ест с превеликим удовольствием. Лиза ненавидит любые каши, но, если на стол подали гречку, она щедро заливает блюдо кетчупом или соевым соусом и молча орудует вилкой. Костя, насколько я знаю, весь передергивается при виде рыбы, у него аллергия на морских и речных обитателей. Но мой салат обожают все. Делается он крайне просто. Берете свежие помидоры, болгарский сладкий перец и пучок кинзы. Все режете, не слишком мелко и добавляете тертый сыр. Лучше взять острый, но подойдет любой. Потом делаете заправку: растительное масло без запаха, лимонный сок или уксус и немного сахарного песка. Перемешиваете и заливаете салат. Вкусно до невозможности. Впрочем, некоторые мои знакомые вместо сыра добавляют брынзу, но это уже кто что любит.

Быстро наполнив миску, я высунулась в окно, чтобы позвать ребят ужинать. Но крик застрял в горле.

Словно серебристая струйка ртути, во двор медленно вкатывался «Мерседес». За ним виднелся темно-синий микроавтобус. Боже, искренне надеюсь, что это не прибыл свадебный ужин.

— Эй, Кирюха, Лизавета, Костька, — донеслось со двора, — быстренько покажите парням, где что.

— Ой, — взвизгнула Лизка, — это...

— Молчать, — рявкнул Гарик, — весь сюрприз испортишь!

Он быстрым шагом влетел на веранду и велел:

— Не смей смотреть в окно, на меня смотри!

От неожиданного замечания я внезапно икнула и шлепнулась на стул.

— Роман, Леня, давайте, — распорядился Гарик, выглядывая в прихожию.

Послышался шорох, потом на террасу вплыл невероятно огромный веник из кроваво-красных роз.

— Вот, — довольно произнес Игорь Серафимович, — бери, здесь ровно сто штук!

Неожиданно из моего рта вырвалось:

— Мне еще никто никогда не дарил такое количество цветов.

— Давай вазы, — велел Гарик.

— У меня только одна, — пролепетала я, показывая на керамическую бутылку.

— Роман, — приказал хозяин, — действуй.

Парень осторожно положил охапку на обеденный стол и вышел. Леонид спокойно сел на стул.

— Пойду цветы пока в ванную положу.

— Леня, отнеси.

Парень подхватил вязанку роз и молча удалился. Может, парни глухонемые? Честно говоря, за все время я слышала их голоса всего один раз.

— Приехал просить у тебя прощения за вчерашнее, — улыбнулся Гарик, — согласен, я мужлан, но если что-то не получается, как мне хочется, то я горы сворочу, а своего добьюсь. Можешь сколько угодно злиться, ты все равно станешь моей женой.

Я пожала плечами. Бог мой, сколько несчастных баб, желая заполучить супруга, делают неимоверные усилия. Бегают в косметические клиники и тренажерные залы, покупают сверхмодные шмотки, красят волосы в жуткие цвета, но ничего не получается. Столь желанные особи мужского пола совершенно не обращают на них внимания. А почему? Да все очень просто, мужчины так устроены: то, что падает само в руки, совершенно их не привлекает.

Вот Гарик привык к восторженным женским взглядам, и, естественно, тетка, прогоняющая его из дому, моментально выделилась на обычном фоне. Так что я избрала самую верную тактику, чтобы стать женой «нефтяной трубы». Но самое интересное в этой истории то, что на самом деле я хочу избавиться от Игоря Серафимовича, он мне совсем не нужен со своими миллионами, «Мерседесом» и золотыми часами. Хватит, я уже была один раз супругой бизнесмена.

Вдруг за окнами грянула музыка и несколько хрипловатых голосов загундосили:

Вы помните, вы все, конечно, помните.
Как я стоял, приблизившись к стене.
Взволнованно ходили вы по комнате
И что-то резкое в лицо бросали мне.

— Хорошую песню подобрали, — хмыкнул Гарик.

Я выглянула в окно. На площадке перед гаражом стояли четыре парня. Два с гитарами, один возле ударной установки и один за синтезатором.

Пели гитаристы, кстати, весьма неплохо, высокими, резкими, как у кастратов, голосами. Подобный тембр у мужчин редкость. Именно для него гениальный гомосексуалист Чайковский и создал партию Ленского. Всем известно, что «густота» мужского голоса зависит от наличия гормонов. У теноров, как правило, проблемы с потенцией. Кстати, сейчас Ленского поет не лирический, а драматический тенор. Собственно говоря, исполнить арии поэта в оригинальной авторской редакции мог бы, наверное, лишь Курмангалиев, все остальные берут ниже.

— Можно мы зайдем?! — заорал Кирюшка.

Не дождавшись ответа, они все влетели в дом.

— Лампа, — приседая от восторга, восклицала Лизавета, — Лампушечка, ты хоть знаешь, кто это?

— Нет.

— Группа «Бильбо», — хором ответили Кирюшка и Костя, — они на втором месте после Земфиры!

— Бильжо? — в растерянности переспросила я. — Никогда не слышала.

— Эй, парни, — заорал Гарик, свисая из окна, — давай громче, вас не слышно!

Мальчишки заверещали, словно мартовские коты, которым прищемили хвосты. Искренне надеюсь, что все рассказы про тот свет неправда, потому что иначе у бедного Сергея Есенина, стихи которого сейчас мучила группа, может произойти разрыв какой-нибудь «энергетический сущности».

— Не Бильжо, а Бильбо, — поправила Лизавета, — Бильжо — это тот дяденька с ключом от сумасшедшего дома, который в программе Шендеровича «Итого» изображает психиатра. Ну тот, который говорит: «Когда я служил в маленькой сельской больнице...»

— Классная программа, — заржал Гарик, — всегда смотрю ее, Амба-ТВ еще есть.

— Нет, «33 квадратных места» лучше, — возразила Лизавета.

— Ой, Танюлька с сыночком, прикольная парочка, — развеселился Гарик, — обхохочешься!

— Джентльмен-шоу... — начал Костя.

— Фу, — сказали Гарик и Кирюшка хором, — это для кретинов!

Выяснив, что у них абсолютно одинаковые взгляды на сатиру и юмор, дети и Игорь Серафимович плюхнулись за стол и выжидательно глянули на меня.

За окном выла группа «Бильбо». Теперь ее участники перекинулись на современных авторов.

— Вы чего-то хотите? — спросила я. — Если нет, то пойду прилягу, устала очень!

— Поужинать бы, — вздохнул Кирюшка и глянул на Гарика.

Тот засмеялся:

— Не, побоялся икру везти. Вчера на мойку въехал весь в икре и семге, так знаешь, как на меня смотрели? Кто-то даже сфотографировал.

— У нас сосиски, — каменным голосом объявила я, — с вермишелью «Макфа».

— Тащи! — распорядился Гарик.

— Их варить надо!

— А мы не торопимся!

Я набила кастрюлю сосисками и тупо уставилась в окно. «Бильбо» старательно выводила:

> А у тебя
> И у меня
> Дорога одна...

— Эй, мальчики, — крикнула я, — сосиски будете?!

— Вы нам? — поинтересовался гитарист. — Будем, с огромным удовольствием.

Скоро все расселись за большим столом и начали вытаскивать из кастрюли розовые, исходящие паром сосиски.

— Эх, горчички охота, — пробубнил Гарик, — нету у тебя?

Я хотела было пойти на кухню за «Малютой Скуратовым», но остановилась. Ну уж нет, Володе Костину не дала горчицы и этим не предложу.

Но никто особо не стал переживать из-за отсутствия специй. Вермишель и сосиски исчезли в мгновение ока, потом выпили по две чашки чая с булочками.

— Дядя Игорь, — спросила Лизавета, — а «Бильбо» еще петь будет?

— Они ваши до полуночи, — ответил Гарик.

— Можно, мы ребят позовем послушать?

— Конечно.

Дети бросились к телефону. Музыканты вышли во двор и закурили. Я осмотрела гору грязной посуды и сказала:

— Пойду лягу, голова болит, спокойной ночи. Кстати, может, тебе домой пора?

— Не-а, — пробормотал Гарик, щурясь, как довольная кошка. — Не пора. Вот тут лягу на диванчике, газетку почитаю! Ах, как у тебя здорово — лес, цветы, жасмин, птички поют, трава под самыми окнами... И сосиски эти с вермишелью... Знаешь, меня в детстве вывозили в деревню к бабке. Матери с понедельника по субботу не было, а в воскресенье мы ели вот такие страшно вкусные сосиски. Ну никогда мне больше не было так хорошо!

— Неужели у тебя нет дачи?

— У меня, — пробормотал Гарик, вытягиваясь на диване, — загородный коттедж с бассейном и теннисным кортом да повар в придачу, настоящий француз — консоме, жульен, фуа гра... Только вкуса никакого и радости мало. Честно говоря, я дом свой недолюбливаю, его дизайнер обставлял, красиво, как на картинке, а жить неудобно. Все эти мраморные полы, джакузи... В обычной ванне с душем комфортнее.

Я, когда моюсь, всегда жутко мерзну, помещение большое, да еще с окном. Плохо прогревается.

— А ты переделай все и выгони француза, найми обычную тетку.

— Нельзя, — вздохнул Гарик и закрыл глаза, — скажут, разорился...

— Не наплевать ли тебе на всех? Сам же говорил, что самый богатый. Пусть под тебя подстраиваются. Ей-богу, здорово получится, у всех навороченная мебель, а у тебя такая, на которой спать удобно!

— Мне не приходило это в голову, — сонно пробормотала «нефтяная труба», — по мне так самый удобный диван — вот этот, на котором сейчас лежу.

Он закрыл глаза и засопел. Я с тоской посмотрела на олигарха. Вот бедолага! Потом сходила в гостиную, приволокла плед и укрыла Гарика, правда, предварительно стащив с него элегантные ботинки. Ей-богу, жалко парня!

Наверное, мы опять попали в зону смены погоды, потому что сон свалил меня мгновенно. Посередине ночи я проснулась и услышала звуки музыки. Плохо понимая, что происходит, машинально выглянула в окно. Перед глазами предстала дивная картина. На площадке возле гаража горит костер. Рядом заливаются соловьями «Бильбо», а вокруг огня скачут полуголые, перемазанные с ног до головы подростки, штук двадцать, не меньше. Вместе с ними носится мужик, одетый только в семейные трусы, у всех в руках длинные палки и какие-то тряпки. Я отступила в глубь комнаты и глянула на часы — полчетвертого. Не может быть, просто мне снится сон. На полянке никого нет, «Бильбо» уехали, наверное, еще в полночь!

С этими мыслями я рухнула вновь в кровать. Солнце разбудило меня в полдевятого. Выйдя в гостиную, я увидела на разложенном диване двух гитаристов, между которыми устроилась Ада. На софе в Кирюшкиной комнате нашелся барабанщик, а на раскладушке мирно сопел клавишник. Кирюшка и Лиза-

вета тоже не собирались вставать. Но самая
восхитительная картина меня ожидала на веранде.

На диване громко храпел Гарик. На нем устроились Клаус, Семирамида и Пингва. Очевидно, благо-
дарные за эксклюзивную кормежку кошки решили
обогревать своего благодетеля. На полу, словно вер-
ные собаки, мирно почивали Рома и Леня. Парни по-
стелили матрацы, наверное, найденные на чердаке.
Рядом с ними развалились Рамик и Рейчел.

На столе было полным-полно пустых чашек и тарелок, костюм Гарика, перепачканный чем-то чер-
ным, валялся в углу.

Я помылась, выпила кофе, но никто из спящих
даже не пошевелился. Ну, хороша охрана, хозяина
можно убивать, они даже не вздрогнут. Но стоило мне
взяться за входную дверь, как Рома моментально сел.

— А, это вы, Евлампия Андреевна.

— Тише, разбудишь народ, спи давай, я на работу
поехала.

На лужайке возле гаража чернел след от костра.
Тут и там валялись картофельные очистки. Значит,
это был не сон. Они и впрямь жгли тут костер и скакали вокруг огня, словно дикие папуасы...

— Жалко, вы спать рано пошли, — сказал, приблизившись неслышным шагом, Рома, — я никогда
Игоря Серафимовича таким веселым не видел. Сначала песни пели, потом картошечку пекли, ну чисто
пионерский лагерь, здорово. Около шести спать легли. А Игорь Серафимович...

— Что?

— Телефон у него зазвонил уж под утро, он его выключил, а там заклинило вроде, звенит и звенит, ну он
его, — Рома рассмеялся, — как зашвырнет в костер! Со
всего размаху, гуд бай, «Сименс»! Вон, видите?

Я перевела взгляд на пепелище и заметила в центре выжженного круга крохотный оплавленный кусок
пластмассы — все, что осталось от мобильника.

ГЛАВА 20

Валентина Николаевна Столярова оказалась очень активной, веселой и приветливой дамой.

— Садитесь, садитесь, — улыбалась она, — кто вас интересует?

— Славин Вячеслав Сергеевич, поступил в 1956 году с золотой медалью на экономический факультет...

— Сейчас, сейчас, — пробормотала Столярова, — обязательно найдем, у нас, архивных девушек, ничего не пропадает, ага, вот оно, смотрите. Здесь все: анкета, фотографии, копия аттестата.

Я принялась разглядывать бумаги.

Славин Вячеслав Сергеевич, 1940 года рождения. Мать — Анна Ивановна Коломийцева, отец — Славин Сергей Иванович, погиб в 1943 году в боях за Курск. Окончил школу № 8 в городе Мартынове и там же получил золотую медаль.

— Странно как! — воскликнула я, разглядывая копию потертого аттестата.

— Что-то не так? — кинулась мне на помощь Валентина Николаевна.

— Нет, нет, все в порядке, — поспешила я успокоить приветливую даму, — не знаете, где такой город Мартынов?

— Вы в библиотеку загляните, там на открытом доступе атлас есть, — охотно посоветовала Столярова.

Мартынов нашелся не сразу. Сначала я безрезультатно шарила глазами по строчкам. Наконец мелькнуло нужное название. Ничего себе! Возле Новосибирска!

На следующий день, около четырех часов вечера, я спускалась по трапу в аэропорту Новосибирска. Прямого рейса до Мартынова не было, и мне предстояло ехать на местном поезде.

Вчера я уговорила Ребекку пожить у меня несколько деньков.

— Пойми, разгадка явно в этом Мартынове, туда просто необходимо съездить!

— Ладно, — согласилась Бекки, — только ненадолго, я скажу маме, что у меня три съемочных дня в Санкт-Петербурге. Иначе вопросами замучает: как, куда, зачем?..

В Мартынове я очутилась около десяти и еле-еле отыскала гостиницу, отчего-то носившую название «Золотой купол». Номер мне достался прегадостный. Узкий и длинный, словно кусок коридора, куда по недоразумению впихнули кровать, шкаф и тумбочку. Туалет с ванной, естественно, отсутствовали, но мне было наплевать на бытовые условия, я не собиралась сидеть день-деньской в номере.

Утром, проглотив омерзительный кофе, я поехала в школу № 8. На дворе конец июня, дети отдыхают, но педагоги небось на месте...

Расчет оказался верен. В директорском кабинете сидел за столом довольно приятный молодой мужчина, назвавшийся Антоном Петровичем.

Услыхав, что к нему прибыла корреспондентка «Учительской газеты», Антон Петрович стал приторно любезным.

— Вы ведете летопись школы?

— А как же, обязательно.

— И медалистов помните?

— Естественно, — заверил директор, — в актовом зале на стене огромный стенд «Наша слава», хотите посмотреть?

Не чуя под собой ног, я взлетела по серым, вытертым ступенькам и увидела стену, заклеенную фотографиями.

— Нашему учебному заведению, — зажурчал за спиной Антон Петрович, — в этом году исполняется семьдесят лет. Школа одна из старейших в России, с богатыми традициями. Даже во время Великой Отечественной войны ни на минуту не прекращалась учеба, в классах сидело по пятьдесят детей, прибавились эвакуированные школьники...

Он зудел и зудел, словно жирная осенняя муха, но я уже не слышала занудных рассказов директора. Со стенда на меня смотрела фотография молодого

Славина, точь-в-точь такая, как в университетском деле. Только подпись под ней почему-то гласила: «Вячеслав Юрьевич Рожков».

— Вы давно директорствуете? — прервала я Антона Петровича.

— Шестой год.

— До этого кто был на вашем месте?

— О, — обрадовался Антон Петрович, — вам обязательно надо с ней побеседовать. Уникальная личность, сильная и необыкновенно привлекательная. Тот редкий случай, когда любят все: и дети и педагоги. Учитель от бога, яркий талант. Представьте на минуту, в 1943 году, когда прежний директор ушел на фронт, она в возрасте двадцати пяти лет взвалила себе на плечи эту школу! И с тех пор бессменно руководила коллективом.

— Как ее звали?

— Анна Ивановна Коломийцева, извините, сразу не сказал, — улыбнулся Антон Петрович, — хотя почему мы говорим о ней в прошедшем времени?..

— Она жива?!

— Поживее нас будет, — хмыкнул директор, — живехонька, здоровехонька и квартирует недалеко, давайте я ей позвоню, она с радостью вас примет!

Анна Ивановна встретила меня на пороге. Высокая, слегка сутуловатая фигура в красивом светло-голубом костюме, волосы аккуратно уложены валиком, а на ногах у бывшей директрисы были не тапки, а кожаные мокасины.

Комната, куда меня провели, сверкала чистотой. Нигде не пылинки, ковер идеально вычищен, занавески стоят от крахмала колом, а у книжных полок до блеска протерты стекла. Если учесть, что о моем визите она узнала полчаса назад, то было ясно, что Анна Ивановна невероятно аккуратна и небось терпеть не может домашних животных. Как правило, хозяйки, проводящие кучу времени с пылесосом и тряпкой, недолюбливают кошек и собак, от них же шерсть летит и портит идеальный вид квартиры.

Но тут, словно иллюстрация к моим мыслям, раздалось тихое мяуканье, и в комнату вступил огромный рыжий кот размером с хорошего пуделя. Шерсть котяры блестела и переливалась, пушистые «штаны» торчали в разные стороны, большая, круглая голова с треугольными ушами красиво покоилась на воротнике цвета червонного золота. Но самым шикарным был хвост, торчащий вверх трубой.

— Какой котище! — ахнула я.

Анна Ивановна вздохнула.

— Мой последний ученик, хотя я еще иногда репетирую кой-кого.

— Вы преподавали литературу?

— Нет, математику. Впрочем, что это я. Пойдемте, если вас не затруднит, на кухню и выпьем чай. Вы когда-нибудь пробовали пироги с черемухой?

— Разве из цветов можно печь пироги? — изумилась я.

Анна Ивановна рассмеялась:

— Вы — типичная москвичка. После цветов появляются ягоды, и вот они-то замечательная начинка, напоминают чернику, но не такие пресные. Черемуха — сибирское лакомство. Правда, сейчас чего только нет: киви, бананы, манго, но черемуху можно поесть только за Уральскими горами.

Выпечка и впрямь таяла во рту. Сдобное, но нежное тесто и слегка терпкие ягоды. Чай Анна Ивановна заварила не по-старушечьи. В чашке у меня плескалась жидкость темно-коричневого цвета. В этом доме пили одну заварку, не разбавляя ее кипятком.

Глотая четвертый, невероятно вкусный пирожок, я слушала плавный рассказ директора о школе. Оставалось только удивляться ее памяти. Многих выпускников она называла по именам.

— На пятидесятилетие школы собрались почти все, такой был вечер, концерт... Мы сделали специальные медали и раздавали бывшим ученикам. Представляете, Семен Потворов, вот уж кто далеко пошел, директор крупного машиностроительного завода, сказал, что эта медаль — самая дорогая его награда. Кстати, большинство наших бывших детей выучились. Нам есть чем гордиться. Лена Рокотова — прима театра оперетты в Екатеринбурге, Сеня Жиганов работает в МИДе, консул в одной из африканских стран, Аня Веселова — доктор наук.

— Вячеслав Славин стал академиком, — перебила я ее.

Директриса вздрогнула, но не сдалась:

— Что-то вы путаете, не было такого мальчика.

— Был, — спокойно возразила я, — был, только отчего-то под школьной фотографией написано Вячеслав Рожков.

— Ах, Славик, — протянула Анна Ивановна, — бедный ребенок.

— Почему?

— Очень талантливый мальчик, эрудированный... Но умер!

— Умер?!

— Да, — вздохнула Анна Ивановна, — поехал в Москву поступать в МГУ и случайно попал под поезд.

Секунду я обалдело молчала, потом пробормотала:

— Родители его кто были?

— Извините, не помню, дело давнее.

Мне показалось странным, что великолепная память подвела хозяйку именно в этот момент, поэтому я достала из сумочки несколько фотографий и положила их перед директрисой.

— Вячеслав не погиб. Он благополучно добрался до столицы, поступил в МГУ, стал доктором наук, профессором, академиком. И вы это отлично знали, потому что отправили к нему в свое время внучку Тоню, ту самую, которая покончила с собой. Честно говоря, меня интересует всего лишь несколько вопросов: каким образом Вячеслав Юрьевич Рожков превратился в Вячеслава Сергеевича Славина? А главное, зачем? И почему в личном листке при подаче документов в МГУ он написал, будто вы его родная мать?

Анна Ивановна побледнела:

— Вы не из «Учительской газеты».

— Да, я — частный детектив, меня наняла дочь Славина Ребекка, чтобы узнать, кто убил ее отца. Сразу признаюсь, мне кажется, корни преступления кроются здесь, в вашем городе.

Анна Ивановна тяжело вздохнула:

— Нет, вы не правы, та история не может иметь никакого отношения к убийству Славика.

— И все же!

Коломийцева принялась бессмысленно передвигать посуду, потому поинтересовалась:

— Вы какого года рождения?

— 1963.

— Вам будет трудно понять.

— Ничего, постараюсь.

Анна Ивановна еще поколебалась минуту, потом со вздохом решилась:

— Ладно, Славика все равно уже нет в живых, а его детям от правды вряд ли хуже будет, слушайте.

Отец Славы был блестящим генералом, хотя, может быть, я неверно называю воинское звание. Юрий Вячеславович Рожков работал в системе НКВД и, очевидно, обладал дьявольской прозорливостью, так как в 1951 году стал начальником городского управления в Мартынове, по тем временам просто богом.

— Как? — изумилась я. — Разве Слава не сирота?

— Давайте по порядку, — мягко укорила меня Коломийцева, — если я начну пересказывать не с начала, вы ничего не поймете.

Сталинская машина репрессий работала четко. Органы НКВД пачками сажали людей в лагеря, но через какое-то время чистке подвергались и сами сотрудники Комиссариата внутренних дел, также отправлялись по этапу. Мало кому из следователей удалось спокойно пережить те годы. Но Юрий Вячеславович Рожков оказался из удачливых, а может, расцвет его карьеры пришелся на пятидесятые годы, когда жернова репрессий слегка устали.

Репутация у Юрия Вячеславовича была безупречная, дело свое он вершил с особой жестокостью, с наслаждением избивая в кабинете людей. И ведь, превратившись в большого начальника, он мог доверить допросы помощникам. Но нет, он лично выбивал из подследственных показания, скорей всего, ему просто нравилось мучить тех, кто пытался сопротивляться безжалостной машине.

Его боялись до потери памяти. Когда черный автомобиль проезжал по улочкам Мартынова, старухи крестились, а прохожие на всякий случай заныривали в подъезды. Но еще больше люди боялись его супруги, Ольги Яковлевны. Вот уж кто не останавливался ни перед чем.

Во-первых, она сама работала в системе НКВД, правда, всего лишь стенографисткой, а во-вторых...

Стоило Ольге Яковлевне побывать в гостях у профессора Тихонова, как через три дня Андрея Михайловича арестовали, впрочем, его семью тоже. Отличная четырехкомнатная квартира с видом на городской парк опустела. Но ненадолго. Буквально через месяц, сделав ремонт, в нее въехали... Рожковы.

Потом Ольге Яковлевне приглянулась старинная мебель красного дерева, стоявшая у Анастасии Никаноровны Заболоцкой. Таких шкафов, диванов и стульев с гнутыми спинками и сиденьями, обтянутыми синим атласом, нельзя было купить в магазинах. Советская мебельная промышленность выпускала в те годы трехстворчатые гардеробы, смахивающие на поставленные боком гробы, буфеты да скрипучие кровати с панцирными сетками.

Анастасия Николаевна сгнила в лагере, обстановка перешла к Рожковым.

Затем Ольга Яковлевна обратила внимание на уши лучшего стоматолога района Эсфирь Моисеевны Шульман. Зубная врачиха была не права трижды. Во-первых, она была еврейкой, что уже являлось достаточным поводом для того, чтобы исчезнуть с лица земли, во-вторых, врачом, а как раз разгоралось дело ленинградских медиков, и, в-третьих... Ну какое право она имела владеть серьгами с такими крупными и чистыми брильянтами, которых не было у самой Ольги Яковлевны?

Правда, Эсфирь Моисеевна оказалась не только отличным стоматологом, но еще и прозорливицей. Перехватив взгляд Рожковой, она моментально вынула украшения и, пожаловавшись на безденежье, предложила Ольге Яковлевне купить подвески за... 20 рублей.

Чудесные вещички украсили жену Юрия Вячеславовича, кстати, вопреки репутации, она была настоящей красавицей, с ангельским личиком. Вот только душа этому херувиму досталась дьявольская. Впрочем, «продажа» сережек не спасла Шульман. Ведь у нее имелись еще изумительной работы брошь, кулон, кольца, браслеты...

Жены местных начальников, вынужденные приглашать на всевозможные торжества Рожковых, встречали гостей в простеньких ситцевых платьицах и подавали еду на самых обычных тарелках с железными вилками. Слишком хорошо помнили все о судьбе Леночки Макаровой, беспечно выложившей на скатерть роскошные серебряные столовые приборы, ручки которых были украшены фигурками животных. Настоящий Фаберже, а Ольга Яковлевна, несмотря на то что коммунисты в те годы ратовали за простой, скромный быт, очень любила дорогие «игрушки».

У Рожковой был только один сын — Славик. Хороший мальчик, отлично учившийся в школе. Кстати, свои пятерки он зарабатывал честно. Скорей всего, учителя и так бы выводили ему «отлично», боясь гнева всесильного папаши, но в этом случае совесть их была чиста. Ребенок делал все уроки, безукоризненно писал контрольные, великолепно вел себя и целыми днями читал книги, глотал их пачками.

С другой стороны, что ему оставалось делать? Друзей у Славы не было, и в классе он сидел за партой один, впереди, у самого учительского стола. Анна Ивановна жалела мальчика, в конце концов он был не виноват, что ему достались такие родители.

В девятом классе Славик влюбился в свою одноклассницу Майю Коломийцеву, дочку директрисы. В октябре Анна Ивановна неприятно поразилась, обнаружив у себя дома младшего Рожкова, преспокойненько растолковывавшего математику ее дочери.

Стараясь не подать вида, директриса пробормотала:

— Занимаетесь, ну-ну, сейчас чай приготовлю.

Через пять минут Слава пришел на кухню, плотно закрыл дверь и сказал:

— Анна Ивановна, я хорошо понимаю, что мой визит не доставил вам никакой радости.

— Что ты, Славик, — попробовала изобразить восторг педагог.

— Да ладно вам, — усмехнулся девятиклассник, — я не маленький, уже все понимаю. Только что же теперь мне делать с такими родителями?

Коломийцева растерянно молчала. Ее педагогический опыт ничего не подсказывал, в такую ситуацию директриса попала впервые. Слава будто услышал мысли Анны Ивановны.

— Вы не волнуйтесь, — сказал он, — отца никогда не бывает дома, раньше полуночи он не возвращается, мама тоже поздно приходит, а я никогда не скажу, у кого гощу. И потом, я входил не с улицы, а пробрался огородом, никто не увидит, да и в школе не узнают!

Анна Ивановна только вздохнула и после ухода неприятного гостя попробовала поговорить с Маечкой. Но всегда послушная, вежливая девочка неожиданно встала на дыбы:

— Мама, он хороший, самый замечательный, он — мой Ромео. Не бойся, никто не узнает!

Коломийцева не стала напоминать дочери, чем закончилась страстная любовь между Ромео и Джульеттой. Потом, она понимала, что на роль Капулетти явно не тянет, Рожковы просто сметут ее с лица земли вместе с дурочкой Майей. Но девочка зарыдала:

— Если отправишь меня к тетке в Новосибирск, так и знай — я утоплюсь.

Пришлось Анне Ивановне идти на попятный. Но дети слово сдержали. В школе они проходили мимо друг друга, словно незнакомые, а после уроков Слава крадучись пробирался к Коломийцевым. Его никто не замечал. В ноябре темнеет рано, а жила Анна Ивановна тогда не в квартире, а в крохотном домике на окраине Мартынова. Что ждет влюбленных детей впереди, Коломийцева не загадывала. Слава уверенно шел на медаль. «Наверное, родители отправят его учиться в Москву», — надеялась Анна Ивановна.

Но вышло по-иному. В феврале 1956 года с трибуны XX съезда компартии прозвучали слова о культе личности и необоснованных репрессиях. Несмотря на то что доклад Никита Хрущев сделал на закрытом совещании и в газеты попала строго дозированная информация, этого хватило, чтобы народ понял: эпоха страха заканчивается, начинается новая эра.

В марте 56-го Ольга Яковлевна, слегка присмиревшая, но все еще всесильная, зашла в славящийся своими булочками кондитерский магазин. У прилавка, как всегда, толпилась очередь, первым стоял сын зубного врача Шульман. Ольга Яковлевна уверенным шагом обогнула длинный хвост и потребовала:

— Двенадцать венских, да не посыпайте пудрой.

— Вас тут не стояло! — рявкнул Шульман.

Очередь одобрительно загудела. И тут Ольга Яковлевна сделала основную ошибку в своей жизни. Крайне изумленная столь наглым поведением сына репрессированной, она картинно вздернула красивые брови и осведомилась:

— Вы еще на свободе? А как там Эсфирь Моисеевна, пишет?

Младший Шульман побелел. Его мать, хрупкая, маленькая, изнеженная женщина, ничего тяжелее зубоврачебных инструментов никогда не державшая в руках, скончалась через месяц работы на лесоповале. Ольга Яковлевна довольно усмехнулась, и тут Шульман бросился на Рожкову. Все произошло тихо и от этого страшно. Жену Юрия Вячеславовича били все. Кто руками, кто ногами, а кое-кто прихватил тяжелые гири от весов. Бросив изуродованное тело у входа в магазин, люди двинулись к квартире Рожковых. Находилась она на втором этаже. Сначала камнями побили стекла, потом, сметая охранника, ворвались в подъезд, взломали дверь и уничтожили обстановку.

Странное дело, но Юрию Вячеславовичу никто не сообщил о погроме. Он мирно подъехал к дому и увидел ощетинившиеся осколками стекла́ окна. Заподозрив неладное, он шагнул было назад к машине, но по непонятной причине шофер уже отъехал к парковочной площадке чуть поодаль от подъезда. В этот момент толпа, разгромившая апартаменты, вынеслась на улицу и смела Рожкова. Еще недавно пугавший всех до дрожи в коленях, Юрий Вячеславович не успел даже вытащить пистолет. Сначала Рожкова ударили по голове железной палкой, а когда он, заливаясь кровью, упал, просто затоптали.

Слава был у Анны Ивановны и ничего не знал. Перепуганная Коломийцева, на глазах которой убивали Ольгу Яковлевну, примчалась домой и запретила мальчику высовываться на улицу. Только на следующее утро директор сообщила подростку, что он стал сиротой.

Слава заболел и слег дома у Коломийцевых с непонятной лихорадкой. В Мартынов тем временем спешно прибыла специальная комиссия. Но времена уже начинались иные, а чета Рожковых слыла одиозной. Разбирательство было поверхностным, виноватых не нашли. Дознаватели просто перепугались за свою жизнь, уж очень агрессивно были настроены жители Мартынова, к тому же над Москвой вздымалась заря перемен, и сотрудники НКВД понимали, что народ, доведенный до крайности, лучше не дразнить лишний раз. Дело спустили на тормозах.

ГЛАВА 21

Когда через месяц выздоровевший Слава вернулся в школу, одноклассники встретили его тягостным молчанием. Потом чья-то меткая рука швырнула железную линейку, тонкая полоска угодила мальчику прямо в лицо и рассекла лоб. Неизвестно, что последовало бы дальше, но тут в класс вошла Анна Ивановна, должен был начаться урок математики. Мигом оценив ситуацию, директриса протянула пареньку ключи и со словами: «Иди быстро в мой кабинет» — вытолкала его в коридор.

— Сын за отца не ответчик, — начала было директриса, — и потом, у него только что погибли отец и мать...

Но тут из-за парты поднялась Лена Якушкина, чей папа был посажен Рожковым, потом встал внук Шульман, потом Леня Леонидов, потерявший деда с бабкой...

Анна Ивановна замолчала. А дети все поднимались и поднимались, и через пару секунд стоял почти весь класс, осталась сидеть лишь Майя.

Подростки не говорили ни слова, они только смотрели на директора. Коломийцева рухнула на стул и зарыдала:

— Господи, дети мои, что же мы с вами сделали и что вы с нами сделаете, когда вырастете!

Слезы директора, очевидно, растопили какую-то ледяную преграду, потому что Миша Сомов, признанный лидер класса, Миша, которого воспитывала полуслепая бабушка, так как мать сидела в лагере, решительно сказал:

— Не плачьте, Анна Ивановна, ради вас мы его не тронем, только пусть он с нами не разговаривает. Простить его все равно не сможем.

Не менее жесткую позицию заняли и педагоги.

— Пока я жива, — твердо сказала русичка, — Вячеслав медали не получит!

Ее поддержали и другие учителя. Неожиданная помощь пришла оттуда, откуда Коломийцева ее совсем не ждала.

— Слушайте вы, Макаренки, — обозлился физкультурник, — экие вы смелые после драки кулаками махать. Месяц тому назад небось побоялись бы Рожкова сыпать, а теперь обрадовались? Стыдно на вас глядеть, Ушинские вы мои!

Учителя замолчали. Слава получил медаль, единственный в том учебном году, но никакого ликования по этому поводу в школе не устраивали.

— И что теперь делать будешь? — поинтересовалась Анна Ивановна у него после экзаменов.

Начиная с февраля Слава жил у директора, мальчику просто было некуда деваться.

— Уеду отсюда куда глаза глядят, — хмыкнул парень, — в Новосибирский университет.

Коломийцева забарабанила пальцами по столу.

— Вот что, Славик, послушайся меня, плохого не посоветую. Отправляйся лучше в Москву, с золотой медалью и такой светлой головой можешь попробовать штурмовать МГУ. И потом...

Она замолчала, не зная, как объяснить юноше свою позицию.

— Говорите, Анна Ивановна, — попросил Слава, — я все пойму.

— Детка, — как можно мягче сказала педагог, — в Новосибирск ехать нельзя.

— Почему?

— Он слишком близко от Мартынова, и имена твоих родителей там на слуху. Москва — огромный город, там легко затеряться в толпе. И еще...

— Что, — напряженно поинтересовался Слава, — еще что?

— Времена меняются, — вздохнула Коломийцева, — приходят другие люди к власти. Видишь, что вокруг творится, ну подумай, каково тебе будет по жизни идти с такой анкетой, как только ты напишешь, где отец и мать работали, сразу...

Она примолкла. Слава засмеялся:

— Да уж, не слишком мне повезло, но ведь с этим ничего не сделать?

— Почему, — медленно пробормотала Анна Ивановна, — у меня в восьмом классе учится Семен Новосельцев, жуткий двоечник, первый кандидат в ремесленное училище.

— Не понимаю, — напрягся Слава.

— Мать балбеса, — пояснила Анна Ивановна, — на все готова, чтобы Сеню в девятый перевели. Сам понимаешь, без десятилетки теперь никуда.

— Ну?

— Так она работает в городском загсе, — улыбнулась Коломийцева, — и сделает тебе новую метрику, а аттестаты я сама выписываю, никто проверять не станет. Матерью меня поставим, а отцом покойного Славина Сергея, папу Майи, земля ему пухом. Станешь Славиным и начнешь жизнь с чистой страницы. Поверь мне, безупречная анкета в нашей стране главное.

— Наверное, вы правы, — прошептал юноша, — только страшно, вдруг проверят?

— Волков бояться — в лес не ходить, — весело сказала Анна Ивановна, — главное, чтобы здесь никто не узнал, а в столице растворишься.

Сказано — сделано. Мама двоечника Семена моментально состряпала нужную бумагу, просто списала бланк, как испорченный, но не уничтожила зелененькую книжечку, а отдала со всеми необходимыми печатями Коломийцевой.

— Неладно вышло, — вздохнул Слава, — я теперь будто брат Майи, и фамилия у нас одна — Славины.

— Что же плохого? — улыбнулась Анна Ивановна.

— Мы хотели пожениться.

Директриса махнула рукой:

— Пока о свадьбе рано мечтать, сначала следует образование получить. Ничего, что-нибудь придумаем.

В столицу уехал Славин Вячеслав Сергеевич, Рожков Слава исчез без следа. Майечка осталась в Мартынове, с ее сплошными тройками нечего было рассчитывать на столичное образование. Майе предстояло идти в Мартыновское медицинское училище.

Первое время из Москвы приходили радостные письма. Слава сообщил о поступлении, потом пару раз писал о студенческих делах, а потом замолк. Майечка извелась, бегая к ящику, но конвертов со штемпелем «Москва» не было.

Анна Ивановна, как могла, утешала дочь. В 1956 году она уговорила Майечку выйти замуж. Девушка послушалась, но из брака ничего хорошего не вышло. Молодые пожили полгода и разбежались.

Шла жизнь, Слава навсегда исчез где-то в столице. Майя больше не пыталась строить семейную жизнь, и Анна Ивановна только вздыхала, когда дочь звонила домой с работы и сообщала, что остается в больнице на незапланированное ночное дежурство. Да и что было Майе делать вечерами? А остальных медсестер ждали мужья и дети.

В 1968 году Майечку, как лучшую сотрудницу, премировали двухнедельной поездкой в столицу. Девушка вернулась назад с чемоданом покупок и страшно веселая, в истерическом, взвинченном настроении. Анна Ивановна даже перепугалась, услышав раскаты громового хохота, с которым Майя рассказывала о своих московских приключениях. До сих пор ее дочь была тихой и разговаривала почти шепотом.

Затем Майя заболела, что-то случилось с желудком. Беднягу выворачивало наизнанку и тошнило при виде любой еды. И только когда дочь стала стремительно раздаваться в боках, директриса прозрела:

— Ты беременна! От кого?

Майечка подняла на мать абсолютно счастливые глаза и ответила:

— Давай считать, будто ветром надуло!

В 1969 году к матерям-одиночкам относились иначе, чем сейчас. В глазах общественности они прочно были шлюхами. В Европе и Америке зарождалась сексуальная революция, молодежь уже не считала нужным вступать в брак, а женщины рожали детей «для себя». Но СССР находился в изоляции, и там сохранились патриархальные взгляды. Даже в Москве косо поглядывали на даму, имевшую в паспорте при отсутствии штампа загса запись о ребенке. Что уж говорить о Мартынове! Но Коломийцеву в городе любили, а Майечке многие были благодарны за бессонные ночи, которые она провела у их кровати.

Родился мальчик, хорошенький, здоровый, губастенький Витюша.

Анна Ивановна вмиг полюбила внука и умилялась его первым шагам и робким попыткам разговаривать.

Счастье, как и беда, никогда не приходит одно. В начале семидесятых в больницу попал один мужчина, Федор Крелин. Через год сыграли свадьбу, и в 1973-м родилась девочка Тоня. Анна Ивановна ликовала. Жизнь дочери налаживалась, семья, дети... Зять оказался хорошим, порядочным мужиком. Детей на своих и чужих не делил и хотел усыновить Витю.

— Пусть Витюша будет Славиным, как я, и носить отчество, как у меня, — коротко, но твердо заявила Майя.

Федор удивился, но настаивать не стал, Славин так Славин. Крелин никогда не интересовался, от кого мальчик, считал, если жена захочет, сама расскажет. Но Майя хранила упорное молчание. Правда, один раз Федя не утерпел и попробовал прояснить ситуацию, но всегда тихая, мягкая, даже какая-то бесхребетная жена так на него глянула, что у мужика больше не возникало желания заговаривать на щекотливую тему. Кстати, Анна Ивановна также старательно не задавала никаких вопросов.

Витя рос и наконец пошел в школу, естественно к бабушке. Попал он в класс к пожилой, но очень хорошей учительнице Оксане Михайловне. Хлопот первоклассник не доставлял. Был тихий, как мать, послушный, много не бегал на переменках. Но голова ему явно досталась не от троечницы Майи. Оксана Михайловна не успевала довести объяснение до конца, как Витюша протягивал готовую работу. Другим детям приходилось растолковывать материал по восемь, десять раз, Виктор схватывал все на лету, и Оксана Михайловна только вздыхала:

— Может, перевести его сразу во второй класс? В первом ребенку явно делать нечего!

В конце учебного года сделали традиционную фотографию. Девочки в белых фартучках сидели в первом ряду. Мальчики в синеньких костюмчиках стояли сзади. Оксана Михайловна посередине, в нарядном платье, с букетом цветов.

Анна Ивановна как раз проверяла билеты для восьмиклассников, когда Оксана Михайловна вошла в кабинет и положила на стол директора снимок.

— Вот, вам как бабушке.

— Спасибо, Оксаночка Михайловна, — улыбнулась Коломийцева, — какое отличное фото, Витенька отлично вышел.

— Замечательный мальчик, — согласилась Оксана Михайловна, — весь в отца, такой же умный и начитанный!

— Что ты имеешь в виду? — медленно спросила Коломийцева, снимая очки. — На что ты намекаешь?

Оксана Михайловна усмехнулась, тоже отставив в сторону церемонную вежливость:

— Ну не делай ты вид, что не знаешь!

Анна Ивановна непонимающе уставилась на нее. Та ахнула:

— Неужели ты и впрямь не догадалась? Где у тебя школьные фото 1947 года?

Коломийцева вытащила из шкафа тяжелый альбом:

— Вот.

— Смотри, — велела Оксана Михайловна, — я тогда в первый раз детей набрала и ужасно нервничала. Ага, первый «А», это твоя Майя, а здесь кто?

Директриса проследила за пальцем Оксаны и увидела... Витю, только не в синей форме современного школьника, а в серой тужурочке с золотыми пуговицами и фуражке с кокардой.

— Теперь наконец поняла? — спросила учительница. — Я-то сразу вспомнила, они на одно лицо.

— Это кто такой? — растерянно пробормотала Анна Ивановна.

— Ну ты даешь! — воскликнула Оксана Михайловна. — Ну кто у нас самый умный был? Слава Рожков!

Коломийцева чуть не упала замертво.

— Не неси чушь!

Оксана Михайловна рассмеялась:

— Да ты глянь внимательно! Одно лицо!

Придя домой, Анна Ивановна не утерпела, зазвала Майю к себе в спальню и сказала:

— Значит, ты в Москве нашла Славу!

Дочь вспыхнула огнем и открыла было рот, но мать опередила ее:

— Не надо лгать, я все знаю!

Майя кивнула:

— Нашла.

— Мне кажется, — сурово заявила директриса, — что Вячеслав может признать ребенка и платить на него алименты.

— Нет, мамочка, — прошептала Майя, — не надо, Витенька мой, Слава ничего не знает.

— Как это? — усмехнулась Анна Ивановна. — Он тебе ребенка под наркозом сделал?

— Ну почти, — ответила Майя, — он был сильно пьян, мы ходили в ресторан, а потом поехали к нему на квартиру. Его жена была на даче...

— Так он еще и женат, — всплеснула руками директриса, — ну не негодяй ли!

— Не надо, мамуля, я сама захотела, — пробормотала Майя. — Слава порядочный человек, но он, по-моему, и не понял, что произошло, совсем плохой был. А рано утром я убежала, пока он спал.

— Между прочим, — не успокаивалась Анна Ивановна, — он великолепно знает наш адрес и ни разу за столько лет не написал. Ну а ты-то хороша, медик! Рожать ребенка после алкогольного зачатия! Это же черт-те что получиться могло!

— Но ведь все хорошо!

Анна Ивановна не нашлась, что ответить.

Время летит быстро, не успела Коломийцева опомниться, как внук пошел в выпускной класс.

Учился он блестяще, и все понимали, что Славин — первый кандидат на золотую медаль. Анна Ивановна не могла нарадоваться на мальчика. Ему достались от отца ум, трудолюбие, усидчивость, а от матери — нерешительность, мягкость и обостренное чувство справедливости. Витя легко попадал под чужое влияние и был скорее ведомым, чем ведущим. Но именно таким в глазах людей и выглядит настоящий ученый: умный, эрудированный, но слегка чудаковатый, растерянный... Виктору прочили блестящую научную карьеру.

— Ну Славин, естественно, поступит в МГУ, — говорили учителя.

Впрочем, его сестра Тоня, хоть и имела другого отца, тоже великолепно успевала по всем предметам.

Анну Ивановну местное начальство постоянно нахваливало, приговаривая в конце каждого совещания:

— Вот у Коломийцевой и в школе порядок, и дочь отличный специалист, и внуки лучшие ученики. Да, хороший педагог, сразу видно.

Но накануне выпускных экзаменов случилось непредвиденное. 31 мая Витя отметил восемнадцатилетие, в детстве он часто болел, к мальчику липла всевозможная инфекция, и Анна Ивановна посоветовала отдать его в школу восьмилетним.

Погуляв с приятелями, Виктор отправился провожать домой хорошенькую Сонечку Звягинцеву и не пришел ночевать. Анна Ивановна вся извелась. У Звягинцевых никто не подходил к телефону. Бабушка совсем уже решила было бежать на другой конец города, но зять остановил тещу:

— Тетя Аня, не надо, небось у Сони родители на дачу уехали, дело молодое, пусть их, вернется утром, тогда отругаем паршивца.

— Но почему он не звонит? — тревожилась бабка.

— Боится, что велим немедленно домой идти, — хохотнул Федор, — а может, забыл про все! Ну кто в такой момент о родителях беспокоится!

Анна Ивановна попыталась лечь, но сон не шел. Так она и провела всю ночь, поджидая звонка.

Утром телефон ожил, только в трубке звучал не виноватый голос внука, а официально-холодный милицейский тон:

— Квартира Славиных? Позовите Майю Сергеевну.

Майечка только кивала головой, потом села на диван и пробормотала:

— Жуткое недоразумение, наверное, спутали.

— Что случилось? — тихо спросила Анна Ивановна.

Ее сердце тревожно сжалось. Каким-то звериным чутьем бабка поняла — с внуком беда.

— Говорят, Витя арестован, он убил ночью человека.

Коломийцева мгновенно схватила сумку:

— Бежим в отделение.

Мартынов — провинциальный городок. И хоть он растянулся на несколько километров вдоль быстрой реки Лопатинки, жители великолепно знали друг друга. Тем более Анну Ивановну, которая выучила сотни детей. Следователем, который вел дело Виктора Славина, оказался Иннокентий Комов, бывший подопечный Коломийцевой. Увидав перевернутое лицо директора, недавний троечник тяжело вздохнул и развел руками:

— Ерунда получается, Анна Ивановна, только ничего поделать не могу, даже под подписку выпустить, прокурор против.

— Объясни, бога ради, что случилось, — прошептала женщина.

Вчера вечером Витя довел Сонечку Звягинцеву до дома, и они немного посидели на скамейке. Потом Соня вошла в подъезд, часы показывали полночь. Если бы Виктор не задержался на детской площадке, поджидая, пока в окне Сони вспыхнет свет, если бы он сразу быстрым шагом ушел прочь... Но мальчик терпеливо ждал у входа, а квартире Звягинцевых продолжала царить темнота. Внезапно Витя насторожился. Сонечкины родители люди служивые, ложились спать рано, девочка, возвращаясь после свиданий, всегда заходила на кухню, включала свет и махала провожатому из окна. Но сегодня ничего не происходило.

Минут через пять встревоженный парень пошел в подъезд. На полу у почтовых ящиков он увидел сумочку Сони, одну туфельку, вторая валялась у входа в подвал. Вне себя от ужаса юноша ринулся по ступенькам вниз и увидел распростертую на полу Соню и полуобнаженную мужскую фигуру. Руки действовали быстрее ума. Виктор схватил какую-то железку и со всего размаха опустил ее насильнику на голову. Мужчина издал страшный, клокочущий звук и упал на бок. Витя подхватил Соню на руки и поволок в квартиру.

Разбуженные Звягинцевы чуть не умерли, увидав окровавленную дочь. Но Виктор, опустив бесчувственную Соню на диван, пояснил:

— С ней все в порядке, я убил человека.

Мама Сони, до тех пор приветливо принимавшая Славина у себя дома, отшатнулась. Отец вызвал милицию. До приезда оперативной группы он держал юношу в комнате, но Витя и не думал убегать. Его доставили в отделение, заперли в камере, отложив разбирательство до завтра. Утром следователь допросил Славина и тут же вызвал Соню. Девочка явилась в сопровождении мамы, Раисы Ивановна. На все вопросы Иннокентия отвечала мать, дочь лишь кивала, изредка говоря: «Да, да, да». В их рассказе дело выглядело по-другому. Соню никто не насиловал, она спокойно поднялась домой и уже лежала в кровати, когда в их квартиру с вестью об убийстве ворвался Славин.

Следователь крякнул, хитрость Звягинцевых была ему ясна. В маленьком Мартынове изнасилованной девочке ни за что не выйти замуж. Да спустя тридцать лет после происшествия злопамятные сплетники будут повторять:

— А, это та самая Софья, которую отымели в подъезде.

Придется либо отправлять девушку к родственникам в Новосибирск, либо уезжать всем вместе...

Сложность состояла еще и в том, что приехавшая

бригада нашла труп в приличном виде. Кроме расколотого почти надвое черепа и кое-каких царапин, ничего не говорило о происшедшем. Брюки на мужчине, впрочем, как и нижнее белье, были надеты. Кто-то постарался до приезда специалистов исключить даже мысль об изнасиловании.

Иннокентий только тяжело вздыхал. Неизвестный, решивший запутать следы, не только одел труп, но и, воспользовавшись тем, что дело происходило в подвале, сорвал вентиль горячей воды. Оперативная бригада пробиралась к месту происшествия чуть ли не по колено в кипятке. Если на половых органах насильника и оставались следы, то их напрочь уничтожил поток. Впрочем, можно было отправить Соню к гинекологу, взять у нее из-под ногтей частички кожи насильника, но Раиса Ивановна категорически воспротивилась всем этим процедурам.

— С какой стати моя дочь, невинная девушка, станет отправляться на всякие осмотры? — кричала женщина. — Еще чего! Ишь придумали. Решили убийцу ценой Сонечкиной честной репутации спасти?

Виктор оторопел, узнав, какие показания дали Звягинцевы.

— Ну почему? Почему? — без конца спрашивал он Иннокентия.

Следователю было жаль парня.

— Почему, почему, по кочану, — рассердился он, — меньше надо железными палками размахивать! Делать-то нам теперь чего? Ишь, сволочи, боятся, что слух про изнасилование пойдет!

— Понятно, — пробормотал Витя и замолчал.

Как ни старался Иннокентий разговорить подследственного, ничего не получалось. Славин только буркнул:

— Я лгал, убил его один. Сони там не было.

— Эй, парень, — предостерег следователь, — не глупи, времена рыцарей кончились, будешь потом полжизни за альтруизм расплачиваться!

Но Славин бубнил:

— Занесите это в протокол.

— Да зачем тебе его убивать! — взвился Иннокентий.

— Часы хотел снять, — ляпнул Славин и замолк.

Был в этом деле еще один момент. Убитым оказался вполне добропорядочный мужчина, отец семейства, живший в соседней с Соней квартире. Его жена, вне себя от горя, рыдала в кабинете у следователя, приговаривая:

— Мой муж никогда не кинется на женщину!

Да и характеристики с места работы убитого были великолепные.

Тогда Иннокентий, дождавшись момента, когда старших Звягинцевых не было дома, приехал к Соне и в упор спросил:

— Слушай, он ведь не насиловал тебя. Ты жила с ним, встречались небось в этом подвале. Просто в тот вечер он ждал тебя...

Сонечка вспыхнула, закусила пухленькую губку, и следователь понял, что угадал.

— Тебе было некуда деваться, — дожимал он девчонку, — когда Виктор ворвался в подвал, пришлось прикидываться жертвой, чтобы никто ничего не узнал, ни родители, ни супруга твоего полюбовничка.

— Ну и чушь вы придумали, — пришла в себя девушка, — и вообще, я несовершеннолетняя, вы не имеете права меня в отсутствие взрослых допрашивать!

Иннокентий пошел к двери, на пороге обернулся:

— Славина посадят!

Сонечка опять покраснела:

— Кто его звал в подвал! Зачем он пришел? Наломал дров, пусть расплачивается!

Дело дошло до суда. Когда Майечка услышала приговор, она даже не зарыдала — десять лет в колонии. Бедному Вите опять не повезло. Преступление он совершил на следующий день после того, как ему исполнилось восемнадцать. К несовершеннолетним нарушителями закон, как правило, более лоялен.

Славин отправился в Коми. Сначала оттуда пару

раз пришли письма со странным обратным адресом — учреждение ИТК1149/8. Потом переписка прервалась. Очередная посылка с сушками и сгущенкой вернулась назад. «Осужденный Славин В. С. 1969 года рождения переведен в другое исправительно-трудовое учреждение». Анна Ивановна начала посылать запросы в Москву. Наконец пришел ответ на официальном бланке с печатью: «Осужденный Славин В. С. 1969 года рождения переведен по его просьбе в другое исправительно-трудовое учреждение: ИТК 1150/9». Анна Ивановна стала писать письма туда, но Витя не отвечал, зато пришел конверт, заполненный чужой рукой:

«Уважаемая Анна Ивановна, пишет вам воспитатель третьего отряда Романцев. Ваш внук, Славин В. С., 1969 г. р., чувствует себя хорошо, работает на производстве, а в свободное время повышает свой культурный уровень чтением книг. Славин В. С., 1969 г. р., не хочет получать от вас посылки, письма и бандероли. Он официально отказался от свиданий».

Витюша сделал все, чтобы не обременять семью. Содержание заключенного, как правило, тяжелым бременем ложится на бюджет семьи. Продукты, сигареты, вещи, лекарства, деньги на дорогу... Виктор считал, что он и так уже наказал своих, как мог...

Пролетели годы. Как-то незаметно угасла от рака Майя. Анне Ивановне казалось, что дочь съела тоска. Федор женился снова, Тоня осталась с бабкой. Внучка была единственной отрадой, светом в окошке...

ГЛАВА 22

Коломийцева замолчала. Потом горестно вздохнула. Я потрясенно смотрела на нее, потом осторожно спросила:

— У вас нет фотографии Виктора?

— Из последних только эта, — ответила директриса, вынимая из альбома снимок, — делали на выпускной вечер.

Я спрятала фотографию в сумочку.

— Он любил сестру?

— Очень.

— Вы сообщили ему про смерть девочки?

Анна Ивановна вздохнула:

— Я писала ему много лет каждую неделю одно письмо. Но ответа не было. А я все писала, думала, может, он все-таки поймет, что я с радостью стану его поддерживать в трудную минуту. Но у Вити оказались свои принципы. Его срок окончился 1 июня 1997 года, но куда он делся, я не знаю, во всяком случае, в Мартынов внук не возвращался, предпочел исчезнуть.

Она внезапно тихо заплакала.

— Если увидите его, пожалуйста, скажите, пусть вернется. Жизнь так переменилась, теперь родственник, отсидевший срок, не является позором... Пусть он приедет, я живу одна, никому не нужная, кроме своего кота... Пожалуйста, объясните ему...

— Хорошо, — растерянно пробормотала я, — попробую!

В Москву я вернулась ранним утром. Все четыре часа полета, пока остальные пассажиры тихо спали, закутавшись в пледы, я так и сяк вертела в голове разнообразные мысли. Вот оно что! Виктор Славин! А на часах, которые нашел бедный Павлик, стояла гравировка — В. С. Значит, их потерял Виктор, значит, это он, а не Николай был с Ликой на пригорке у Солнечной, следовательно, это он, а не старший сын Славина выкупил часики у Павлуши.

Самолет провалился в воздушную яму, желудок подскочил к горлу, я вцепилась в ручки кресла. К сожалению, в этом деле много непонятного. Почему Виктор убил Славина и, главное, как он проник в кабинет?

Хотя почему, понятно — решил отомстить за любимую сестру. Интересно, он знал, что Вячеслав Сергеевич его отец? А зачем тогда Лика покончила с собой? Ага, она и не думала прыгать с пригорка, он ее столкнул под поезд. Ну и каким образом Анжелика тогда наговорила на автоответчике признание? Все домашние безоговорочно подтвердили — это ее голос.

От напряжения я принялась грызть ручку, которой пыталась записать приходившие в голову мысли. Что-то тут не так! Ясно одно — следует отыскать этого Виктора. Правда, из рассказов Анны Ивановны у меня создался образ милого, тихого мальчика, любящего семью и способного на жертвенные поступки. Но десять лет зоны способны даже из ангела сделать монстра.

Домой я ввалилась около часу дня, и первое, на что упал мой взор, были две иномарки — «Мерседес» и «БМВ». Честно говоря, мне захотелось развернуться и убежать, но тут Кирюшка высунулся в окно и заорал:

— Лампуша!

Пришлось идти в дом. Интересно, Гарик и Веня, не переваривающие друг друга, уже передрались? Но мужики самым мирным образом чертили что-то на бумаге. Между ними сидела взъерошенная Ребекка.

— Нет, — говорила она с жаром, — гостиная должна быть с камином, прикинь, как здорово зимой сидеть у огня.

— Да, — согласился Гарик, пощипывая сидящую у него на коленях Мулю за жирные складки, — но никаких кожаных диванов, на них лежать не в кайф. О, Лампа! Ну что, вылечила зубы?

— Какие зубы? — растерялась я.

— Собственные, — ответила Бекки, — ты же ездила в Москву на пару дней ЛЕЧИТЬ ЗУБЫ.

— А, — сообразила я, — действительно, пломбы в порядке, спасибо зарядке!

— При чем тут зарядка? — поинтересовался Веня.

Ну можно ли быть таким дураком? Проигнорировав его вопрос, я задала свой:

— Что делаете?

Гарик обрадованно пояснил:

— Я продал коттедж вместе с бассейном, теннисным кортом и поваром-французом.

— Да ну!

— Ага, теперь вот новый дом обставляем.

— Ты купил дом?!

— Точно.

— Где?

— Тут, неподалеку, в Баковке.

Я разинула рот. Вот это скорость. Меня не было один день и две ночи, а Игорь Серафимович провернул кучу дел.

— Очень хорошо, что ты приехала, — продолжал Гарик.

— Почему?

— Выкатывай свою таратайку.

— Зачем?

— Поедем в магазин «Три кита» за мебелью.

— Послушай, — попробовала я вернуть «нефтяную трубу» в мир реальности, — «Три кита» — самый обычный торговый комплекс. Может, по каталогу выпишешь?

— Ну уж нет, — засмеялся Гарик, — сначала хочу посидеть на диване, посмотреть, а насчет цены... Знаешь, ты права, наплевать на всех!

— В «Китах» отличная мебель, — воодушевленно сказала Бекки, — поехали!

Я поняла, что сопротивление бесполезно и все разговоры о смерти Славина нужно отложить до того момента, как мы останемся одни.

— Зачем мне ехать самой, я могу сесть к Вене или Гарику...

— Ну уж нет, — хором ответили мужики, — давай учись, мы подстрахуем.

Я безропотно пошла в гараж. Сегодня мне наносят поражение по всем фронтам, единственное, на чем удалось настоять, это на том, что собаки останутся дома. Увидев, как Кирюшка запихивает в «Мерседес» Мулю, я заорала:

— Нет, только не мопсы!

— Почему? — обиделся Кирюшка.

— Зачем нам псы в мебельном магазине?

— Ну когда они еще «Три кита» увидят?

— Никогда, — отрезала я, — им не на что там смотреть.

— Понимаешь, — поддержала меня Ребекка, — смотри, как жарко, в «Китах» жутко душно, собачки упадут в обморок.

— Ага, — кивнул Киршюка и велел: — Рамик, Рейчел, а ну в дом.

Успокоившись, я пошла в гараж и даже выехала из него без всяких повреждений. Хотя, честно говоря, отрывать было больше нечего, зеркальца заднего вида, обрушенные в прошлый раз, я не восстановила.

Став во главе колонны, я выехала на Минское шоссе и возле поста ГИБДД, притормозив, крикнула знакомому дежурному:

— Привет!

— Здрасьте, — проорал парень, — у вас сегодня семейный выезд?! А где остальные супруги?

— На работе, башляют, — ответила я и поднажала на газ.

Если признаться честно, то я страшно не люблю большие магазины, в особенности такие, где дорогой товар нужно покупать часами. Ведь мебель — это не отвратительный по вкусу йогурт, который со спокойной душой можно выбросить в помойку! На не слишком удобном диване придется сидеть довольно долго.

Глубоко вздохнув, словно перед прыжком в воду, я взлетела по крутым ступенькам, толкнула высокую стеклянную дверь и... онемела. Перед глазами расстилался огромный зал, сплошь заставленный диванами, стенками, креслами и увешанный люстрами. О господи, я и не предполагала, что теперь покупателю предлагается такой широкий выбор.

— Здесь всего три этажа, — радостно объяснила Ребекка, — а у нас не так много комнат, только восемь. К тому же мы составили список, что здорово упрощает дело.

— Отлично! — пришли в восторг Гарик и Веня.

Я почувствовала легкий озноб. Три этажа! Всего!

Ничего себе. Восемь комнат! Да мы проведем тут неделю.

Последний раз я посещала мебельный магазин лет десять тому назад, году эдак в 90-м. Одна из моих знакомых должна была купить для ребенка раздвигающийся диван «Малютка», стоивший, как сейчас помню, восемьдесят рублей. Нашему походу предшествовала долгая подготовка. Сначала Ленка несколько дней носилась к магазину на Домодедовской и отмечалась, и наконец настал долгожданный момент.

— Слышь, Романова, — велела Ленка, — сегодня в одиннадцать ночи встречаемся у мебельного.

— Ты чего? — изумилась я. — В это время он закрыт.

— Будем очередь стеречь, — возвестила Ленка, — по нашим данным, в магазин завезли пятнадцать «Малюток», я по списку четырнадцатая, если какой диванчик налево пустят, спать моей Наташке еще месяц с нами. Так что будем караулить. Усекла?

Ровно в одиннадцать мы устроились у закрытых дверей. Стоял холодный, прямо какой-то ледяной ноябрь. Вместе с нами прыгали еще люди, в отличие от нас, догадавшиеся прихватить с собой термосы с горячим чаем и фляжки с водкой. Часам к трем я почувствовала, что умираю. Хорошо хоть, какой-то военный сжалился над нами и пустил погреться в свою машину. Замерзла я до такой степени, что не могла разговаривать. Правда, Ленке пришлось еще хуже. Я хоть доперла надеть не модную, но жутко теплую «Аляску». Ленка же притопала в элегантных кожаных сапожках.

— Мне ампутируют ноги, — ныла она, — жуть, не доживу до открытия.

Но все же мы дождались радостного часа, когда тетка в сатиновом синем халате, скорчив недовольную физиономию, распахнула двери. Толпа ломанулась внутрь. Ленка, забыв про болевшие ноги, неслась впереди всех.

— Романова, — орала она, — быстро садись на диванчик, скорей, скорей, скорей!

Я ничего не поняла, но послушалась и шлепнулась на коричневую гобеленовую обивку возле толстой тетки с угрожающе торчащей «химией».

— А ну пошла с моего дивана, — завопила баба, пихая меня, — убирайся живо, ишь, зад разложила, тюха!

Я соскочила с чужой территории.

— Романова, — вопила Ленка, — где ты, дура, беги сюда!

Я поводила глазами по залу и увидела ее, старательно стягивающую с диванчика носатого грузина в кепке «аэродром».

— Иди сюда живей, — кричала подруга, — сталкивай этого на пол, он с нами не стоял, а на диван сел!..

Я подскочила к кавказцу и с силой потянула его. Мужик пытался сопротивляться, но где ему было справиться с двумя озверелыми тетками. Издавая крики команчей, мы сбросили парня на пол и плюхнулись на «Малютку».

— Совсем с ума сошли, да, — бубнил грузин, поднимаясь, — налетели, кошки дикие, стоял не стоял, какое вам дело...

— Иди, иди, — отдуваясь, сказала Ленка, — кто у тебя там блатмейстер, директор или заведующий секцией? Так вот иди и скажи, пусть нам чек выписывают, а то я прямо сейчас в ОБХСС позвоню.

Отдел по борьбе с хищениями социалистической собственности, так расшифровывается данная аббревиатура.

Диван мы купили. Правда, через неделю его доставили со слегка разорванной обивкой, но это была уже чистая ерунда.

Сегодня же в «Трех китах» количество товара явно превосходило число покупателей.

— С чего начнем? — спросил Веня.

— Давай с мягкой мебели, — решил Гарик.

Плотной группой мы двинулись в середину зала. Мне стало плохо через полчаса, но мои спутники были полны энтузиазма. Они сидели в креслах, ложились на диваны, щелкали раскладывающими устройствами, щупали обивку и вытаскивали подушки. Время от времени вспоминали обо мне, поворачивались и спрашивали:

— Ну как?

— Потрясающе, — блеяла я, — то, что надо...

— Ладно, — бормотала Ребекка, — теперь вон тот зелененький.

Через какое-то время, окончательно обалдев, я поняла, что рядом с нами нет ни Лизы, ни Кирюшки, ни Кости, и удивилась:

— А где дети?

Веня хмыкнул:

— Вон там, в кухнях.

— Почему они туда убежали?

— Боятся, что ты будешь ругаться.

— За что? И потом, просто сил нет, тут такая духотища!

— Эй, ребята! — заорал антрепренер. — Давай сюда, Лампа успокоилась.

Дети мигом принеслись на зов. Увидав их, я попыталась обозлиться, но не сумела. Кирюшка тащил Мулю, а Костя Аду.

— Зачем взяли мопсов? — простонала я.

— Ну, Лампуша, не сердись, — защебетала Лизавета, — ты же знаешь, как они не любят оставаться одни дома! Рамика и Рейчел мы оставили!

— Спасибо! — выдохнула я. — Еще хорошо, что кошек не прихватили с жабой.

— Эй, Лампа, — завопил Гарик, — мы пошли в кухни, давай шевелись!

Но у меня зазвенело в голове.

— Сейчас, только отдохну немного, — простонала я и рухнула на диван из белой лайковой кожи.

Дети, побросав собак, бросились за всеми. Муля и Ада, свесив языки, вспрыгнули на подушки. Не успели они начать возню на диване, как в нашу сторону двинулись две девушки с табличками «продавец-консультант» на груди.

Я подгребла к себе мопсов и попыталась встать.

Сейчас девчонки погонят нас с новой мебели и будут правы, но продавщицы расплылись в улыбках и засюсюкали:

— Ой, собачки, дама, пусть они побегают, видите, какая кожа? Никаких следов. Да вы лягте, лягте, почувствуйте удобство. Ща мы все разложим, в креслице пока перейдите!

Я покорно пересела. Девушки разложили диван. С невероятным энтузиазмом они вещали:

— Кожа натуральная.

— Обработанная от пятен.

— Раскладушка с ортопедическим матрасом.

— Собаки смогут бегать по нему целый день, и никаких царапин.

— Есть восемнадцать оттенков.

— Кресла можно взять раскладывающиеся.

— Желаете на колесиках?

— Угол наклона спинки изменяется.

Потом они наконец на секунду заткнулись и сказали хором:

— А в подарок дают две подушки с оборочками.

При этих словах сидевшая странно тихо Муля вдруг всхрапнула, закатила глаза и рухнула на разрекламированную лежанку.

— Что с ней? — изумились девицы.

Но я, сунув им Аду, уже неслась к буфету за бутылкой воды. Словно почуяв неладное, Гарик, Веня, Бекки и дети подошли к тому месту, где лежала мопсиха. Я приволокла из харчевни кока-колу и принялась лить холодную жидкость Муле на голову. К несчастью, у продавца не нашлось минеральной воды.

— Мулечка, — застонала Лиза.

— Что с ней? — удивилась Ребекка.

— В обморок от духоты упала, — пояснила я.

Продавщицы мигом добыли тряпку и ловко вытерли коричневые потеки.

— Видите, — верещали они, — какой клевый диванчик, хоть что с ним делай, не испортишь.

Я почувствовала, что сейчас лишусь чувств и рухну рядом с бедной собакой, представляя, как будет выглядеть пейзаж, когда Веня выльет мне на голову фанту.

— Гарик, — простонала я, — Гарик, сделай мне подарок!

— Проси что хочешь, — оживилась «нефтяная труба».

— Купи этот диван, прямо сейчас, иначе не отстанут!

— Легко, — согласился Игорь Серафимович, — сколько?

— 127 тысяч! — выкрикнули девицы.

Я похолодела.

— Сколько???

— Рома, — преспокойно велел Гарик, — действуй!

Охранник быстрым шагом двинулся к кассе. Девочки бежали перед ним. Я вытянулась на липкой коже и прижала к себе тяжело дышащих мопсиков. Ну теперь, когда эта мебель наша, меня больше не тронут. В голове звенело, в уши словно натолкали вату. Раскаяние жгло душу. 127 тысяч! Но поздно, Гарика не остановить.

— Дама, — раздался прямо над моей головой голосок.

Я с трудом разлепила веки. Надо мной улыбались все те же продавщицы.

— Вот, — защебетали они, — подушечки с оборочками, в подарок, вам и вашим собачкам от фирмы.

— Давайте, — прохрипела я и запихнула подушки в цветастых наволочках под голову.

— Дама, — продолжали продавщицы, — а к мягкой мебели необходим журнальный столик.

Я подскочила, как на пружине, ухватила мопсиков и на курьерской скорости ринулась в глубь магазина, подальше от мучительниц. Ей-богу, раньше было лучше, теперь не доведут сервисом до смерти.

На следующий день я первым делом побежала к Ребекке и сунула ей под нос фотографию Виктора.

— Знаешь его?

— Ты чего? Это же Николя, только очень давний снимок, по-моему, еще школьный. Откуда ты его взяла? И зачем он тебе?

— Да так, — пробормотала я, пряча снимок в карман, — надо было.

Рассказывать Ребекке о существовании у нее еще одного брата пока не хотелось.

Оказавшись дома, я сначала бесцельно побегала по комнатам, а потом приняла решение. Необходимо отыскать Виктора, потому что именно он убийца. Пока я не слишком хорошо понимаю, как он все проделал, но знаю точно — этот юноша на самом деле хладнокровный киллер.

Так, найду Виктора и... Что? Ладно, потом будем думать над этой проблемой. Проблемы следует решать по мере их поступления. И как искать в огромном городе человека? Легче обнаружить песчинку в море, хотя...

Полная энтузиазма, я схватила трубку и, страстно желая, чтобы Володи не было на работе, набрала номер.

— Алло, — тут же ответил до боли знакомый голос, — Костин у аппарата.

Я быстренько отсоединилась. Ну почему у меня бутерброд всегда падает маслом вниз? Когда надо, приятеля никогда нет на месте, а если не нужен, то, пожалуйста, сидит за рабочим столом. Ну как тут поступить?

— Тетя Лампа, — всунул голову в комнату Костя, — поднимитесь на чердак.

— Зачем?

— Ну пожалуйста!

Пришлось лезть наверх.

— Вот, — радостно объяснил Кирюшка, тыча пальцем в непонятную черную коробочку с трубкой. — Связь налажена.

— Что это?

— Бери здесь, — велела Лизавета, — и слушай.

Я покорно взяла трубку.

— Штаб командующего на проводе! — рыкнул наш сосед, генерал Рябов.

Я хихикнула:

— Разведчик Романова докладывает: связь налажена.

— Ох, Евлампия Андреевна, — рассмеялся бравый отставник, — и вас к делу пристроили.

— Ну это на секундочку, а вы, Олег Константинович, у них дежурный?

— Так ведь покоя не дают, — стал оправдываться Рябов, — носятся туда-сюда, туда-сюда, только новости включишь — они тут как тут, едва газетку схватишь, глядишь, вновь прискакали. Ладно бы тихо играли, а то орут так, что черепушка почти отваливается. Старый я, наверное, стал, покоя хочется. Вот и пообещал, поработаю дежурным на телефоне, а они до обеда не придут. — Он помолчал и добавил: — Правда, уже раз двадцатый трезвонят!

Я пожелала ему хорошей вахты и хотела уже отсоединиться, но старик бубнил и бубнил:

— Невестка совсем Костькой не занимается, променяла ребенка на милиционеров.

— Почему на милиционеров? — невольно удивилась я.

— Так она главный редактор их многотиражной газеты, называется «На страже порядка».

Я так и подскочила от радости. Ирочка Рябова — вот кто мне нужен!

— Дайте ее телефон!

— Пиши, — покладисто согласился бедный дежурный.

ГЛАВА 23

Ириша Рябова встретила меня приветливо.

— Лампа, ты решила заняться журналистикой? С чего бы?

— Понимаешь, — я начала усердно лгать, — предложили мне место в газете «Культура», дай, думаю, попробую.

— Конечно, — согласилась Ириша, — обязательно попытайся, главное, не комплексуй, что у тебя нет специального образования, самые лучшие «писаки» получаются из непрофессионалов. А я тебе зачем?

— Меня берут с испытательным сроком...

— Так всегда делают...

— В качестве проверки бойцовских качеств предложили сделать материал об архиве, где хранится информация о преступниках...

— У нас компьютер, — пробормотала Ириша. — И что это вдруг «Культура» уголовниками заинтересовалась? Совершенно не их тематика.

— Не знаю, — пожала я плечами, — мое дело исполнять.

— Верная позиция, — одобрила Рябова, — сейчас! Она взяла трубку и радостно зачирикала:

— Платон Михайлович, «На страже порядка» беспокоит.

Я слушала ее плавную речь и разглядывала безделушки, теснящиеся на письменном столе: керамические свинки, пластмассовые ежики, ластики в виде зайчиков и кошечек... Внезапно на мои плечи навалилась дикая усталость, нет, определенно, нельзя сидеть на одном месте, моментально засыпаю, словно старая собака!

— Эй, ты чего, не слышишь? — толкнула меня Ирина.

— Что? — испугалась я.

Рябова тяжело вздохнула:

— Иди в третий подъезд, у дежурного тебя встретит Платон Михайлович, все вопросы к нему.

Возле постового стоял приятный дядька лет сорока, абсолютно лысый, носатый и кареглазый.

— Пойдемте, пойдемте, — радостно забубнил он, — наша служба самая важная.

Пока мы пробирались по бесконечным коридорам, Платон Михайлович говорил без остановки. Рот у него не закрывался ни на секунду. Мужик плавно пересказывал историю создания российской милиции, причем начал с 1918 года. Когда мы наконец добрались до цели, он как раз приступил к сообщению о деле Ионесяна, более известного под кличкой Мосгаз.

Я слегка обалдела от сведений, к тому же, старательно прочитывая все детективы, великолепно знала и про Мишку Япончика, и про Леньку Пантелеева, и про банду «Черная кошка», и про дело Мосгаза... В конце концов не утерпела и прервала словоохотливого Платона Михайловича:

— И что, в компьютере можно любого найти?

— Тех, кто хоть раз нарушил закон, всенепременно, — гордо заявил собеседник, — все на своих местах. Вот, смотрите.

Он умело защелкал «мышкой». На экране возникли две фотографии — анфас и профиль, рядом разместился текст: «Цулукидзе Занди Андреевич, 1947 года рождения, кличка Занди, конец срока 12. 04. 2001 г., вид режима особый...»

— Или вот, — не дал мне дочитать до конца Платон Михайлович, — еще один голубчик. «Бухникашвили Реваз Владимирович, 1952 г. р., кличка Пецо, конец срока 15. 10. 2000 г., лидер грузинской группировки в тюрьме города Владимира».

— Но эти еще сидят, — вздохнула я, — а те, которых отпустили, их в компьютере нет?

— Конечно, есть, — засмеялся Платон Михайлович, — любуйтесь: «Николаев Андрей Евгеньевич, 1972 г. р., осужден в 1994 году по статье 147 часть 3 сроком на семь лет. Условно-досрочно освобожден в 1999 году, особые приметы — на левом предплечье татуировка...»

— Ну надо же! — старательно восхитилась я. — Какой у вас замечательный порядок, как все отлично устроено, представляю, сколько сюда вы вложили сил, как трудились...

Платон Михайлович расцвел, словно фиалка душной ночью.

Я давно заметила: если хочешь, чтобы мужчина отнесся к тебе как к родной, похвали его! Восхищайся его редким умом, невероятной трудоспособностью, красотой и потенцией. Ржавый крючок лести особи противоположного пола заглатывают, не задумываясь. А уж когда рыбка попалась на крючок, вытаскивай ее на берег и делай что хочешь, сопротивления не последует. Сколько мужчин побежало в загс не оглядываясь, только потому, что хитрые дамы твердили с придыханием:

— Дорогой, как ты, ЭТО никто не делает, фантастика, фейерверк!

И ведь потом, в семейной жизни, даже не потребуется ругать супруга, достаточно его просто не похвалить, чтобы он начал тревожно озираться. Умная жена никогда не опустится до скандалов, она просто промолчит пару раз и добьется своего. Кстати, тот же эффект наблюдается и в животном мире. Собака, которая привыкла получать за хорошие манеры угощение, страшно расстроится, если однажды, подав лапу, не получит за это кусок сыра.

Расхвалив Платона Михайловича на все корки и поняв, что он теперь мой, я задала основной вопрос, старательно прикидываясь экзальтированной дурочкой:

— Ой, можно мне самой попробовать?

— Конечно, — умилился он, — давайте любую фамилию.

— Славин Виктор Сергеевич, 1969 года рождения.

— Так, — забормотал мужик, — пожалуйста, любуйтесь. «Осужден за убийство сроком на десять лет. Освобожден в 1997 году, прописан у супруги по адресу Новореченская улица, дом 7, кв. 46, Москва».

Я глянула на экран. Безусловно, это он.

— Супруга? Как же так? Насколько я слышала, Виктор сел восемнадцатилетним юношей.

— Ну и что? — изумился собеседник.

— Так он холостой был, откуда жена вдруг взялась?

— Ничего особенного, — спокойно пояснил Платон Михайлович, — в деле полный ажур. Брак зарегистрирован в колонии в 1994 году, а жена занесена в дело, вот и она, Зоя Родионовна Коростелева, врач, коренная москвичка. Он освободился, и семья воссоединилась.

К Зое Романовне я отправилась тут же, не задумываясь над тем, о чем буду с ней разговаривать. Но дома никого не было. Старенькая лифтерша только развела руками:

— Что ты, детка, разве Зоенька станет в такой час на диване лежать? На работе она.

— А где она работает, не знаете?

Бабулька покачала головой, а потом вдруг сообразила:

— У Вальки спроси, из 45-й, они дружат. Валя-то целый день дома, на биржу поставили, безработная она!

В 45-й квартире мне открыла симпатичная шатенка с приветливым лицом. Совершенно не удивившись визиту незнакомого человека, Валентина пояснила:

— Зоенька — хирург, великолепный врач, принимает сегодня в поликлинике на Дорогомиловской улице.

Я страшно обрадовалась. Надо же, как удобно, это рядом с Киевским вокзалом, побеседую с госпожой Коростелевой, куплю фрукты и отправлюсь в Алябьево.

Странное дело, но перед кабинетом Зои Родионовны не было ни одного человека. Я всунула голову внутрь и увидела приятную блондинку с полным отсутствием макияжа на лице. Впрочем, из-за африканской жары почти все москвички отказались от косметики. Широко разрекламированная тональная пудра от Max Factor и помада производства Dior не выдерживают такой температуры и стекают с лица, превращая красавиц в чудовищ. А может, она вообще не признает косметику; встречаются такие дамы, считающие, что природа и так создала их прекрасными.

— Вы ко мне? — не поднимая головы, поинтересовалась врач.

— Да.

— Садитесь.

Зоя Родионовна отложила ручку и спросила:

— Фамилия?

— Романова.

— Зина, поищи, — велела она медсестре и снова повернулась ко мне: — На что жалуемся?

Моя ближайшая подруга Катюша, мать Кирюшки и Сергея, хирург. И я знаю, что на каждого входящего в кабинет она смотрит так, как симпатичные скотч-терьеры на схему разделки говяжьей туши. Помните эту рекламу? Две собачки спорят о том, какой кусок мяса самый вкусный, а потом появляется сеттер и рекомендует всем «Чаппи». Естественно, Катерина не собирается есть больного, она просто приглядывается, какую часть тела ему следует отсечь, чтобы человеку стало лучше.

— У этих хирургов только два метода борьбы с болезнью, — ехидничает иногда Сережка, — ампутация и усыпление.

Но Катерина не обижается и даже рассказывает такой анекдот:

«Приходит мужчина к терапевту и чуть не плачет:

— Нос болит, отправился к хирургу, а тот и говорит: «Сейчас отрежем и забудем». Нельзя ли по-другому вылечить?!

— Ох уж эти мне хирурги, — закачал головой терапевт, — все бы им скальпелем поорудовать! Не волнуйтесь, голубчик, вот вам таблеточки, месяц попринимаете, нос сам и отвалится!»

— Вашей карточки нет, — заявила медсестра.

— Я не записывалась.

— С острой болью идите в 15-й кабинет, — вежливо, но твердо заявила Зоя Родионовна и опять уткнулась в бумаги.

— У меня к вам личное дело.

— Какое? — опять не поднимая головы, осведомилась Коростелева. — Бюллетень могу дать только на три дня.

— Нет, спасибо, он мне не нужен. Скажите, где Виктор?

— Какой Виктор? — вздрогнула врач.

— Виктор Сергеевич Славин, 1969 года рождения, — тихо сказала я.

Зоя Родионовна мельком посмотрела в окно, потом быстро пробормотала:

— Зиночка, сделай милость, отнеси карточки в регистратуру, уже три часа, прием окончен, да расставь их сама по местам.

Пришлось сгорающей от любопытства медсестре взять стопку книжечек и удалиться.

Зоя Родионовна серьезно посмотрела на меня и неожиданно спросила:

— Вы из милиции?

— Отчего вы так решили?

— Как правило, сотрудники правоохранительных органов так разговаривают. Называют имя, отчество, фамилию и обязательно год рождения. Витюша что-то натворил?

— Мне просто надо его отыскать, ничего страшного не случилось, — попыталась я успокоить Коростелеву.

— Надеюсь, вы говорите правду, — вздохнула женщина, — Витя и так уже настрадался, отсидел ни за что.

— Он убил человека.

— Насильника!

— А что, это дает право уничтожить его без суда и следствия?

Зоя Родионовна рассердилась:

— Та история препротивная! Девчонка...

— Знаю, — отмахнулась я, — он думал, что спасает Соню, только несчастного мужика все равно лишил жизни. Насколько я понимаю, ни за что. Парочка просто мирно предавалась любовным утехам, когда Витя влетел в подвал и схватился за железку.

— Ужасная, трагическая ошибка, — прошептала доктор.

Тут дверь кабинета распахнулась, тяжело отдуваясь, вошла толстая бабища в белом халате, грохнула на стол большую стопку пухлых историй болезни и пробасила:

— Ой, жара невозможная, думала, тапки отброшу. Народу в коридоре, жуть! Зоечка, вы закончили? А то мне пора прием начинать!

— Да, да, конечно, Евгения Михайловна, — ответила хирург и торопливо собрала сумочку.

Я дождалась ее в коридоре и взяла под руку:

— Мы не договорили.

— Здесь лучше не надо, — тревожно оглянулась хирург, — народу полно. Пошли в «Макдоналдс».

В кафе мы поднялись на второй этаж и забились в самый угол. Администрация не экономила на электричестве, и кондиционер работал на всю мощь, было даже прохладно.

— Зачем вам Витя? — настаивала Зоя Родионовна. — Он безобидный, как бабочка-капустница.

Я не стала ей объяснять, что это насекомое, портящее урожай, весьма вредное, а просто спросила:

— Он на работе?

Коростелева пожала плечами:

— Не знаю.

— Как это? Он же ваш муж.

— Был, мы уже год не живем вместе, но развод не оформляли.

Ну ничего себе, вот и надейся после этого на компьютер! Да эта идиотская консервная банка регистрирует только официальную информацию. Стоит людям просто разъехаться — и тю-тю уголовничек. Теперь понятно, отчего у нас в стране такой уровень преступности!

— Где он живет?

Зоя дернула красивым пухлым плечом:

— Понятия не имею.

Я посмотрела в ее широко расставленные карие глаза и четко произнесла:

— Виктор — убийца, за последний месяц он лишил жизни по крайней мере четырех человек.

Лицо Зои сравнялась цветом с белой стеной:

— Кого... кого он убил?

— Академика Вячеслава Сергеевича Славина, между прочим, своего отца, незадачливую актрисочку Елену Яковлеву, секретаршу Лену и мальчика Павлика. Думаю, следующая — вы.

— Почему? — прошептала Зоя Родионовна.

— Потому что вы единственный человек, на которого могут выйти сотрудники милиции в поисках Витюши. И вам лучше по-быстрому сообщить его адрес и вообще все, что про него знаете!

— Я познакомилась с ним в исправительной колонии, — быстро начала Зоя.

Она явно перепугалась и теперь торопилась поскорей вывалить информацию.

В 1992 году она начинала карьеру хирурга и была отправлена в командировку на зону. Главное управление исполнения наказаний, ГУИН, практикует такую вещь: раз в год зону обязательно посещает врач, узкий специалист. Постоянно работающие в медпунктах фельдшерицы, к сожалению, не обладают высокой квалификацией. Впрочем, перебинтовать палец, дать полтаблетки анальгина и измерить температуру они в состоянии. Конечно, если зэк начнет совсем загибаться, например, от инфаркта или приступа аппендицита, его в конце концов отправят в больницу, но не во всякую, а только в такую, где есть специально оборудованная палата с решетками на окнах. Впрочем, кое-где на зонах имеются свои больнички. Там, где сидел Славин, как раз и была такая. Виктору повезло, в пятницу он сильно подвернул ногу, а в понедельник явилась из столицы Зоя Родионовна, вооруженная нужным инструментом и кое-какими лекарствами.

Славин попал к ней на прием только в среду, и Коростелева, успевшая насмотреться за два дня работы на местную тусовку, была приятно удивлена. Витя разговаривал тихо, и речь его была вполне интеллигентна, на теле не было никаких наколок, и он больше походил на молодого преподавателя, чем на уголовника, осужденного за убийство.

Надо сказать, что Иннокентий, следователь, который вел дело Славина, расстарался изо всех сил, пошептался с кем надо, и Витя попал сначала в очень хорошую колонию, а потом в образцовую.

Начальник колонии, хозяин по-местному, основательный полковник с крестьянской закваской, пытался, как мог, устроить быт своего контингента. На ферме подрастали свинки, превращавшиеся потом в котлеты, суп и колбасу, работали пекарня и крохотный цех по выпуску макарон. Словом, это было то редкое место, где зэки не голодали. Еще существовала фабрика по изготовлению мебели, и все местное начальство, впрочем и «шишки» из соседних городов, заказывали здесь кровати и стулья. Хозяйственный полковник понимал, что на свободе быстрее устроится на работу тот, кто имеет хорошую профессию, поэтому он ухитрился договориться с институтом в городе Касимове. Тамошние преподаватели давали заключенным задания, присылали литературу и приезжали принимать экзамены. Расплачиваться с ними деньгами полковник не мог, но добротно сделанные мебельные гарнитуры украшали квартиры профессуры. К тому же Касимов находился очень близко от колонии, в которой имелась великолепная автомастерская. Преподавательские машины чинили в ней особенно тщательно. Словом, это было удивительное место, где никого не опускали и не били.

Но Зоя Родионовна, первый раз столкнувшаяся с исправительной системой, искренне думала, что все зоны такие.

Витя понравился ей чрезвычайно, и она несколько раз зазывала парня в кабинет, якобы на перевязку. Необычный зэк запросто рассуждал о Шекспире, цитировал Андрея Белого и не путал Ван Гога с Гогеном. К тому же Коростелева узнала, что срок у Славина большой и он успел уже отучиться на механико-математическом факультете, получить диплом и снова пойти на занятия, на этот раз выбор пал на экономику.

Уже перед самым отъездом к хирургу запросился на прием Николаев Иван Михайлович. Зоя Родионовна к этому времени немного разобралась в обстановке и была в курсе того, что щуплый, похожий на подростка Иван на самом деле «смотрящий» на зоне и его слово значит не меньше хозяйского.

Иван Михайлович, пытаясь старательно говорить на обычном языке, начал втолковывать Коростелевой:

— Ты это, в общем, не обижай Ботаника.

— Кого? — не поняла Зоенька.

— Витьку, — пояснил Иван, — кликуха у него такая, Ботаник. Ему совсем кранты. Ни дачек, то есть передач, ни грева, еды, по-твоему. Корынка не пишет.

— Кто?

— Корынка, ну мать, и вообще он сюда по дури влип, за десять лет наблатыкаться не смог. По фене не ботает, паровозом пошел, косяка напорол из-за профурсетки, вот рога и намочил, стебанутый, одним словом. Ты в Москву свалишь, а он со своим червонцем на шконке останется, усекла?

— Нет, — совершенно честно призналась растерянная Коростелева, — почти ни слова не поняла, то есть не усекла!

— Охо-хо, — пробормотал Иван Михайлович. — Ну слушай, попробую попроще побалакать. Сел Ботаник по собственной глупости...

Зоя Родионовна внимательно слушала «смотрящего». Она была еще очень молода, ей недавно исполнилось двадцать восемь, и история, рассказанная Иваном, поразила ее до глубины души. Неужели еще есть люди на свете, готовые ради сохранения девичьей чести сесть на нары на такой безумно долгий срок?

Еще ее поразил тот факт, что «смотрящий», мужик с нехорошим, злым лицом, втолковывал ей:

— Ты уедешь, а он тут останется, не трави парню душу. Чистая она у него, прямо мученик христианский, все заработанные деньги жене убитого отправляет.

Зоя уехала в Москву и написала Ботанику. Неожиданно он ответил, завязалась переписка. Коростелева стала посылать передачи, потом приехала на свидание. Закончилось это свадьбой, на которой гуляла вся колония.

Освободившись, Витя перебрался в Москву, и Зоя прописала его в своей квартире. Сразу навалились проблемы, и основная — с трудоустройством. Кадровики в школах с распростертыми объятиями встречали молодого мужчину с двумя высшими образованиями и моментально менялись в лице, узнав, в каком месте будущий учитель получил дипломы. Полгода Витя пытался устроиться, но его не брали нигде. Но потом к Зое на прием пришла женщина, оказавшаяся сотрудником Министерства образования, и Виктор наконец получил место в кулинарном училище, правда, с крохотной зарплатой. Но жизнь наладилась, и какое-то время Зоя была безоблачно счастлива. Потом на семейный горизонт набежали тучи, и год тому назад супруги расстались.

— Почему? — бестактно поинтересовалась я.

Зоя Родионовна печально усмехнулась:

— Не сошлись характерами. Лучше не сказать. Понимаете, Витя — очень спокойный, даже апатичный; я — быстрая. Он — тихий, я — шумная. В выходные муж укладывался на диване с книгой — и все, его нет. Спрашиваешь о чем-нибудь — молчит. Я ему: «Витя, Витя...» Он наконец глаза оторвет от страницы: «Ты меня зовешь, заинька?» Сначала меня это умиляло. Потом стало раздражать. Еще он абсолютно доволен своей судьбой. Провел уроки, и все, в шестнадцать часов уже дома и снова на диванчик с какой-нибудь историей. Читает преспокойненько. Я с работы принесусь, язык на плече, а он так ласково из гостиной: «Заинька, мы есть будем? Очень проголодался!»

И чего, спрашивается, меня ждал? Мог бы и супчик приготовить, я-то больше занята. И потом... Знаете, времена тяжелые, все где-то подрабатывают... Я, например, в трех местах кручусь, чтобы на отдых насобирать. А Витя! Получал около тысячи рублей, и все. Хотя репутация у него была отличная, про то, что он бывший уголовник, все давным-давно забыли, мог репетиторством заниматься, хорошо оплачиваемый труд. Но нет, предпочитал сидеть на моей шее...

— Вы разделили квартиру?

— Нет, — ответила Зоя. — Витя очень порядочный человек, просто до болезненности. Жилплощадь ведь была моей до брака, и муж просто ушел.

— Куда?

— Он снял комнату в Подмосковье, в Гнилове, это близко, возле Митина. Улица Октябрьская, дом девять, хозяйку зовут Галина, вернее, баба Галя, она очень пожилая.

— Где Славин сейчас работает?

— А все там же, в кулинарном училище на Обнинской.

Она замолчала, потом неожиданно с жаром произнесла:

— Вы делаете большую ошибку.

Я вздернула брови:

— Да? И какую?

— Витя не способен на преступление.

Я хмыкнула.

— Та давняя история — случайность, — настаивала Зоя. — Поверьте, я хорошо знаю мужа, он не мог никого убить, он слишком мягкий, податливый, бесхарактерный, если хотите. Кто-то попросит, а Виктор бежит и делает.

Я тяжело вздохнула. Интересно, кто попросил его расстрелять Вячеслава Сергеевича Славина? Или сам догадался?

ГЛАВА 24

На Киевском рынке я затарилась под завязку. Натолкала в сумку столько всего, что, когда вышла в Переделкине, хлипкие ручки не выдержали и оборвались.

Торба шлепнулась на грязный асфальт, и сочные

нектарины вперемешку с черешней покатились в разные стороны.

Отчаянно чертыхаясь, я собрала фрукты и осмотрелась. Делать нечего, придется брать левака. Но небольшая площадь, где всегда толкутся шоферы в ожидании заработка, была пуста. Мне, как всегда, везло. Только в тени раскидистого дерева уютно устроилась крохотная машина «Ока». Подойдя поближе, я заметила на заднем стекле кучу знаков: «Осторожно, за рулем инвалид», потом изображение чайника, пускающего пар, небольшой плакатик со словами «Еду, как умею» и огромную надпись, буквально через все стекло: «Аккуратно, шофер — слепой».

В полном изумлении я уставилась на последнее сообщение. Как это слепой? Тут дверцы «Оки» распахнулись, и на свет божий выглянули два старика. Один, в круглых бифокальных очках, сидевший на водительском месте, зычно крикнул:

— Эй, детка, такси ищешь?

— Тебе куда, внучка? — гаркнул второй.

— В Алябьево, — робко проблеяла я.

— Двадцать рублей, — сообщил шофер, — лезь скорей, никого, кроме нас, не будет. Молодежь от жары попряталась.

Прижимая к груди сумку, я подошла к «Оке» вплотную. С близкого расстояния старички выглядели еще хуже: древние, как египетские мумии.

— Давай, залазь! — орал тот, что сидел на пассажирском месте.

— Пашка, не визжи, — гаркнул шофер, — она молодая, хорошо слышит!

— Ой, прости, — почти нормальным голосом ответил первый, — сам-то я туговат на ухо, вот и громыхаю. Садись, внучка.

— Ты, Пашка, видать, совсем от жары умом тронулся, — заголосил водитель, — чтобы ей сесть, ты должен вылезти и девку впустить, у нас только две двери!

— Твоя правда, — вздохнул туговатый на ухо дедушка и начал выкарабкиваться наружу.

Я с опаской смотрела, как он выбирается из «Оки». Наконец процесс завершился.

— Гришка, — заорал дедок, становясь на ноги, — откидывай сиденье; полезай, девка!

Понимая, что опять стала жертвой обстоятельств, я покорно принялась ввинчиваться в салон «Оки», сравнимый по размерам со спичечным коробком. По-хорошему, надо было отказаться от услуг «таксистов» и, прижимая к груди тяжелую сумку, отправиться пешком. Но язык не повернулся сообщить об этом решении дедулькам. Они уже приложили столько усилий, чтобы заполучить вожделенного клиента.

Внутри крохотного автомобильчика стояла удушающая жара и крепко пахло смесью пота и дешевого курева. Очевидно, старички не слишком утомляли себя банными процедурами.

— Устроилась? — завопил Павел.

— Да, — пискнула я.

Честно говоря, сидеть было страшно неудобно. Непонятно, на кого рассчитывали конструкторы, создавая автомобильчик таких размеров. Даже мои сорок восемь килограммов и весьма короткие ноги с трудом уместились на заднем сиденье. Колени задрались почти до ушей, и для сумки уже не осталось места.

— Гришка, заводи, — велел пассажир.

Григорий включил мотор, раздалось бодрое тарахтение.

— Налево верти! — кричал Павел. — Сегодня у церкви встали, влево, так, теперича прямо, вправо давай, поворот начался!

Я сидела тихо, как застигнутая за поеданием сыра мышь. «Ока» летела вперед, бодро гремя всеми частями. Было полное ощущение, что задницей сейчас заденешь асфальт. Дорога от станции идет под горку. Серая лента изгибается во все стороны. Этакий подмосковный серпантин. Навстречу неслись грузовики и легковушки.

— Правей прижмись, — велел Павел, — а то на встречную выезжать начал!

Григорий послушно повернул руль.

— Ты повороты считаешь? — продолжал орать Павел.

— Не бойся, — громовым тоном рявкнул Григорий, лихо закладывая вираж, — это четвертый левый!

— Зачем считать повороты? — удивилась я.

— Тут пять раз направо, шесть налево, — ответил Григорий.

— Ну и что?

— Так Гришка слепой, — спокойно пояснил Павел, — едет и отсчитывает, чтобы не промахнуться...

— А очки ему зачем? — глупо спросила я.

— Ну чего-то я вижу, — заржал Григорий, — на вытянутый палец.

Навстречу летели машины. Боже мой, а если он просчитается?

— Как вы только не боитесь ездить с таким зрением, — дрожащим голосом пробормотала я, прикидывая, что случится, если один из тяжело груженных «КамАЗов» налетит на крохотную «Оку». Да, скорей всего мои родные сильно сэкономят на похоронах. Гроб не понадобится, то, что останется от бедной Евлампии, запросто поместится в пачке из-под сигарет.

— А я на что? — подал голос Павел. — Сижу штурманом! Правей бери, Гришка, тут сужение. Я ему завсегда подскажу, у меня глаз орлиный.

— Зато уши, как у дерева, — забулькал Паша, — слуху никакого, чистый пень!

— Вовсе неправда, — оскорбился Гриша, — все я слышу, что надо, и тебе еще фору дам. Эй, Паша, стой, стой, кошка!

«Ока» резко дернулась, я пребольно стукнулась головой о стойку. Чудом уцелевшая киска метнулась в придорожные кусты. Ну почему, когда бабушка хотела научить меня молитвам, я, пионерка, гордо отказывалась, сообщая: «Религия — это опиум для народа». Кстати, широко употребляемое в коммунистическое время высказывание Карла Маркса на самом деле цитировалось неправильно, вернее, не приводилось никогда полностью. Оно звучит так: «Религия — это опиум для народа, она облегчает его страдания». Согласитесь, тогда полностью меняется смысл фразы. И потом, вредным наркотиком опиум стали считать только в середине двадцатого века. В прошлом столетии он имел славу безобидного обезболивающего, и многие принимали микстуры, содержащие опиаты. Тот же Шерлок Холмс, например, преспокойненько курил опиум, и никто никогда не считал его наркоманом...

Но молитвы выучить следовало, сейчас бы пригодились...

Внезапно «Ока» затряслась, как под током.

— Эй, внучка, — загремел Паша, — Алябьево, тебе какую хату?

— Двенадцатый номер.

Резво подпрыгивая на ухабах, «инвалидка» донеслась до наших ворот, и я перевела дух. Не может быть, неужели доехали и не попали в аварию!

— Прибыли, — объявил Григорий.

Липкими от ужаса руками я вытащила две купюры по десятке и сунула в его протянутую ладонь.

— О, — обрадовался Пашка, — сейчас в магазин — и по пивку с воблой.

— Не, — пробормотал Гриша, — я больше сигарет хочу, «Яву», от «Примы» блевать уже тянет.

— Слышь, внучка, — рявкнул Гриша, — накось!

Он сунул мне кусочек беленькой бумажки.

— Что это?

— Наша визитная карточка, — гордо сообщили хором дедульки.

Я посмотрела на бумажку. Аккуратным, явно детским почерком, на ней было написано: «Такси по вызову» — и телефон.

— Правда, мы только тут, по городку, ездим, — пояснил Паша.

— Не, еще на рынок в Новопеределкино, — добавил Гриша.

— Да, на базар можем, — кивнул водитель, — запросто. Ты звони, девка. Коли соберешься куда, звони накануне, и мы перед тобой сразу, как Сивка-Бурка.

— Ну, вылезай, — велел Паша.

— Я от тебя с ума сойду, — вздохнул Гриша, — сколько раз повторять, у нас только две двери. Сначала ты должон выйтить, а уж потом пассажир!

— А и верно, — захихикал Паша и начал долгий процесс выкарабкивания из «Оки».

Наконец я оказалась на дороге и на плохо слушающихся ногах заковыляла к калитке.

— Эй, внучка, — рявкнул Гриша, — сумочку забыла!

Я вернулась и подхватила торбу.

— Совсем молодежь плохая пошла, — заметил Паша, — головы нет, чистые калеки. Визитку нашу не потеряй, а то захочешь такси вызвать и не сумеешь!

— Тут же явимся, — проорал Гриша, — как в сказке!

Я посмотрела, как «Ока» поскакала по ухабам в сторону основного шоссе, и поплелась к даче, чувствуя, что нахожусь в предсмертном состоянии. Как в сказке! Честно говоря, всегда недолюбливала этот жанр литературы, он кажется мне излишне жестоким. Вот вчера по телевизору какой-то кандидат педагогических наук накинулся на мультик «Том и Джерри».

«Чему, спрашивается, — грозно вещал он с экрана, — учит детей эта лента? Сплошные драки, жестокость, читайте ребенку сказки, приобщайте к хорошей литературе».

Я только вздохнула. Без конца дерущиеся мышонок с котом выглядят мило, и потом, даже упав с небоскреба на проезжую часть, Том остается жив, а Джерри запросто выбирается из взорванного дома. Дети понимают условность происходящего и хохочут, как ненормальные. В сказках...

Возьмем хотя бы «Красную Шапочку». Ну, скажите, какая нормальная мать отправит свою девочку одну идти по дремучему лесу, где водятся клыкастые волки? Не иначе как заботливая мамаша решила избавиться от надоевшей дочурки и послала ту в чащу, надеясь, что коренной обитатель леса слопает ребенка. А «Теремок»? Автор сего опуса стыдливо опустил одну немаловажную детальку. Помните, в самом конце там появляется огромный медведь, садится необъятным задом на избушку и тут же превращает милый домик в груду развалин. Но, простите, куда подевались при этом жильцы? Трудолюбивые, славные муравей, лягушка, зайчик и ежик? Ох, кажется мне, они приняли мученическую смерть под обломками. Я уже и не вспоминаю про несчастного Колобка, сожранного лисой, про бедного волка, который оторвал себе хвост, желая наудить рыбки на обед, и про несчастных неумех, жен старших братьев Ивана Царевича, решивших соперничать с Василисой Прекрасной. И вообще Василиса жуткая обманщица, она победила только потому, что использовала колдовство. Ковер ей вышивали птички, еще неизвестно, что бы вышло, возьмись она сама за иголку. Впрочем, продолжить примеры можете сами.

Я вскарабкалась по ступенькам, плюхнула торбу на стол и тяжело вздохнула. Все, сегодня никуда не пойду. Сейчас налью ванну, вытянусь в пене, потом...

Во дворе раздалось тревожное гудение. Я высунулась в окно. Сквозь наши не слишком широкие ворота пытался протиснуться мебельный фургон.

— Не, ребята, на руках тащите! — заорал водитель, заглушив мотор.

— Вы к кому? — недоуменно спросила я.

— Романова Евлампия Андреевна тут проживает?

— Да.

— Диван привезли.

— Какой?

— Как — какой? Белый, кожаный и два кресла из «Трех китов», или забыли? — усмехнулся шофер.

— Заносите, — безнадежно разрешила я.

— Ставить куда? — поинтересовался один грузчик. — Давайте сначала комнату посмотрим, чтобы не топтать слишком.

— Наверное, в гостиной, — робко предложила я.

Рабочие осмотрели не слишком большую кубатуру и присвистнули:

— Старую мебель выносить?

Я призадумалась. Жалко.

— Не надо.

— Тогда ставить некуда.

— Зачем вам этот продранный диван? — спросил водитель. — Новый такой красивый. А там во дворе чего, гараж?

Я кивнула.

— Вы машину выкатите, мы туда мебелишку и складируем, — придумал шофер.

Я обрадовалась. Простое решение всегда самое мудрое.

— Отлично.

— Начали, ребята! — велел самый толстый мужик. — Эх, дубинушка, ухнем!

Быстро и споро они выволокли мягкую мебель и без долгих церемоний занесли ее в освобожденный гараж. Сложности начались поздней. Роскошный белый диван не проходил в узкую дверь дачи.

— Снимайте ее с петель! — ревел бригадир.

Через пару минут дверь прислонили к внешней стене дома, но проблемы это не решило. Тут, как назло, появились Лиза, Кирюша, Костя и все собаки. Дети моментально начали давать советы.

— В окно надо, — предложила Лиза.

— Оно узкое, — вздохнул грузчик.

— Нет, через кухню, — посоветовал Кирюшка, — там огромное, двухстворчатое!

Мужики обежали дом и похвалили мальчика:

— Молодец!

Спустя пару минут диван плавно вполз в кухню, и возникла следующая задача. Из «пищеблока» в комнату вела совсем маленькая дверь, и деться несчастному дивану было некуда. Матерясь, грузчики снова вытащили его на улицу и закурили.

— Да, — произнес один, — делать-то чего?

— Надо через окно гостиной попробовать, — предложила Лизавета.

— Не пройдет.

— Давайте проверим, — предложил Костя и споро притащил сантиметр.

Начался длительный процесс измерения, в ходе которого выяснилось, что оконный проем шире спинки всего на пять сантиметров.

— Могет пролезть, — вынес вердикт бригадир.

Грузчики побросали окурки и принялись за дело. Сначала все шло хорошо, потом лежанка застряла и не захотела двигаться ни туда, ни сюда.

— Эхма! — гаркнули работяги и толкнули роскошное изделие внутрь.

Но диванчик даже не вздрогнул.

— Ничего, — ободрил шофер, — вытаскивайте во двор и еще раз, аккуратненько!

— Давай, родимый, — охнули парни, дернули на себя...

Раздался треск, и рама вылетела из проема, осколки дождем усыпали траву.

— П...ц, — сказал бригадир, — приехали.

— Зато теперь точно пройдет, — обрадовался водитель, — заталкивай, ребята, а ты, Петька, иди в комнату и подстрахуй.

— Мы поможем! — заорали дети и понеслись вместе с невозмутимым Петром в гостиную.

Собаки, обожающие быть в центре внимания, прогалопировали за ними.

Теперь, когда разломанная рама валялась под окном, кожаный монстр потихоньку начал пролезать внутрь. И опять сначала все шло хорошо и застопорилось посередине.

— Ничего, — крикнул бригадир, — должон пройти, тащи, Петька!

— Мы вместе! — завопили дети.

Все уцепились за диван и потянули его внутрь.

— Эх, раз, два, три, — скомандовал бригадир, и грузчики снаружи сильно толкнули мебель.

Две силы сложились вместе и произвели потрясающий эффект. Словно гигантский снаряд из белой кожи, диванище влетел в комнату. Петька не сумел удержать спинку, впрочем, дети тоже. С жутким звуком кожаная красота проскочила почти всю гостиную, подмяв под себя незадачливого Петю, Кирюшу, Костю и двух мопсих. Лизавета успела отскочить. Диванчик проехал по инерции еще пару метров, стукнулся со всего размаха о буфет и замер. Стоящая на буфете открытая банка с черничным вареньем рухнула вниз, темно-синяя сладкая жижа потекла по роскошной обивке.

— Эй, Петруха, жив?

— ... — ответил из-под дивана Петя.

— Моя нога! — взвыл Кирюшка.

— Ой, мокро, — пищал Костя, — тут лужа!

Мопсихи молчали, но, судя по напряженному сопению, ситуация им совсем не нравилась.

— Поднимите скорей диван!!! — завопила я. — Чего стоите, идиоты!

Грузчики вскочили в окно, и диван повис в воздухе. На свет появились отчаянно матерящийся Петька, стонущий Кирюшка и насквозь описанный мопсихами Костя.

— Ничего, ничего, — радовался шофер, — зато все на месте, теперь только креслица остались!

Кресла действительно вошли в комнату без труда. Я пошла за тряпкой, чтобы вытереть варенье, но, когда вернулась, обнаружила, что от лужи не осталось и следа. Рейчел и Рамик, став похожими на чау-чау, стояли у дивана, вывалив наружу совершенно синие языки. Впрочем, девчонки-продавщицы не обманули. С обивкой ничего не случилось. После всех пертурбаций диван был свеж, словно майская роза, а на коже не было ни пятнышка, ни царапинки.

— Ладно, хозяйка, — отдуваясь, крякнул бригадир, — пока тебе, делайте покупки в «Трех китах».

Грузчики ловко вскочили в фургон, шофер поддал газу, тяжелая машина откатилась назад, раздался треск, я зажмурилась, а когда открыла глаза, то увидела, что ворота валяются на земле, а грузовик исчез за поворотом. «Да, хорошее дело новая обстановка», — думала я, разглядывая «поле битвы». Поломанные ворота, выдранная с корнем рама, снятая с петель дверь, поцарапанный Кирюшка, описанный Костик, перепуганные насмерть Муля с Адой, погибшее варенье... Но, главное, мебель на месте и можно преспокойно лечь на диванчик почитать газетку.

ГЛАВА 25

В кулинарное училище я заявилась в одиннадцать утра. Конечно, сейчас стоит жаркий июнь, и все дети давным-давно распущены на каникулы. Но училище — не школа, небось у несчастных будущих поваров в самом разгаре практика. Догадка оказалась верной, в классах вовсю шли занятия.

Я походила по просторным коридорам, нашла дверь с табличкой «Директор» и постучалась.

— Войдите! — донеслось оттуда.

В большом кабинете за письменным столом сидела молодая, чрезвычайно полная женщина. Очевидно, она была хохотушка и большая любительница вкусной еды.

— Вы ко мне? — спросила директриса.

— Вообще-то я разыскиваю Виктора Сергеевича Славина.

— Если не секрет, зачем?

— Понимаете, мой ребенок на будущий год собирается поступать в институт, я хотела нанять Славина репетитором, говорят, он отличный педагог.

— Это верно, Виктор Сергеевич изумительный специалист, только, боюсь, с вашим мальчиком заниматься не станет.

— У меня девочка, — быстро сказала я, — вдруг у Славина аллергия на детей мужского пола.

— Это безразлично, кто, — начала директриса.

Тут дверь приоткрылась, и в кабинет всунулась круглощекая девица.

— Людмила Григорьевна. Я...

— Севастьянова, — строго сказала Людмила Григорьевна, — видишь, мы заняты!

Потом посмотрела на меня.

— Виктор Сергеевич никогда не берет частных учеников, хотя ему многократно предлагали начать репетиторство.

— Он не хочет заработать? Между прочим, я собираюсь платить десять долларов в час!

— Виктор Сергеевич готовится в аспирантуру, — спокойно пояснила директриса, — наверное, у него нет времени, он хочет писать кандидатскую диссертацию. Если хотите, обратитесь к Дарье Михайловне Семеновой, тоже очень знающий специалист, она заинтересована в приработке.

— Странно как, — гнула я свое, — неужели этому Славину лишние деньги не нужны! Небось он женат!

— Виктор Сергеевич холост, — сухо ответила директриса и принялась демонстративно перебирать бумаги.

Она явно давала мне понять, что пора прекратить бессмысленный разговор.

— Все-таки я попробую с ним лично побеседовать, — не сдавалась я, — в каком кабинете он ведет занятия?

— Славин болен, — буркнула Людмила Григорьевна, — он уже почти две недели, если не больше, не появляется на занятиях.

— Да ну! Небось запил!

— Виктор Сергеевич не пьет, — покраснела директриса, — ничего крепче кефира в рот не берет.

— Что же с ним?

— Не знаю, наверное, простуда. Вот придет, покажет бюллетень, сразу все станет ясно.

— Дайте мне его телефон, пожалуйста.

— Славин живет в Подмосковье, у него нет телефона!

Выпалив последнюю фразу, она сердито глянула на меня.

— Простите, но я должна идти на урок.

Вежливо выставленная за дверь, я не стала спорить. Подумаешь, обойдемся и без противных директрис! Адрес-то я знаю. Гнилово, Октябрьская улица, девять.

Поселок с ласкающим слух названием расположился сразу за Митином. Я без всяких проблем добралась на автолайне до кладбища и застыла в нерешительности.

— Ворота впереди, милая, — тут же проговорила бабулька, торгующая цветами, — бери букетик, задешево отдам.

— Мне нужно Гнилово.

— А, — сразу потеряла ко мне интерес торговка, — ну и иди себе.

— Куда?

— Вдоль ограды, а как кончится, тропинка появится, по ней и дуй, аккурат в гниловскую околицу упрешься. Только, если дачу ищешь, к гнилым не ходи.

— Почему?

— А там полкалеки живут, ни магазина, ни ларька, все на горбу из Москвы переть надо, лучше вон туда ступай, к речке, в Конаково. Там тебе всего полно, даже кинотеатр есть.

Но я не послушалась и двинулась в Гнилово. Кладбищенский забор казался бесконечным, он тянулся и тянулся, словно Великая китайская стена. Но потом внезапно закончился, впереди лежала огромная свалка, возникшая, очевидно, стихийно: кучи каких-то ржавых железок, остатки венков и горы тряпья вперемешку с банками и бутылками. Между Эверестами отходов вилась чуть заметная тропка. Секунду поколебавшись, я пошла по ней, стараясь не дышать полной грудью. Тишина тут стояла такая, словно рядом не было шумной Москвы. Солнце припекало, и от мусорных гор поднимались вонючие испарения.

Я вытащила из сумки платок, уткнула в него нос и быстро побежала вперед.

Вдруг тропка оборвалась, помойка закончилась. Я стояла на верху небольшой горки, внизу, у подножия, виднелось несколько покосившихся, черных от времени избушек. Вот уж не предполагала, что в непосредственной близости от столицы можно найти такой медвежий угол.

Стараясь не упасть, я сползла по «ниточной» дорожке и забарабанила кулаком в первую избенку.

— Кто такой нетерпеливый? — послышался старческий голос, и дверь приоткрылась.

В щель высунулась старушка, подслеповато прищурившись, она спросила:

— Что тебе? Ищешь кого?

— Бабу Галю.

— Ну я это, что надо?

— Виктор Сергеевич Славин у вас комнату снимает?

— Ох, грехи мои тяжкие, — простонала бабуся, — вот ведь какой бабник оказался, ты тоже его ищешь? Входи давай.

Я вступила в полутемные сени без окна; споткнулась обо что-то железное, задела ногой банки...

— Осторожней, — испугалась старушонка, — в залу топай.

Перешагнув порог, я очутилась в довольно большой комнате, обставленной с деревенским шиком. На полу пламенел ярко-красный ковер; другой, только синий, плавно стекал со стены на софу, заваленную горой подушек. Посередине стоял обеденный стол, накрытый клеенкой в бело-розовую клетку, вокруг четыре стула. Из красного угла вместо икон смотрел на меня относительно новый телевизор «Самсунг». Очевидно, баба Галя была атеисткой.

— Баретки-то сними, — недовольно сказала старуха, — натопчешь.

Я покорно сняла босоножки и, чувствуя под ступнями жесткий синтетический ворс, пошла к столу.

— Совсем вы, девки, стыд потеряли, — укорила меня баба Галя, — гоняетесь за парнем. Спору нет, красивый он мужик, но надо же и меру знать!

— А что, к Виктору часто женщины ходят?

Баба Галя погрозила мне морщинистым коричневым пальцем:

— Хитрая какая, сама у него и спрашивай.

— Позовите его, пожалуйста.

— Кого?

— Жильца своего!

— А нету его.

— Как нет?

— Да просто — съехал!

— Когда?

— Вчерась еще, деньги мне дал, и усе.

— Куда?

Баба Галя ухмыльнулась:

— Не сказал. Цельный год прожил и враз сбег. Жалко очень.

— Почему?

— Больно жилец хороший, тихий, как священник. Никуда не ходил. С работы причапает, картошечки пожрет и в светелку. Сядет там, все пишет, пишет... Не пьет, баб не водит, словом, не парень, а золото!

— Вы сами себе противоречите, — вздохнула я, — только что назвали его бабником, а теперь говорите, что женщины здесь не появлялись.

— Так они и не приходили весь год. А вчерась одна приехала, толстая такая, чисто носорог. В комнату протопала, теперича ты явилась. Ох, в тихом омуте черти водятся.

— Можно мне его комнату посмотреть?

— За просмотр денег не берут, ступай, — милостиво разрешила бабка и толкнула дверь, — любопытствуй!

Я окинула взглядом небольшое, примерно десятиметровое помещеньице, обставленное без всяких излишеств. Узенькая койка, застеленная серым, застиранным одеялом, стул, двухстворчатый гардероб, явно

сделанный в тридцатые годы, и ободранный письменный стол. На подоконнике теснились книги, и, в отличие от большой комнаты, тут висела икона, самая
обычная, бумажная. Такую за копейки можно легко
приобрести в любой церковной лавке.

Мои руки сами собой потянулись к подоконнику
и схватили один из томиков. «Математическая теория
поля».

— «Теория поля», — прочитала вслух баба Галя, —
ишь ты, сельским хозяйством интересовался!

Я внимательно посмотрела книги, все они были
посвящены высшей математике. Интересно, почему
он бросил тут необходимую для работы литературу?

Я шагнула к шкафу и распахнула дверцы. Внутри
было пусто, только в самом углу стояли новые зимние
сапоги.

— Ты чего это распоряжаешься здесь, как у себя
дома, — обозлилась баба Галя, — иди давай, нет тут
твоего хахаля, ступай, ступай...

Я села на стул и решительно заявила:

— Вот ты, бабка, хватит придуряться, я из милиции, ну-ка, быстро говори, куда подевался Виктор.

— А чего, я ничего, — забормотала баба Галя, —
и правда, я не знаю, только та толстая ушла, он сразу
собрался.

— О чем они разговаривали?

— Ну я не слышала.

— Врете.

— Не все разобрала.

— Рассказывайте!

— Жирная такая бабенка, — начала баба Галя, —
тучная, коровища, одним словом. Притопала около
полудня и в окошко стучит — тук, тук.

Бабка выглянула и поинтересовалась:

— Тебе чего?

— Виктор у себя?

— Сидит, пишет.

— Скажите ему, Люда приехала.

Баба Галя послушно крикнула:

— Витя, гостья к тебе!

Жилец вышел и уставился на толстуху. Та засюсюкала:

— Куда же ты пропал, Витюша? Я прямо изнервничалась!

— Иди сюда, — велел Славин и втолкнул «носорожицу».

О чем-то они пошептались. Потом тетка с красным от слез лицом выскочила наружу и побежала по тропинке вверх.

— Уж она ревела, — сплетничала хозяйка, — прямо тут слышно было, прямо заходилась, бедолага. А Витька ушел позже, часа через два, потом вернулся и сказал:

— Ну спасибо, Галина Ивановна, я квартиру получил, съезжаю от вас.

Хозяйка заохала:

— Как же, сыночек, прямо так, вмиг!

Но Витя моментально собрался и поволок два чемодана на выход.

— Книжки забыл, сынок! — крикнула бабка.

— Потом заберу, — откликнулся бывший жилец, — на днях вернусь.

Уже сев в электричку, я злобно подумала: «Ну погоди, директриса, Людмила Григорьевна, завтра тебе мало не покажется».

На террасе, очень расстроенная, сидела Ребекка.

— Что-то случилось? — испугалась я.

— Понимаешь, — вздохнула Бекки, — Нора выпросила у следователя свидание с Николя, простояла длинную очередь в тюрьме, а когда подала паспорт, ей сообщили, что Николай не хочет никого видеть.

— Почему? — изумилась я.

Ребекка пожала плечами.

— Думаю, ему просто стыдно, если только это слово здесь уместно. Небось не может матери в глаза взглянуть; бедная Нора так плакала, сердце разрывалось. Она очень нас любит и мечтала, как мы будем все вместе жить круглый год в Алябьеве.

«Дом преткновения», — пронеслось в моей голове.

— Только мечта рассыпается на мелкие осколки, — продолжала печально Ребекка, — Николя в тюрьме, да еще Тамара! Представляешь, она явилась к маме и заявила, что Света имеет право по закону на часть дома, и если Нора не хочет продавать особняк, то она должна выкупить Светкину долю.

Со двора послышался шум мотора. Ребекка глянула во двор и быстро сказала:

— Только при Вене не надо на эту тему, хорошо?

— Эй, девки, — заорал антрепренер, — вы дома? Войдя на террасу, он выкрикнул:

— У вас что, ремонт? Окна нет, дверь на улице валяется.

— Это мебель привозили, — пояснила я.

— А-а, — протянул Веня и сунул мне в руки пару пакетов, — давай чайку попьем.

Мы мирно сели вокруг стола, вытащили из кульков зефир, мармелад и конфеты «Коровка». Вениамин Михайлович теперь остерегается приезжать к нам с бисквитно-кремовыми тортами.

Разговор мирно тек вокруг бытовых проблем, а минут через пятнадцать мне стало казаться, что Веню и Бекки связывает какая-то тайна. Они бросали друг на друга быстрые взгляды и старательно беседовали о мебели. Все это мне не слишком понравилось, и я напрямую поинтересовалась:

— Веня, что случилось?

— Пойду посуду помою, — подскочила Ребекка и выскользнула в кухню.

Но звона тарелок не послышалось. Бекки просто затаилась у раковины.

— Видишь ли, Лампа, — забормотал Веня, — я Ребекку раньше не знал, а теперь понимаю, что ошибался. Мы тут пообщались... но ты не волнуйся, я все устрою, есть задумки...

— Да объясни, что случилось.

— Ну мне предлагали на роль Алевтины раньше дочь академика Славина, — вздохнул Веня, — очень настойчиво. Пришлось согласиться, просто руки вывернули, прямо изнасиловали. Ну и, конечно, как только Славин умер, понимаешь?

Я кивнула, конечно. Стоило лишь всесильному Вячеславу Сергеевичу отправиться на тот свет, как его дети моментально стали всем не нужны.

— Ну я и предложил тебе роль, — бормотал Веня, — думал, нашел лучший вариант. Но тут такая вещь, в общем, штука хитрая, хочется, как лучше...

— Короче говоря, ты решил отдать роль Ребекке? — грозно поинтересовалась я, старательно скрывая радость.

Главное, чтобы Веня не понял, как я счастлива, иначе, не дай бог, передумает.

— Ну, голуба, не куксись, — заныл Веня, — следующий сериал твой, честное благородное!

— Я сейчас ей глаза выцарапаю!

— Ну крошка, — забубнил Веня, — ну лапа, будь умницей.

Я не выдержала и расхохоталась:

— Бекки, иди сюда, хватит прятаться.

Ребекка высунулась из кухни и виновато затараторила:

— Ей-богу, я не хотела, ну случайно вышло. Веня, я отказываюсь! Не хочу Лампе карьеру ломать. Я согласна на любую роль в другом сериале, кривляться не стану, но на Алевтину — никогда! Слышишь, Евлампия! Никогда!

Веня ухватился руками за голову и заныл:

— О господи, ну как мне все бабы опостылели! Господи, в следующий раз буду делать фильм из жизни животного мира!

— Почему? — изумилась я.

— Потому что мужики еще хуже, чем бабы, — пояснил антрепренер.

Ребекка продолжала оправдываться:

— Ты не подумай, Лампа, что я сама...

— Ладно, — прервала я ее, — Алевтина — твоя, честно говоря, я просто счастлива, что избавилась от необходимости кривляться перед камерой, ну не мое это занятие! Так что не переживай, а прими от меня большое спасибо!

Бекки, бурно зарыдав, кинулась мне на шею, безостановочно повторяя:

— Лампуша, дорогая, милая.

— Так ты не хочешь сниматься? — тихо поинтересовался антрепренер.

— Слушай, Веник, — обозлилась я, — сколько можно тебе втолковывать? Ты совсем тупой? Одна беда...

— Какая? — в один голос поинтересовались Веня и Ребекка.

— А газеты? Интервью, фото...

— Ерунда, — отмахнулся антрепренер, — не бери в голову, я все улажу наилучшим образом.

— А почему дверь сломана? — загремел со двора Гарик.

Ребекка и Веня быстро переглянулись и зашептали:

— Эй, Лампа, только при нем не надо про сериал! Это наше дело, хорошо?

Я пожала плечами. Пожалуйста, только не понимаю, почему они решили соблюдать строгую секретность.

Утром в пятницу я набрала телефон кулинарного училища и, услыхав бодрое «алло», пропищала тоненьким голоском:

— Я хочу подавать документы, скажите, когда директор будет?

— Людмила Григорьевна находится на работе с девяти до восемнадцати, — железным тоном пояснила невидимая собеседница, — но бумаги нужно отдавать в приемную комиссию, время работы то же.

Страшно обрадованная, что «носорог» такой трудолюбивый, я стала собираться. Сначала положила в сумочку небольшое удостоверение темно-бордового цвета с золотыми буквами ФСБ на обложке. Купила его за двадцать пять рублей в переходе между «Тверской» и «Чеховской». Там стоит симпатичный молодой человек с целой грудой «документов». Еще за четвертак он лихо заполняет его, ставит печать и вклеивает фотографию. Кстати, в этом же переходе есть и фотоавтомат... Вообще у меня было две ксивы, одна — «Московский уголовный розыск» и другая — «Федеральная служба безопасности». Но ксиву МУР отобрал Володя Костин, взяв с меня честное благородное слово, что я больше никогда не воспользуюсь этим документом. Но в отношении ФСБ майор никаких указаний мне не давал, он просто ничего не знает об этой книжечке. Значит, моя совесть чиста. Положив в сумочку фотографии и велев детям не слишком приставать к генералу Рябову, я побежала на станцию.

Платформа встретила меня тревожно гудящей толпой. У касс клубился народ.

— Безобразие, — кричал мужик в мятом сером костюме, — если электрички отменяете, то обязаны людям справки выдавать для начальства! Что я теперь на работе скажу, почему опоздал?

— Нечего на меня орать, — визжала кассирша, — я в чем виновата? Сообщили: поезда до семи вечера не пойдут ни в Москву, ни в Калугу. А справки в столице получишь, у начальника Киевского вокзала.

— Что случилось? — спросила я у молодой женщины с девочкой.

Та горестно вздохнула:

— Говорят, пути ремонтируют, и поезда в Москву не ходят, а на автобус до «Юго-Западной» сесть без шансов, он раз в час ходит, и мы с дочкой не влезли. Что делать, ума не приложу!

В расстроенных чувствах я поплелась назад. Вот жалость, эх, была бы машина! Минуточку, но машина как раз есть. Золотая «копейка» стоит под окнами, заправленная бензином под самое горлышко, а немногословный Роман покопался в моторе, и теперь «жигуленок» летит, как журавль на юг.

В глубоком раздумье я походила вокруг автомоби-

ля. Конечно, страшно, но надо когда-нибудь начинать! Эх, была не была.

Путь до Минского шоссе я преодолела довольно
быстро, впрочем, и на магистрали особых сложностей
не возникло, поток транспорта был невелик, и, держа
приличную дистанцию от впереди идущих иномарок,
я, мокрая от напряжения, вкатилась на Кутузовский
проспект.

За Триумфальной аркой раскинулась Москва.
Машины вокруг роились тучами, закусив нижнюю
губу, я пристроилась в крайний правый ряд и поползла вдоль тротуара. Напряжение постепенно спадало.
Ну и ничего страшного. Главное, не торопиться и не
лезть в крайний левый ряд, где стремглав проносятся
мужики на джипах и «Мерседесах». Справа очень
удобно ехать. Единственная помеха — рейсовый автобус. Объехать его я боялась, и, когда противно воняю-
щий «Икарус» делал остановку, приходилось притор-
маживать вместе с ним. Наконец как раз у «Макдоналдса» автобус проехал перекресток на зеленый, свет
мигом поменялся на красный, и я послушно встала.

Сзади тревожно загудели. В зеркальце заднего
вида отразился шофер «Волги». Губы его беззвучно
шевелились. Я приоткрыла дверь и крикнула:

— Ну и чего гудишь? Красный ведь!

— Дура, — заорал водитель, — ослепла совсем?
Знак висит только направо, здесь на стрелку. Потоку
красный, нам зеленый, поворачивай!

— Но мне надо прямо!

— Во, блин! — взвизгнул шофер, влез в «Волгу» и
начал меня объезжать.

У светофора я простояла минут десять, не понимая, как поступить. Лента машин плавно огибала «Жигули», и, наконец поняв, что деваться некуда, я повер-
нула вместе со всеми и оказалась у Киевского вокзала.

«Ничего, ничего», — успокаивала я себя, аккуратно паркуясь за небольшим ларьком. Оставлю машину
здесь, в укромном местечке, главное, цель достигнута,
до Москвы я доехала, дальше воспользуюсь общест-

венным транспортом, а вечером на дороге не так много машин...

Плюхнувшись в вагоне на сиденье, я вытащила из сумочки новую Полякову и, начиная увлекательное чтение, подумала: «Ну зачем мне автомобиль? Сплошные нервы, на метро куда удобней!»

ГЛАВА 26

Людмила Григорьевна опять сидела в кабинете. Увидев меня, директриса раздраженно вздохнула и спросила:

— Ну? Надумали Селезневу репетиторшей брать?

— Не совсем.

— Тогда что?

— Подскажите, где все же Славин!

— Слушайте, гражданочка, — совсем обозлилась педагог, — я русским языком вам сообщаю, Виктор Сергеевич репетиторством не занимается, и потом, он болен, тяжело, может, вообще из нашего училища уйдет!

— Что вы так нервничаете?

— Я совершенно спокойна, не мешайте мне работать! — заорала толстуха. — Освободите кабинет!

— У вас, наверное, с ним неформальные отношения, — вздохнула я, — это некрасиво, он ваш подчиненный...

— Что вы имеете в виду? — побагровела «носорожица».

— Скорее всего, вы его любовница, раз за него решаете, будет он брать учеников или нет!

— С ума сошла, — взвизгнула директриса, — я сейчас охрану позову!

— Дайте адрес Славина!

— Не знаю я его!

Я рассмеялась:

— Ну и вранье, во-первых, у него в анкете ясно указано место проживания, во-вторых, вы на днях посетили Гнилово, и баба Галя описала вас в деталях, а в-третьих, у Виктора имеется законная супруга, разве прилично заводить роман с женатым мужиком?

Людмила Григорьевна пошла синеватыми пятнами, потом хрипло спросила:

— Вы Зоя Родионовна?

— Нет, к жене Виктора я не имею никакого отношения, я еще большая ваша неприятность, — бодро вякнул мой язык.

Людмила Григорьевна затравленно смотрела, как из моей сумочки появляется удостоверение с буквами ФСБ.

— Боже, что он натворил?

— Ничего особенного, просто убил четверых человек. Вы знали, что Виктор бывший уголовник?

Директриса кивнула.

— И взяли на работу преподавателя с таким прошлым? Разрешили ему общаться с детьми? Удивительная беспечность!

Людмила Григорьевна принялась оправдываться:

— Ко мне сестра обратилась, она лечится у Зои Родионовны, вот доктор ее и попросила посодействовать. Знаете, с врачом лучше не портить отношений...

— Почему она заговорила с вашей сестрой?

— Аня работает в Министерстве образования, — пояснила директриса, — и потом, Зоя Родионовна объяснила, что Виктор сел случайно, по ошибке, ну я и решила рискнуть. Понимаете, хороший преподаватель, да еще мужчина, большая редкость...

Людмила Григорьевна ни на минуту не пожалела, что приняла Славина на работу. Виктор Сергеевич оказался настоящей находкой — умный, начитанный, великолепно знающий математику, абсолютно неконфликтный, тихий. Его любили и ученики, и преподаватели. Знания он давал первоклассные, и директриса не могла нарадоваться на свое приобретение. Честно говоря, она завидовала незнакомой Зое Родионовне. Надо же, не побоялась выйти замуж за уголовника и вытянула выигрышный билет... У Людмилы Григорьевны личная жизнь не сложилась, супругом она так и не обзавелась.

Примерно год назад Виктор пришел к директрисе и сообщил, что переехал в Гнилово.

— Уж извините, телефона там нет, — развел он руками.

Начальница не выдержала и полюбопытствовала:

— Что это вы с Зоей Родионовной Москву на деревню сменяли? Со здоровьем плохо или деньги понадобились?

— Мы разошлись, — спокойно пояснил Виктор, — своей площади у меня нет, делить квартиру жены я никогда не стану, пришлось снимать. Спасибо, в Гнилове комнату нашел, хозяйка дешево просит, у нее в доме ни воды, ни туалета, ни телефона. Неудобно, конечно, но средств на хорошую квартиру у меня нет. Впрочем, я вполне доволен, главное, чтобы работать не мешали. Я соискателем устроился в Институт элементарной математики, к профессору Глаголеву, хочу диссертацию писать.

Людмила Григорьевна с жаром воскликнула:

— Отличная идея! Главное для мужчины — профессиональный рост.

— Карьера меня не заботит, — вздохнул Славин, — просто я очень математику люблю, хотел в этот институт работать пойти, но куда там, ставок нет, сплошное сокращение штатов, а в соискатели — пожалуйста, вот я и решил: хоть так в интересном месте зацеплюсь!

Он глянул на директрису и быстро добавил:

— В школе замечательно, я очень вам за все благодарен, но, извините, слегка скучно, душа просит другого.

— Понимаю, — закивала начальница, — и полностью одобряю.

После этого разговора Людмила Григорьевна быстренько сбегала к дорогому парикмахеру, постриглась самым модным образом, сделала на голове розовые «перья» и стала одеваться на работу, как на праздник. Руки ее теперь всегда украшал маникюр, и пахла директриса французскими духами.

Но Виктор Сергеевич не замечал ухищрений, был с начальницей предельно корректен, вежливо улыбался, но и только.

В начале октября Славин неожиданно не пришел на работу. Целую неделю математик отсутствовал без всяких объяснений, и директриса встревожилась. В воскресенье она, не говоря никому ни слова, отправилась в Гнилово.

Сначала ее неприятно поразила помойка и ветхая с виду избушка. Виктор Сергеевич всегда являлся в класс в чистых рубашках и безукоризненно наглаженных брюках. Никто ни разу не видел его с грязной головой или щетиной на щеках... И пахло от Славина лосьоном после бритья, правда недорогим, польского производства. Такой человек не мог жить в подобном месте.

Брезгливо поморщившись, Людмила крикнула:

— Эй, хозяева, есть тут кто живой?

В ответ — тишина. Недолго думая, директриса толкнула дверь, вошла в сени, затем в большую комнату. Никого. Тогда она заглянула в крохотную светелку и обнаружила там Виктора, лежащего в полубессознательном состоянии на кровати.

Люда перепугалась, увидав его красное лицо и лихорадочно блестящие глаза. Славин был болен.

Кое-как директрисе удалось поймать машину. Вдвоем с шофером они почти донесли Виктора до автомобиля. Дома, устроив Славина на своей кровати, Людмила вызвала «Скорую помощь» и, выслушав вердикт медиков, обрадовалась, что не отложила поездку на следующую неделю. Воспаление легких. Славину требовались хорошее питание, регулярные уколы антибиотиков, удобная постель и внимательный уход.

Сообщив коллегам, что она занедужила, Людмила Григорьевна решила поднять на ноги Виктора. Через день тот смог говорить и пробормотал:

— Я так вам благодарен. Хозяйка отправилась к родне вроде в Липецкую область, в избе никого, честно говоря, я думал, конец пришел. Телефона нет, врача не вызвать, воды и то подать некому.

Две недели Люда преданно варила Виктору бульоны и крутила котлеты. В конце концов она добилась своего, он стал ее любовником.

Потянулась «семейная» жизнь. В школе они старались не афишировать свои отношения, обращались друг к другу только на «вы» и только по имени-отчеству.

Кстати говоря, Виктор не переехал к любовнице. Он по-прежнему жил в Гнилове, навещая свою подругу два раза в неделю. Когда Людмила заикнулась о свадьбе, Славин спокойно ответил:

— Я пока не разведен.

— Так в чем проблема? — удивилась влюбленная директриса. — Оформляй бумаги.

— Зоя пока просила этого не делать, — пояснил Виктор, — ей предстоит командировка в США, на стажировку. Незамужней женщине могут не дать визу.

Людмила Григорьевна недоверчиво хмыкнула. Славин, кажется, лгал, но поделать она ничего не могла и удвоила старания, прокладывая путь к сердцу будущего мужа через желудок. Большая любительница вкусной еды, директриса отлично готовила любые, даже экзотические блюда. Так они и жили. Людочка считала себя замужней женщиной, а Виктор — холостяком. Единственное, в чем директриса была уверена, — это в верности кавалера. Все свободное время Славин проводил за письменным столом, вычерчивая какие-то значки, в которых Людмила, преподавая музыку, ничегошеньки не понимала.

Когда неделю назад Виктор не явился на свидание, Люда расстроилась, но не встревожилась, такие накладки случались и раньше. Но когда Славин не появился на занятиях, она заволновалась по-настоящему. Как назло, в этот день предстояло отправиться в Санкт-Петербург для участия в конференции. Отказаться было невозможно. Скрепя сердце директриса уехала, а вернувшись, узнала, что Виктор не показывался на работе. Тут уже она моментально подхватилась и поспешила в Гнилово. Там ее ждал крайне неприятный разговор. Увидев любовника в полном здравии, валяющимся на кровати, Людмила воскликнула:

— Витюша, слава богу! Все в порядке.

— А что должно было случиться? — удивился Виктор, опуская книгу.

Людмила Григорьевна глянула мельком на обложку — «Смерть под парусом» — и недовольно протянула:

— Я думала, ты над диссертацией трудишься?

Осенью в Подмосковье темнеет рано, в комнате Славина горела крохотная, двадцатипятиваттная лампочка. Но он выключил электричество, увидев любовницу.

— Я считаю себя твоей женой, — кипятилась Люда, — и согласилась на твое проживание в Гнилове только для того, чтобы шла работа над диссертацией, а ты тут детективы почитываешь!

Виктор спокойно отложил книжонку.

— Между прочим, я имею право и на отдых.

— Ты особо не перетрудился, — вышла из себя директриса, — я тебе нагрузки почти не поставила...

— Я не просил, — размеренно пробормотал Славин.

— Как это? — обозлилась Люда. — А кто говорил, что тяжело тащить два десятых, один восьмой и классное руководство в шестом, скажешь, не ты?

— Ну это я так, сболтнул.

Людмила Григорьевна совсем рассердилась:

— Сболтнул! Может, и о диссертации болтал? Между прочим, сидишь на моей шее, ешь, пьешь...

Она не хотела упрекать любовника, слова сами слетели с ее губ. Но Виктор сел и велел:

— Убирайся!

— Витюша, — перепугалась Людмила, — не сердись!

— Ты мне надоела, — сообщил железным голосом математик, — хуже горькой редьки. На работу я не хожу, потому что нашел другое место.

— Где? — оторопела Люда.

— Неважно, в училище не вернусь, прощай.

— Но, — начала заикаться Люда, — но... трудовая книжка...

— Наплевать мне на нее, — спокойно ответил Виктор, — впрочем, и на тебя тоже!

Людмила Григорьевна невольно шагнула к Виктору. Тот отшатнулся и довольно зло бросил:

— Ну что, непонятно объяснил? Отвали!

Директриса растерянно хлопала глазами, потом выпалила:

— Ты к Зое решил вернуться?

— К кому? — пробурчал Славин.

— К бывшей жене своей, — язвительно ответила Люда. — Зое Родионовне Коростелевой, проживающей по адресу Новореченская улица, или позабыл?

Виктор хмыкнул:

— Я отработанных баб забываю, сделай милость, испарись, кончилась любовь!

— Вот ты как, — сдерживая слезы, прошептала Люда, — неблагодарная дрянь.

— Иди, иди, бочка с салом, — спокойно ответил Виктор и как ни в чем не бывало взял яркую книжонку.

Предательская влага потекла по щекам. Понимая, что сейчас разрыдается, Люда выскочила в сени и понеслась, всхлипывая, по тропинке. В себя пришла только в метро. Ехать домой, а тем более в училище она не могла.

Люда села на скамейку и, обдумав ситуацию, решила, что, очевидно, Виктор тронулся умом. Другое объяснение ситуации ей просто не приходило в голову.

«Может, у него какой-нибудь припадок, — размышляла директриса, — ну ничего, придет в себя, вернется на работу, тут ему мало не покажется».

Но Славин как в воду канул, зато появилась я и принялась ныть о репетиторстве.

Строго-настрого велев Людмиле Григорьевне никому ничего не рассказывать, я выскочила на улицу. Вот незадача, я забыла спросить у Зои Родионовны, были ли у Виктора близкие друзья. Директриса сказала, что он жил букой, вел нелюдимый образ жизни и никуда никогда с ней не ходил. Все время они проводили дома за немудреными забавами, смотрели телевизор и видик, иногда играли в шашки.

Но Люда была просто сожительницей, к тому же встречались они два раза в неделю, может, Славин не хотел ее ни с кем знакомить? Стеснялся толстой и не слишком молодой своей пассии. А Зоя совсем другое дело, законная жена. Неужели они не устраивали дней рождений, не собирали гостей на Новый год или Пасху? Да быть того не может! И скорей всего, Виктор отсиживается сейчас у близкого приятеля. Удивительно только, почему он убежал от бабы Гали. Хотя, если вдуматься, ничего странного. Небось не хотел, чтобы Людмила Григорьевна ему навязывалась. Интересно, что это за работа такая, где не нужна трудовая книжка? Впрочем, и тут понятно, домашний учитель, репетитор, «челнок», наконец... Может, ему надоело постоянное безденежье, тупые будущие повара и Гнилово? Вот и решил изменить судьбу.

К поликлинике я подскочила взмыленная, словно жеребец, только что выигравший «Большой шлем». Часы показывали самое удачное время — без пятнадцати три. Просто великолепно, сейчас врач, работающий в первую смену, еще не ушел, а принимающий во вторую уже пришел. Насколько я знаю, пересменка бывает ровно в три.

В кабинете сидела медсестра.

— Зоя Родионовна здесь?

Но девушка не пошла на контакт.

— Сегодня Коростелева прием не ведет.

— Почему?

— Не знаю, заболела, — хмурилась девица.

— Но...

— С острой болью идите в пятнадцатый кабинет, с бюллетенем к заведующей.

Ничего не добившись, я вышла на улицу. Делать нечего, придется ехать на Новореченскую.

На звонок в дверь никто не отвечал. Помня, что в прошлый раз безработная Валентина дала исчерпывающую информацию о нахождении Зои, я отправилась снова в 45-ю квартиру.

Здесь дверь распахнули сразу, без лишних вопросов. Валентина с заплаканным лицом высунулась наружу и, не узнав меня, спросила:

— Вам кого?

— Зою Родионовну Коростелеву, — прикинулась я идиоткой.

Валентина всхлипнула:

— Ой, горюшко!

Я похолодела:

— Что случилось?

— А вы ей кто? — вопросом на вопрос ответила Валя.

— Она меня лечит, — с улыбкой ответила я, — частным образом, за деньги. Очень хороший доктор, вот я и пришла лекарство выписать. Странно, однако, что ее нет, мы еще в понедельник о встрече договорились!

— Входите, — посторонилась Валентина.

На кухне, кокетливо обставленной мебелью нежно-розового цвета, весело пускал пар чайник цвета новорожденного поросенка.

— Вы сядьте, — участливо сказала Валя, — я вам сейчас кофейку налью.

— С Зоей что-то случилось, — поняла я.

Валентина заплакала.

— Ужасно, ужасно, — повторяла она, качая головой, — какие сволочи, квартиру перепутали.

— Не понимаю, — пробормотала я.

Валя шмыгнула носом и рассказала подробности. Вчера поздно вечером к Зое приходил ее бывший муж.

— Откуда вы знаете? — перебила я ее.

Валечка слегка порозовела:

— Ну Зойкина квартира напротив, «глазок» в моей двери панорамный, все видно, даже лифт. Как раз я пол мыла в коридоре, слышу, дверцы завизжали, они у нас музыкальные. Вот и глянула, кто приехал. Смотрю, Виктор, бывший муж Зои.

— Вы ничего не перепутали?

Валюша всплеснула руками:

— Ну что вы! Столько лет рядом прожили! Хороший, положительный мужчина, учитель математики. Когда она с ним рассталась, я даже переживала и сказала Зое: «Зря ты мужика выгнала, не пьет, не курит, бабами не увлекается, не то что мой Сережка, боец по всем направлениям — и питок, и куряка, и по бабам ходок!»

Зоя выслушала соседку и поморщилась: «Извини, Валь, но мне надоело быть в доме сильной половиной!»

— Ну не дура ли, — искренне изумилась Валентина, — такого парня выгнала. А тут, гляжу, идет, целый год не был.

Валя и решила, что соседка одумалась, пожила соломенной вдовой да позвала супруга назад. Честно говоря, она была рада за Зою. Возраст уже не юный, и найти спутника трудно. Нет, таких, которые прибегают поесть и потрахаться, полно, но настоящих, надежных мужчин мало. Примерно минут через пятнадцать Валя, закончив уборку, пошла покурить. Ее лоджия нависает почти над самым входом, и она увидела, как из подъезда быстрым шагом вышел Виктор, в руках он нес кулек.

Валентина вздохнула. Значит, любовь у соседей не вышла. Витя приходил за какими-то вещами. Собственно говоря, это все, потому что около девяти вечера на лестнице послышался шум, потом раздались тупые удары. Валя вновь глянула в «глазок» и увидела местного дворника, Надьку с третьего этажа, отчаянно машущую руками, и двух милиционеров.

— Что случилось? — поинтересовалась Валентина, раскрывая дверь.

— Тебя только не хватало, — буркнул дворник, орудуя стамеской, — иди себе спать.

— Погодите, гражданочка, — остановил один из ментов, — понятой пойдете.

— Почему дверь ломают? — не успокаивалась Валя.

— А потому, — загундосила Надька, — что Зойка дура. Стиральная машина у нее, «Вятка»-автомат. Так шланг уже пару раз соскакивал, заливала меня. Я ее просила, как человека, как стирать собралась, не уходи из дому, приглядывай. Нет, запустит машинку, и фр-р, нет ее. Раз она со мной по-хамски, и я милицию вызвала. Ломайте, ломайте, виданное ли дело, с потолка водопадом льет, скоро до второго этажа дойдет!

При этих словах дверь открылась, Надька первой влетела в квартиру и закричала:

— Ну, что говорила, шланг слетел; вода хлещет, а этой идиотки нет. Она теперь за все ответит, ремонт оплатит, а-а-а-а!

Услыхав вопль, менты и Валя рванули в кухню. Там по щиколотку в воде стояла Надька, издававшая дикий крик.

— Чего голосишь? — рявкнул дворник.

Не закрывая рта, Надька ткнула пальцем в сторону коридора. Дверь в комнату, очевидно, от сквозняка приоткрылась, и все увидели на полу тело Зои в розовом стеганом халате. Словом, спать Валя пошла уже утром. Один из оперативников выдвинул догадку, что киллер — а это был явно профессиональный убийца, он сделал контрольный выстрел в голову и бросил свое оружие — просто перепутал адрес. Такое изредка случается. В 42-й квартире, расположенной рядом с Зоей, живет одна дама, владелица риелторской конторы. Скорей всего заказ был сделан на нее, а не на простого, хоть и хорошего, хирурга.

Я почувствовала, как в голове начинается звон, а уши словно ватой заложило. Виктор, это Виктор убрал Зою... Зачем? Почему он всех убивает?

Внезапно в голову пришла страшная мысль.

— Телефон, — заорала я, — дай скорей телефон!

Испуганная Валя сунула мне трубку. Я потыкала пальцем в кнопки и с облегчением услышала нервное сопрано Людмилы Григорьевны:

— Кулинарное училище.

— Людмила, будьте осторожны.

— Кто это?

— Агент ФСБ, которая посетила вас утром.

— Ну что еще надо? — устало спросила директриса.

— Если к вам придет домой Виктор, ни в коем

случае не впускайте его и немедленно вызывайте милицию.

— Почему?

— Сейчас не могу объяснять, но если вам дорога жизнь...

— Но...

Внезапно директриса замолчала.

— Людмила!

Но в мембране раздавался только тихий-тихий стук и непонятный скрип.

— Люда!!!

Нет ответа.

— Что? Что? — как попугай, повторяла Валя.

ГЛАВА 27

Чтобы быстрее попасть в училище, я схватила «бомбиста» и очень скоро пожалела об этом поступке. На Второй Брестской улице мы попали в жуткую, почти километровую пробку и застряли в ней надолго. Минут через пятнадцать езды черепашьим шагом я выскочила из машины и побежала в метро «Белорусская», ругая себя на все корки, — надо было с самого начала воспользоваться подземкой.

Уже подбегая к кулинарному училищу, я поняла, что безнадежно опоздала. В вестибюле учебного заведения царил переполох. Встревоженные учащиеся шумно переговаривались, несколько теток, скорей всего преподавательниц, став кружком, о чем-то бурно спорили.

— Что случилось? — бесцеремонно спросила я, хватая одну из учительниц за рукав.

Женщина оглянулась, шагнула назад, и я увидела, что в центре группы стоит Володя Костин. При виде меня майор поджал губы, потом резко велел:

— А ну, иди сюда, Евлампия.

Преподавательницы попятились, Костин втянул меня в кабинет, но не директорский, а в располо-женный рядом класс, скорей всего математики, потому что по стенам были развешаны таблицы со всевозможными формулами.

— Что ты тут делаешь? — отрывисто поинтересовался приятель.

— Ничего, — принялась лепетать я, — просто пришла.

— Зачем?

— Ну... документы подать!

— Решила на старости лет стать поваром? Не стоит и пытаться, — довольно зло ответил приятель, — из женщин, у которых руки растут из того места, где у других расположены ноги, ничего не получится. Варить тебе сосиски до старости!

Еще секунду тому назад я была готова выложить приятелю все, что узнала, еще мгновение, и Володя начал бы благодарить меня за проделанную титаническую работу, еще мгновение... Но кто дал ему право оскорблять меня? И потом, я великолепно готовлю.

— Какое это место ты имеешь в виду? — кинулась я в атаку.

— У тебя и с мозгами беда, — вздохнул майор. — Ладно, если хочешь, могу назвать вещи своими именами: баба, у которой руки торчат из жопы, никогда не научится прилично готовить. И хватит врать, быстро говори, зачем явилась, а то задержу на три дня для выяснения личности!

Кровь бросилась мне в голову. Ледяным тоном я произнесла:

— Во-первых, вот паспорт, а во-вторых, генерал Рябов попросил узнать в отношении документов для Кости. В-третьих, вы, гражданин милиционер, простите, не знаю вашего звания, не имеете права беседовать со мной в подобном тоне. Запросто могу накатать жалобу начальству и потребовать, чтобы мне сообщили о принятых мерах, в-четвертых...

— Вали отсюда, Лампудель, пока цела, — просвистел майор, — дома побеседуем.

— У меня нет никакого желания принимать вас у себя, а в вашу квартиру я ни за что не войду, — ответила я и, гордо вздернув голову, выплыла в коридор, не забыв хлопнуть посильней дверью.

Надеюсь, портрет Ковалевской сорвался со стены и треснул Володю по лысине. Да-да, у него намечается проплешина, и я обязательно посоветую ему при следующей встрече купить себе специальный шампунь. Исключительно из дружеских чувств, он-то не видит, что за неприятность у него на темечке!

Толпившиеся у дверей тетки выжидательно глянули на меня.

— Безобразие, — вздохнула я, — как только таких в милиции держат, имейте в виду, девоньки, садитесь от этого монстра подальше.

— Почему? — поинтересовалась самая молоденькая.

— Под юбку лезет, — пояснила я и, увидев, что бабы прыснули в разные стороны, довольно ухмыляясь, пошла во двор.

Ну, майоришка, поглядим, как теперь ты будешь опрашивать свидетелей.

Во дворе училища курила стайка ребят. Я подошла к ним и поинтересовалась:

— Что случилось? У меня даже документы ребенка не взяли!

— Директрису убили, — пояснил рыжеволосый паренек, весь обсыпанный конопушками.

— Как?!

— Выстрелили через окно, — рассказывал юноша, одетый, несмотря на жару, в синюю джинсовую рубашку с длинными рукавами, — у нее кабинет на первом этаже, вон посмотрите, менты в травке ползают, улики ищут.

Я перевела взгляд на здание училища. Из-за удушающей жары почти все окна были нараспашку, а по клумбе, находящейся у стены, ходили два парня в перчатках и с пакетами.

— Не поймают, — убежденно заявил рыжий. — Выстрелил и убежал, тут за воротами рынок, юркнул в толпу, и все. Если бы сразу увидели... А то она небось давно лежала, пока Кар Кар вошла.

— Кто? — не поняла я.

— Ну училка русского, Карина Карловна, влезла в кабинет, как заорет, — пояснил «рубашечный», — все и побежали туда.

— Кроме меня, — фыркнула толстая девица, — я думала, Каркуша опять мышь увидела, помните, какой она хипеж в прошлом году подняла!

Ребята довольно заржали. Похоже, смерть несчастной Людмилы Григорьевны их не слишком огорчила.

— Не найдут никого, — продолжал рыжий, — без шансов.

— А я знаю убийцу, — выпалила девица.

— И кто это? — спросила я.

— Лешки Малахова отец, — убежденно ответила толстушка.

— Почему ты так решила?

— А Людмила Григорьевна Лешку за двойки и прогулы отчислила...

— Между прочим, совершенно правильно сделала, — захихикал рыжий, — знаете, чего он на практике вытворил? Его папахен, жутко крутой, пристроил Лешку в ресторан, а там его не на кухню поставили, а велели клиентов обслуживать. Лешка и взвыл, гонору в нем немерено: не буду с подносом бегать. Ему отвечают: еще как будешь, и в зал выпихнули.

Парень решил сделать так, чтобы его выгнали, и демонстративно уронил на пол шницель. Потом на глазах у клиента поднял его, положил на тарелку и подал к столу. Вызванный на место происшествия мэтр отвел Лешку в сторону и спокойно заявил:

— Ерунда, с каждым случиться может, но запомни правило: коли извалял мясо, немедленно неси его на кухню, обсыпь зеленью и подавай как новое.

— Так зачем отцу Леши убивать директора? — прервала я парня.

— Лешка олух, его отовсюду выперли, — пояснила девица, — вот папенька и явился к Людмиле с просьбой, чтобы его оставила, да начал ей доллары

совать! Ух, она разозлилась, деньги в коридор вы-
швырнула... Вот небось и решил отомстить!

С гудящей головой я добралась до Киевского вокзала. Небо затянули серые, свинцовые тучи, стало
еще жарче и как-то парко, словно в оранжерее. Над
площадью стоял «аромат» из невообразимых запахов — соленой рыбы, сигарет, машинного масла и
пота. Прохожие с красными лицами утирались носо-
выми платками и салфетками, почти у каждого в руках были бутылки с водой или квасом. Несмотря на
рекламу, коку, пепси и фанту москвичи не очень-то
любят, что и понятно, от этих лимонадов только еще
сильней хочется пить.

Натянув кепку, я пошла к ларьку, где поджидал
меня брошенный «жигуль». Сейчас достану из багаж-
ника сумку и отправлюсь за покупками...

Но «копейки» на месте не было. В глубоком удив-
лении я уставилась на ларек, торгующий сигаретами,
может, я перепутала и автомобиль преспокойно стоит
в другом месте? Но ни у будки с сосисками, ни у па-
вильона, где блестели всякие железки, «жигуленок»
не нашелся. Вернувшись назад к табачному ларьку, я
спросила у продавца:

— Тут машина стояла, не видели?

— Видел, — преспокойно ответил тот, — ваша,
что ли?

— Да.

— Давай сто долларов, тогда скажу, куда отогнали.

— За что? — изумилась я.

— За то, — скорчил морду парень, — поставила
свой сраный автомобиль так, что мне дверь не открыть, гони баксы.

— У меня нету столько!

— Ну и ищи, где хочешь, свой автомобиль! —
гаркнул продавец, отшатываясь в глубь ларька.

— Тетенька, — раздался сзади меня тихий голосок, — дайте сто рублей, скажу, куда машину задевали.

Я оглянулась и увидела грязную девчонку в рва-
ном платье. Волосы, давно не мытые, стояли, как
ирокез у панка, ноги от щиколоток до колен совер-

шенно черные, руки в болячках, но измурзанное личико показалось мне знакомым, а главное, голос (как у всех музыкантов, у меня отличная память на звуки).

— Ну же, тетенька, — повторила девочка, и я мигом узнала ее:

— Фрося! Ты как сюда попала?

Девочка внимательно посмотрела в мое лицо.

— Ой, я вас не признала! Давно тут караулю, думаю, придет водитель, начнет искать... Пошли, они вашу машину во двор вон того дома откатили... Больше так не оставляйте, только на стоянке. Пошли, пошли.

«Жигуленок» и впрямь стоял возле детской площадки.

— Ну как Барби, играешь? — спросила я, вытаскивая сумку.

— Неа, — помотала головой Фрося.

— Надоела?

— А ее мамка у меня отобрала и на следующий день в ларек сдала, — шмыгнула носом Фрося.

— Зачем?

— За деньги.

От негодования я потеряла дар речи, потом пробормотала:

— Ну и где твоя мать сейчас, из барака ведь вы съехали?

— Шут ее знает, — пожала плечами Фрося.

— Как это? Ты где живешь?

— Я-то? Тут.

— Где?

— На вокзале, под платформой ночуем, ближе к сортировочной.

— Погоди, погоди, мама твоя куда подевалась?

— Уехала с Борькой, вроде в Киев собралась, к бабушке.

— А ты?

— Она меня тут оставила, на вокзале!

Я прислонилась к раскаленному боку автомашины.

— Какой ужас, что же ты ешь, где моешься?

— Я привыкла уже, — спокойно ответила Фрося, — сначала местных боялась, думала, побьют, а теперь порядок. Жрать можно на рынке, в столовке, знаете, сколько на тарелках остается! Я давно так много не ела, а помыться вот там разрешают, из шланга возле стоянки. Я дежурному сигарет за это приношу.

— Где же ты их берешь?

— Милостыню прошу по ларькам, — пояснила Фрося, — тут же оптовая продажа табака, многие и дают не деньгами, а пачками, ну уж не «Парламент», конечно, «Приму» суют.

Я распахнула дверцу:

— Садись.

— Зачем?

— Ко мне поедем.

— Нет, — покачала головой Фрося, — не хочу.

— Почему?

— Ваш муж драться станет. Скажет, привела, дура, попрошайку, еще стырит чего.

— Я не замужем, полезай, помоешься, поешь по-человечески, а там посмотрим.

Фрося змейкой проскользнула внутрь. Я завела мотор и поехала в Алябьево. У ворот дачи молчавшая до сих пор девочка неожиданно сказала:

— Вас ведь Свечка зовут?

— Нет, Лампа.

— Тетенька Лампа, вы не бойтесь, я не ворую, только клянчу.

— Ну и хорошо, — похвалила я, — чужое брать не надо.

На веранде самым милым образом пили чай Ребекка и Гарик.

Увидав меня с нищенкой, Игорь Серафимович спросил:

— Это еще кто?

Фрося попятилась и сказала:

— Ну вот, так я и знала, ругаться начнет, а вы говорили, что не замужем.

— Входи, — подтолкнула я ее в спину, — он тут не хозяин, будет ворчать, самого выгоню. Топай в ванную да платье брось в угол.

Пока Фрося мылась, я объяснила гостям ситуацию.

— Какой ужас! — вскрикнула Ребекка. — Такая маленькая. Сколько ей лет?

— По-моему, семь, — ответила я, — впрочем, точно не помню.

— Небось и в школу не ходит, — не успокаивалась Ребекка, — несчастное создание! И потом, какая подлость — отобрать у бедного ребенка игрушки и продать! Хороша мать!

Сидевший в углу Роман тяжело вздохнул.

— Ты чего разволновался? — спросил Игорь Серафимович.

— Ей еще повезло, что маленькая, — пояснил парень, — а то бы в проститутки определили.

— Тетя Лампа, — крикнула Фрося, выходя из ванной, — все!

Я первый раз видела ее такой чистой. Волосы у девочки оказались светло-русые, а кожа бледная, почти зеленая, огромные голубые глаза, окруженные черными синяками, выжидательно поглядывали на стол.

— Зачем ты надела грязное платье?

— У меня другого нет!

Я призадумалась, действительно. Одежда Лизы и Кирки ей явно велика.

— На, возьми пока мой халат, а там придумаем что-нибудь.

— Роман, действуй! — велел Игорь Серафимович. Охранник выскочил за дверь.

Минут через десять Фрося, запихнув в рот все, что лежало на тарелке, сонно заморгала глазами.

— Ей лечь надо, — сказала Ребекка.

— Не, — пробормотала Фрося, борясь с зевотой, — давайте посуду помою.

— Ладно, тащите девчонку в койку, — распорядился Гарик.

Бекки легко подняла худенькое тельце:

— Господи, да она весит меньше Мули!

Фрося внезапно сказала:

— Пахнет от вас здорово, как от конфеты.

Ребекка рассмеялась и унесла девочку.

Следующий час мы мирно обсуждали ее дальнейшую судьбу.

— Пусть пока у меня поживет, — настаивала я, — не на вокзал же ее отвозить.

— Можно и у нас, — внезапно вмешалась Ребекка, — у тебя и так двое, лучше к нам.

— И что Нора скажет?

— Ничего, — улыбнулась Бекки, — совсем ничего, мама очень любит детей и безумно переживает, что мы никак не сделаем ее бабушкой. Она будет рада, начнет ее читать учить...

Я удивленно глянула на Ребекку. Честно говоря, у меня сложилось о Норе иное впечатление.

Еще через час появились Лиза, Кирюшка и Костик. Оказывается, они ездили купаться на водохранилище. Услышав про приключения бродяжки, ребята пришли в полное негодование.

— Некоторых людей нужно лишать всех прав на ребенка, — заявила Лизавета, — не мать, а ехидна какая-то.

— Жуткая дрянь, — кипятился Кирюша, — в нос бы ей насовать как следует!

Тут на веранде возник Роман с саквояжем и огромным пакетом, на котором были изображены буквы: «Lego».

— Это что? — разом спросили дети.

— Одежка кой-какая, — пояснил охранник, — а здесь дом и Барби, Игорь Серафимович велел купить. Вот только, боюсь, с обувью я не угадал, ну да взял чек, если туфли не подойдут, поменяю.

Но и сандалии, и кроссовки, и джинсики, и футболочки — все сидело на Фросе как влитое, очевидно, у Романа был идеальный глазомер. Проснувшуюся гостью Лиза причесала и завязала на ее голове огромный розовый бант. Слегка посвежевшая от еды и сна, Фрося стала похожа на Барби, которую она судорожно прижимала к груди.

— Эй, Лампа, — заорал Кирюшка, — мы ее взвесили!

— Кого? — не поняла я.

— Фросю, на весах в ванной — семнадцать килограмм сто грамм.

— С кроссовками и в джинсах, — пояснила Лизавета, — прикинь, она весит чуть больше Ады.

Наши собачки тянут каждая на двенадцать килограммов.

— Ее надо пивными дрожжами кормить, — не успокаивался Кирюшка, — худая, как скелетина.

— Сам скелетина, — пискнула Фрося.

Я вздохнула. Одними витаминами тут не обойдешься. Девочку нужно усиленно пичкать высококалорийной пищей и обязательно показать врачу. Ну не может ребенок школьного возраста в одежде и обуви весить, как полторы мопсихи.

ГЛАВА 28

Утром я проснулась ни свет ни заря от звенящей тишины. Первый раз я осталась на ночь совершенно одна. Вчера вечером Ребекка увезла Фросю с собой. Лиза, Кирюшка и Костя поехали с ними, детей разбирало любопытство. Где-то около одиннадцати Бекки позвонила мне и сообщила:

— Вся компания остается у нас, а Костя просит тебя сообщить его дедушке.

— Сам позвонить не может?

Ребекка рассмеялась:

— Боится, что генерал рассердится.

— Вам дети не помешают?

— Ни минуты, — ответила Бекки, — мама просто счастлива, ожила и перестала плакать. Они слопали ее пирог с вареньем, который я не ем из-за фигуры. Так что теперь мамуля стоит у плиты и выпекает оладьи с яблоками. А все толпятся вокруг и хватают горячие со сковородки. Ты знаешь, что Рейчел обожает блинчики? Впрочем, Рамик, Муля и Ада тоже.

— Они и собак прихватили?!!

— Ну когда песики еще в гостях побывают? — процитировала Ребекка Кирюшку, захохотала и отсоединилась.

Я подошла к аквариуму, где тихо сидела пучеглазая Гертруда, постучала ногтем по стеклу и сказала:

— Бедная ты жаба! Никуда-то тебя не взяли — ни на «Мерседесе» покататься, ни в «Три кита», ни в гости.

Гертруда не пошевелилась, только затрясла складчатым подбородком.

Ровно в десять утра раздался звонок.

— Лампа! — прогремел Володя Костин.

— Не сюда попали! — рявкнула я и швырнула трубку.

Но телефон затарахтел вновь:

— Лампудель...

— Здесь такая не проживает.

— Заканчивай придуриваться, — вышел из себя приятель, — жди, сейчас приеду, поговорить надо.

Я засунула трубку в диванные подушки и ринулась к шкафу. Спасибо за предупреждение, мне с тобой болтать не о чем, и искренне надеюсь, что успею удрать до твоего приезда.

Сегодня я доехала до Киевского вокзала вполне быстро и, лихо повернув на стрелку, припарковалась во дворе жилого дома. Дальнейший путь вел к метро, нужно было добраться ни больше ни меньше как до Зябликова, именно там был расположен институт, в который столь удачно пристроился соискателем Виктор Славин.

Профессор Ираклий Лукьянович Глаголев преспокойненько сидел над горой отпечатанных листочков.

— Вы ко мне, душенька? — ласково осведомился старик.

Несмотря на имя, в математике не было ничего грузинского, может, только слегка крупноватый нос выдавал предков с Кавказских гор.

— К вам.

— Садитесь, ангел, и показывайте.

— Что?

— Ну не знаю, что у вас. Реферат?

— Нет.

— Я вам должен зачет?

— Скажите, Виктор Славин ваш аспирант?

— Славин? Ах, Витюша! Нет.

— Как нет? А он говорил всем, что диссертацию у вас пишет.

— Ох, душечка, не аспирант, а соискатель.

Господи, какая разница, важно, что я попала по нужному адресу.

— Не знаете, где его можно отыскать?

— Собственно говоря, а что случилось? — насторожился профессор.

— Я его бывшая жена, мы разъехались, но развод не оформляли, теперь я собралась замуж и не могу нигде найти Витю.

Глаголев вытащил из кармана очки, водрузил их на нос, осмотрел меня с ног до головы, вздохнул и произнес:

— Жену Виктора Славина зовут Зоя Родионовна, она хирург.

— Ну и что? Это я и есть, Зоя.

— Видите ли, душенька, — спокойно, словно растолковывая непонятный новый материал, начал Глаголев, — Зоя Родионовна уже несколько лет лечит меня от заболеваний суставов, и я могу со всей определенностью заявить: вы — не она.

От неожиданности я поперхнулась. Да уж, ситуация глупее не придумаешь. Пришлось вытаскивать из сумочки удостоверение ФСБ и перестраиваться на ходу:

— Служба безопасности, агент Романова.

— Дайте-ка на секундочку, — попросил старичок.

Я протянула бордовую книжечку. Пусть полюбуется, все на месте: фотография, печать и личная подпись.

Профессор повертел ксиву и, вернув, со вздохом заявил:

— Мой внук похожую купил, только сверху написано: «Удостоверение Терминатора».

У меня просто отвисла челюсть, до сих пор все

люди при виде трех горевших золотом букв моментально пугались и вываливали информацию.

— Но как вы догадались?

— Понимаете, дружочек, у меня за плечами в сум-
ме почти десять лет отсидки в советское время за дис-
сидентство. За столь долгий срок я научился опреде-
лять сотрудников КГБ в лицо. Печать у них на лбу,
каинова, мне видна, но это эмоции, а если разбирать
логично, вы совершили роковую ошибку.

— Какую?

— Дали в руки постороннему человеку служебное
удостоверение, а это строжайше запрещено должно-
стной инструкцией. Ни один сотрудник из этих органов никогда не совершит такого неправильного, даже
опрометчивого шага. Так кто вы, голубушка, и зачем
понадобился Виктор?

— Я работаю частным детективом, сразу предупреждаю, что никакой лицензии и, соответственно,
документов я не имею, разыскиваю убийцу одного человека. След привел к Славину, мне просто надо задать ему пару вопросов.

Ираклий Лукьянович кивнул:

— Ну это больше похоже на правду, только, боюсь, я ничем не помогу. Где живет Виктор, не знаю. У
нас заседания кафедры по вторникам, в 16.00. Естественно, сотрудники и аспиранты-очники обязаны при-
сутствовать. На соискателей это требование не рас-
пространяется. Они ведь работают в других местах.

Но Виктор приходил регулярно. Он как раз успе-
вал попасть на кафедру после уроков. И вообще, все
отмечали его редкостное трудолюбие. Он упорно грыз
гранит науки, за первый год сделал работу и представил ее на обсуждение коллектива.

— Что тут необычного?

— Душенька, — улыбнулся профессор, — аспи-
рантура длится три года, и тот же срок дается соиска-
телям. Абсолютное большинство людей семь восьмых
срока ничего не делают. А за последние месяцы сля-
пывают диссертацию.

Витя же невероятно увлеченный человек. Все педагоги им очень довольны. Глаголев даже ходил к ректору и просил выделить на кафедре ставку младшего научного сотрудника, такие кадры на дороге не валяются. Впрочем, Ираклия Лукьяновича привлекала еще интеллигентность и мягкость Славина, даже, если хотите, беззащитность.

— Всем хорош парень, — донеслось из-за большого шкафа, — только соли под хвостом не хватает.

— Лариса Константиновна, — заметил Глаголев, — ну зачем вы так.

— Правду говорю, — произнесла женщина, тяжелым шагом подходя к нам, — отличный юноша, умный, начитанный, подающий надежды, но...

— Но? — переспросила я.

— Вялый, аморфный, абсолютно пластилиновый, гни его в разные стороны, — хмыкнула Лариса Константиновна, — и на девок совсем не глядел, а у нас есть на кого посмотреть. Одна Машенька Шаповалова дорогого стоит! Между прочим, она ему явно симпатизирует. А он... Может, импотент?

— Лариса Константиновна! — повысил голос профессор. — По-вашему, если мужчина не гоняется за всеми юбками...

— По-моему, — перебила его дама, — если молодой человек, не связанный узами, всем ведь известно, что Виктор с женой не живет, так вот, если холостяк, молодой человек абсолютно спокойно проходит мимо роскошных ног Маши Шаповаловой, то у него явно половые проблемы.

Выпалив последнюю фразу, она вышла в коридор.

— Да, — протянул Ираклий Лукьянович, — Лариса Константиновна великолепный лектор, но ее иногда заносит. Так о чем мы говорили?

— Где можно найти Славина?

Глаголев развел руками:

— Он два раза пропустил кафедру и вообще не показывается. Адреса я не знаю. Решил, что он заболел или занят очень на основной работе, сейчас ведь экзамены в школах.

Я приуныла. Да, зря моталась в такую даль.

— Только телефон, — закончил математик.

— Чей?

— Как чей? Виктора.

— Давайте скорей!

— Сейчас, сейчас, — забормотал старик, роясь в ящиках письменного стола, — где же моя записная книжка? Ага, вот она.

Он вытащил пухлый, растрепанный еженедельник и стал листать странички.

— Куда я его записал. На «с»? Нет. Может, на «в»? Тоже нет.

— Посмотрите на Зою Родионовну.

— Ваша правда, — забубнил профессор, — а она где? На «з» нету, на «к» отсутствует.

— На «в», врач?

— Нет.

— На «х», хирург?

Глаголев качал головой.

— Может, у вас его не было?

— Есть где-то, точно есть. Он еще, когда давал, сказал, что в его квартире телефона нет, а этот номер принадлежит знакомым. А, нашел, на «н».

— Почему на «н»? — удивилась я.

— «Н» — ноги, у меня колени болят, вот, Зоя Родионовна и Виктор, пишите, голубушка.

Взяв бумажку, я попросила:

— Можно от вас позвонить?

— Естественно, душенька.

Но никакого ответа я не дождалась, правда, часы показывали только три, наверное, друзья Славина на работе.

Купив в метро телефонную карточку, я отправилась шататься по городу, через каждые полчаса заскакивая в будки автоматов. Но без всякого результата. Каждый раз раздавались редкие гудки, никто не собирался снимать трубку. Совсем расстроенная, я около восьми села в машину. Что ж, придется побеспокоить этих незнакомых людей вечером.

«Жигули» плавно покатили по Кутузовскому проспекту, выбрались на Минское шоссе... Я тихо радовалась тому, что на магистрали не так много машин.

Внезапно автомобиль чихнул и задергался. Не понимая, что происходит, я поднажала на газ. «Жигуленок» раскашлялся и замер.

Выбравшись наружу, я пощупала с умным видом скаты и уставилась на верного конягу. И что делать?

Машины с шорохом проносились мимо, я размахивала руками, подпрыгивала, потом открыла капот, но никто не собирался оказывать помощь бедной женщине.

Наконец притормозила «Волга».

— Что случилось? — спросила дама примерно моих лет.

— Не знаю, — растерянно сказала я, — сначала она дергалась, потом встала.

— Ага, — усмехнулась женщина, — у тебя бензин есть?

— Не знаю.

— А на датчик ты не смотришь?

— Ну, у меня права только неделю...

— А голова на плечах тоже семь дней? — ехидно поинтересовалась добрая самаритянка и велела: — Давай трос, до заправки дотащу. Трос есть?

— Не знаю, может, в багажнике?

— Так посмотри.

Я порылась между запаской и ящиком с инструментом и вытащила белый, тонкий канат.

— Это?

— На это белье вешают, — вздохнула дама и открыла свою «Волгу», достала трос, явно фирменный, с ярко-желтыми креплениями на концах.

— Давай, надевай.

— Куда?

Женщина расхохоталась, быстро наклонилась, зацепила за что-то трос, потом пошла к «Волге», но по дороге обернулась и крикнула:

— Смотри, не разбей мой зад!

— Для этого придется вытащить тебя из автомобиля, — не утерпела я.

Дама залилась звонким смехом.

— Давай считать, что два — один, но в мою пользу. Ты не догадалась про бензин и не знала, куда присобачить буксир!

Заправка оказалась в двух шагах. Ловко отцепив трос, женщина села в «Волгу» и помахала из окна:

— Привет, все-таки смотри иногда на панель у руля, там полно интересных вещей — датчики бензина и масла, температуры воды, а еще там есть кнопка включения «дворников» и рычажок мигалки, опять же фары, а пониже — радио. Знаешь, что такое радиоприемник?

— Можно подумать, что ты прямо сразу научилась управлять машиной, — слабо отбивалась я, пока заправщик гремел «пистолетом».

— Я появилась на свет с баранкой в руках, — широко улыбнулась дама, — рожденный ездить ходить не может. Прощай!

С этими словами она газанула и влетела в поворот, распугав остальные автомобили.

— Вот ведьма, — вздохнул заправщик.

Я включила мотор, «жигуленок» сыто заурчал. Интересные, однако, люди встречаются на свете, и странно завязываются отношения. Я даже не узнала имени тетки, пришедшей мне на помощь, но отчего-то кажется, что мы могли бы стать с ней лучшими подружками.

На даче стояла пронзительная тишина. Закрытые двери украшала записка:

«Лампа, не смей завтра никуда ездить, приказываю сидеть дома, приду в полдень, если обнаружу, что сбежала, плохо будет. Володя».

Скажите, пожалуйста, какой злобный и неучтивый. «Не смей, приказываю. Плохо будет...» Да назло тебе исчезну прямо с раннего утра, можешь лопнуть от досады!

— Лампуша! — раздалось со двора.

Игорь Серафимович махал из «Мерседеса»:

— Где Ребекка?

Я удивленно посмотрела на него.

— У себя дома.

Гарик заметно расстроился, но постарался не подать вида.

— Очень хорошо, давай спокойно чай попьем.

Мы сели на веранде, я вытащила вишневое варенье. Гарик набил кружку до половины сладкими ягодами и пробормотал:

— Красивая баба эта Ребекка.

— Точно, — ухмыльнулась я, — как картинка.

— И умная.

— Опять угадал.

— Похоже, что не злая, — бубнила «нефтяная труба», старательно дуя на чай, — девчонку пожалела, Фросю.

— Очень тебе подходит, — серьезно ответила я, пытаясь скрыть улыбку, — у вас вкусы одинаковые, еще в «Трех китах» я внимание обратила, вам одинаковая мебель нравилась.

— Она мне сама понравилась, — с тяжелым вздохом сообщил Гарик.

— Так в чем же дело? Начинай атаку по всем флангам: цветы, конфеты, билеты...

— А ты как к этому отнесешься?

— В качестве друга ты меня устраиваешь целиком и полностью, замуж за тебя я никогда не собиралась. Бекки — хорошая партия.

— Да, — прогудел олигарх, — только...

— Что?

— Не слишком я умею ухаживать.

— Не идиотничай.

— Правда. Занят под завязку. Сначала в институте учился, не до женовства было, затем карьеру делал, потом перестройка, в бизнес подался.

— Ты что, без женщин жил, монахом?

— Ну нет, конечно. Все просто в последние годы устраивалось. Сначала Романа к понравившейся даме отправлял, если та не прочь, подарок куплю — и вперёд. Правда, мне они через две недели надоедают, в карман глядят, а в глазках, как в окошке калькулятора, цифры скачут. Что-то другие не попадались. По молодости, правда, бегал в кино, потом перестал.

— Ты не в том кругу спутницу жизни искал. Только не вздумай к Бекки Романа подсылать!

— Ну что я, совсем идиот?

Я промолчала, на мой взгляд, несмотря на крайнюю удачливость в бизнесе и миллионы, Гарик — сущий кретин.

Телефон, по которому я надеялась разузнать хоть что-нибудь о Викторе, молчал, там не работал даже автоответчик. Отчаявшись дозвониться, я решила отыскать адрес этих людей, сделать это можно было через телефонную станцию.

Утром я решительно набрала 09.

— У меня сломался телефон, куда обратиться?

— На телефонный узел, — приветливо ответила служащая.

— Не знаю, какой у меня...

— Назовите первые три цифры.

— 151.

Девушка помолчала и сообщила:

— Записывайте.

Обрадовавшись, что начальная часть операции прошла успешно, я, потратив почти целый час, дозвонилась до телефонного узла, узнала адрес и отправилась в Москву.

Прикинувшись злостной должницей, в которой проснулась совесть, я уточнила, где находится отдел расчетов, и поднялась на третий этаж. Довольно пожилая женщина, одетая в простую кофту из марлевки, устало спросила:

— В чем проблема?

В комнате стояла дикая духота, и я почувствовала, как по спине потекла струйка пота.

— Понимаете, я разыскиваю одного человека, знаю его телефон, а адрес нет.

— Ну и при чем тут я? — вздохнула служащая.

— У вас есть адреса абонентов?

— Ступайте в Мосгорсправку.

— Так он Иванов Николай Петрович...

— Идите в милицию!

— Меня оттуда уже выгнали, — грустно сказала я.

— Ничем помочь не могу, — отрезала женщина, — тут не адресное бюро, и потом, я не имею права давать такую информацию. Представляете, что начнется, если каждый сотрудник телефонного узла...

Я повернулась к двери и пробормотала:

— Все, теперь только из окна осталось прыгнуть!

— Подождите, — испугалась телефонистка, — что случилось?

Старательно удерживая на лице выражение измученного кролика, я начала сочинять историю.

Познакомилась с мужчиной в метро, то да се, возник роман. Целых два месяца не расставались, а вчера любовник прибежал ко мне на работу и попросил до вечера шестьдесят тысяч рублей, я сижу на кассе в ГУМе. Ну я и дала ему, что просил, а он к концу смены не явился. Спасибо, заведующая, добрая тетка, не стала поднимать шума. Недостачу покрыли всем коллективом, просто сложились, но я должна до понедельника вернуть деньги. Любимый мужчина как в воду канул, наверное, попал под машину или заболел... Адреса я не знаю, только телефон, встречались мы всегда исключительно на моей территории... Последняя надежда была у меня на телефонный узел, ну попробуйте найти в Москве Иванова Николая Петровича без информации о годе рождения и примерном месте проживания? Дадут список из двухсот человек, жизни не хватит всех объехать!

Честно говоря, история хромала на обе ноги и была не слишком логична, но служащая тяжело вздохнула и включила компьютер.

— Дуры мы, бабы, — пробормотала она, открывая

нужный файл. — Учит нас, учит жизнь, а все зря! Шестьдесят тысяч! Зарплата-то у тебя сколько?

— Две с половиной!

— Охо-хо, — вздохнула тетка, — ну пиши: «Ратниковский проезд, д. 24, кв. 129». Только, сдается, твоя любовь немного правды рассказала. Телефончик-то зарегистрирован на владелицу квартиры Комарову Маргариту Семеновну, 1970 года рождения. Уж извини, коли расстроила.

— Спасибо, большое спасибо, — бормотала я, пятясь в коридор, — мне бы только денежки назад получить, а потом выгоню гада взашей.

— Правильно мыслишь, — отозвалась служащая. — Да в другой раз соображение имей, на улице не знакомься.

— Не буду, — пообещала я и, перепрыгивая через ступеньки, понеслась вниз.

Ратниковский проезд оказался в двух шагах, надо было лишь пересечь большую площадь, на которой вольготно раскинулся оптовый рынок.

Проходя между рядами, я с тоской оглядывала горы продуктов, лежащих на самом солнцепеке. К сожалению, я не принадлежу к самым обеспеченным слоям общества. Я — так называемый российский средний класс, то есть человек, живущий в месяц на фиксированную сумму и собирающий деньги на отдых и ремонт квартиры. Вроде бы для таких людей и созданы оптушки, дающие возможность купить продукты на пару рублей дешевле.

Но сколько раз я сталкивалась с обманом! Килограмм сыра, купленный у бойкой хохлушки, всегда весил восемьсот граммов, свеженькие, приятно пахнущие сосисочки угрожающе зеленели, лишь только я вытаскивала их на кухонный стол, в пачке чая обнаруживалась мелкая коричневая труха, менее всего напоминавшая благородный лист, а собачий корм неаппетитной кучкой лежал в мисках. Животные — не люди и есть пакость никогда не станут. Поэтому теперь я делаю покупки только в супермаркетах и, хотя переплачиваю за товар, все равно оказываюсь в выигрыше.

Но людей, посещающих оптушку, много, и я пробиралась сквозь густую толпу, старательно отворачиваясь от рыбных палаток, издававших нестерпимую вонь.

Дом 24 стоял последним — большая кирпичная башня с огромными лоджиями. Здание резко выделялось на фоне других: серых, блочных, унылых.

Подъезд щетинился домофоном. Я набрала сначала 29, потом 029, затем 129, но никакого ответа не последовало. По счастью, дверь вдруг открылась, и из нее вышел приятный молодой человек. Обрадовавшись, я проскользнула внутрь и налетела на лифтершу.

— Минуточку, — грозно рявкнула она, — вы к кому?

— В 129-ю.

— И кто нужен?

— Комарова Маргарита Семеновна.

— Адрес где взяли?

— Послушай, — вышла я из себя, — тебе анализ крови не нужен? Не стесняйся, проси. Схожу в поликлинику и принесу.

— Я выполняю постановление общего собрания жильцов, — рявкнула консьержка, — никто не хочет, чтобы по этажам бомжи шлялись и коробейники!

— Интересное дело, я же сказала, в 129-ю, к Комаровой!

— Рита вместе с мужем уже два месяца как уехали на работу в Африку, — спокойно объяснила дежурная, — муж у нее шофером при посольстве служит, а она медсестрой. Квартиру сдали иностранцам, супружеской паре из Германии, очень приятные, аккуратные люди, но по-нашему ни бельмеса. Я им «Здравствуйте», а они мне «Гутен морген», вот и весь разговор. Так что опоздала ты, милая, в гости!

— Надо же, — пробормотала я, — давно не созванивались, а тут шла мимо, дай, думаю, загляну.

— Придется тебе идти дальше, — заявила вредная

бабка и, увидев, что в подъезд проникает группа парней, сразу потеряла ко мне интерес.

— Эй, эй, вы куда?

Я вышла на улицу и в растерянности села на скамейку. Все. Конец.

ГЛАВА 29

На дачу я приехала полубольная, даже фруктов не купила детям. Никогда еще до сих пор в моей жизни не было такой сокрушительной неудачи. Сейчас быстро приму душ, смою с себя городскую пыль, лягу в гамак, который Кирюшка предусмотрительно повесил в приятной тени, и попробую слегка раскинуть мозгами.

— Ну, — пробормотала я, входя на террасу, — что произошло? Отчего все дома с кислыми лицами?

— У нас несчастье, — вздохнул Кирюшка.

— Жуткая беда, — всхлипнула Лизавета.

— Катастрофа, катастрофа, — словно хорист, сопровождающий постановку греческой трагедии, запричитал Костик, — катастрофа, катастрофа...

Я окинула компанию быстрым взглядом. Дети странный народ. Упадут с велосипеда, собьют ноги до костей и весело пьют чай, оставляя на полу кровавые капли, но потеря фантика от жвачки может заставить их прорыдать больше часа.

— И что же случилось?

— Там, — всхлипнул Костя, — в коробке из-под ботинок, в углу.

Ничего не понимая, я сняла крышку и ахнула:

— Господи, как это вышло?

На розовом посудном полотенце лежал кролик Яшка, вернее то, что осталось от несчастного грызуна.

Генерал Рябов не слишком-то любит домашних животных, поэтому у его детей никогда не было собак, кошек, черепашек или хомячков. Но несколько лет тому назад кто-то подарил Костику белого ангорского кролика, хорошенького и умильного. И тут с бравым воякой что-то приключилось. Стоило один раз услышать, как он, шинкуя капусту на кухне, ругается: «Ну купили кочан! Жесткий и совсем не сочный, Яшеньке не понравится. Нет, из этой капусты пусть Татьяна Ивановна нам щи сварит, а я кролику лучше киви дам», — и становилось понятно: Яша занял в сердце старика то место, которое не удалось заполнить ни сыну, ни невестке, ни внуку. К слову сказать, кролик был очень умненький, ходил по даче, как кошка, и на ночь забирался в свою клетку.

И вот сейчас тельце Яшки, перемазанное землей, лежало передо мной.

— Как такое произошло?

— Это Рамик, — пояснил Кирюшка, — сидим мы в гостиной, смотрим телик, на улице очень жарко, выходить неохота. Вдруг, смотрим, приходит Рамик, а в пасти Яшку держит.

Я похолодела.

— Если дед узнает, что Рамик придушил кролика, — озвучил Костя мысль, которая пришла мне в голову, — он никогда с вами разговаривать не станет!

— И тебя к нам не пустит! — вздохнула Лиза.

— Оперативную связь отберет с пистолетом, — проныл Кирюшка, — что теперь делать, ума не приложу!

— Может, ничего ему не рассказывать? — предложила Лизавета. — Пусть думает, что Яшка убежал...

— Не, — покачал головой Костя, — кролик только по саду ходил, у дома, боязливый был очень. Чуть где шум, мигом в клетку... И потом, деда жаль, начнет Яшку по поселку искать, с фонарем бегать... Нет, надо сознаться, неохота, но надо.

— Единственное, что я думаю, — задумчиво пробормотала Лиза, — может, сказать, дворовая собака украла Яшу и удушила, а Рамик, молодец, отбил труп и принес домой, чтобы похоронили?

— Так он и поверит, — хихикнул Кирюшка, — дед хоть и старый, но ведь не идиот!

— Ой, горе, — запричитал Костик, — ой, беда!

— Заканчивай стонать, — велела я, — давайте живо в машину!

— Зачем? — удивились все.

— На рынок поедем. Во Внуково, там кроликами торгуют, если повезет, такого же купим и в клетку подсадим.

— Да, — нудел Костя, — Яшка на имя откликался!

— Ничего, ничего, — бормотала я, запихивая детвору в «Жигули», — скажешь: от жары у кролика рассудок помутился. Дедушка поверит, ничего странного в этом нет. У меня самой в мозгах полная каша, все забываю, чего же от кролика ждать!

На рынок мы влетели, когда многие торговцы уже складывали свой товар.

— Вот они! — заорала Лизавета, тыча пальцем в большую железную клетку, забитую пушистыми длинноухими.

Нашелся в стае и снежно-белый кролик. Дети начали придирчиво разглядывать животное.

— Яшка был больше, — заметил Костя.

— У него на ухе черное пятно, неровное такое, — уточнил Кирюшка.

— Но в целом похож, — заявила Лиза.

— Берем, — приказала я, — сколько?

— Но он меньше Яшки! — бурчал Костик.

— Другого все равно нет. Скажешь деду, что от жары ссохся, — ответила я, расплачиваясь.

— А пятно? С пятном как?

На секунду я призадумалась, потом махнула рукой:

— Будет вам пятно, какое оно было, коричневое?

— Черное.

— Ну так поехали!

— Куда?

— В супермаркет «Перекресток».

— Зачем?

— За краской.

На стеллажах в хозяйственном отделе стояло неимоверное количество коробочек, баночек и флаконов.

— Нам не сюда, — вздохнула Лиза, — а вон туда, в краски для волос.

У полок скучала продавщица. Я порылась среди тюбиков и спросила:

— Черная краска есть?

— Конечно, вот там в корзине, ее нечасто берут, — словоохотливо затараторила девушка, — только зачем вам черный? Очень старит. Лучше светло-русый...

— Нам кролика красить, — объяснила Лиза, — скажите, эта краска подходит для грызуна?

Продавщица уставилась на девочку во все глаза.

— Понятия не имею, а зачем кролика красить?

— Сложно объяснить, — ответила я.

— Купили сплошь белого, — радостно пояснил Костик, — а нужен с пятном на ухе.

— А-а-а, — затравленно протянула девушка.

— Берем эту, — решительно заявила я, хватая «Бель колор», — вот написано: «Для чувствительной кожи и нежных волос, без перекиси, стойкий эффект, плюс бесплатные перчатки».

Дома мы завернули крольчонка в толстое махровое полотенце, оставив снаружи только голову с нервно вздрагивающим носом и длинными ушами. Несчастное животное, очевидно, решило, что попало в руки к сумасшедшим, потому что сидело тихо-тихо, не издавая ни звука.

Очень аккуратно, кисточкой для акварели мы нанесли на розовенькое ушко черную кашицу и выждали двадцать минут. Затем для пущего эффекта вымыли всего грызуна детским шампунем.

— Класс, — завопил Костик, — как две капли похож, только меньше!

— Не беда, — ликовала Лизавета, — дядя Олег старый, не заметит!

— Вот что, — приказала я, — тащите лже-Яшку к Рябовым, посадите в клетку да заприте снаружи, чтобы не сбежал, а настоящего похороните у нас на участке, у забора.

— Ты, Лампуша, позвони дяде Олегу, — попросил

Кирюшка, — ну поболтай с ним о здоровье, о том о сем, чтобы ненароком он не заметил, как мы этого несем.

Минут двадцать я выслушивала жалобы генерала на жару, высокое давление, шумных детей и полное отсутствие аппетита. Наконец ребята прискакали назад и заорали:

— Порядок, сидит как миленький, мы купаться идем!

— Поздно уже.

— Ты чего, Лампуша, — загундосил Кирюшка, — полдня упустили из-за кролика, измучились, ну отпусти...

— Ладно, но чтобы в двадцать два ноль-ноль сидели на веранде.

В доме наступила пронзительная тишина. Рамик, наказанный за разбой, убежал в сад и лежал теперь под кустом жасмина; Рейчел тоже предпочла остаться на свежем воздухе и раскинулась в тени большой старой ели, под столом, на котором дети играют в пинг-понг. Мопсихи залегли на диван, кошки устроились на подоконнике. Я включила чайник, тихий июньский вечер опустился на дачу. В голове не было ни единой мысли, думать не хотелось ни о чем. Я плюхнулась в кресло и расслабилась.

«Дзынь, дзынь», — раздалось из подушек.

Сначала я не хотела отзываться, дети на речке, а больше ни от кого звонков я не жду, но телефон звонил настойчиво, как-то тревожно, и руки сама собой потянулись к аппарату.

— Евлампия Андреевна, — прошелестел генерал Рябов, — слава богу, дозвонился. Вы, наверное, спать легли, извините.

— Ничего, ничего, просто я телевизор смотрела и не услышала сразу.

— Дорогая моя, зайдите к нам, пожалуйста, очень вас прошу.

— Что случилось?

— Кажется, я умираю, плохо очень.

Я вылезла в окно и понеслась к Олегу Константиновичу. У генерала уже был один инфаркт, а эта дикая жара хоть кого доконает!

Но, когда я в сопровождении возбужденных собак влетела к Рябовым, Олег Константинович сидел на веранде.

— Немедленно ложитесь, сейчас я вызову «Скорую», где болит, под лопаткой?

— Нет, Евлампия Андреевна, с сердцем порядок, с головой совсем плохо, — дрожащим голосом произнес старик, — галлюцинации у меня, все, наверное, маразм начался... Вот, смотрите, кто это?

— Кролик, — осторожно ответила я, — а что?

— Значит, вы его тоже видите?

— Конечно, что же тут страшного? Или вы забыли? Да ведь это Яша, живет у вас уже не первый год.

— Теперь пощупайте, сделайте милость, он живой?

— Но он ест, — спокойно сообщила я, — а почему это вас так удивило?

— Понимаете, дорогая, — прошептал генерал, — вчера вечером Яшенька умер, вполне благополучно, от старости, без мучений, просто заснул. Мне ветеринар еще в мае сказал, что он очень дряхлый, в пересчете на человеческий возраст старше меня будет.

Генерал расстроился и похоронил любимца возле забора, разделяющего наши участки. Косте он ничего пока не сказал, хотел подготовить внука, мальчишка тоже любил Яшку. Весь день у Олега Константиновича было отвратительное настроение, даже передача «Герой дня» его не развеселила, даже новости, показавшие очередную драку между Жириновским и Немцовым, не доставили удовольствия. Да к тому же, проходя на кухню, генерал постоянно натыкался взглядом на пустую клетку и пил валокордин.

— Ей-богу, как человека потерял, — объяснял он мне.

Примерно полчаса назад Олег Константинович, побеседовав со мной по телефону, отправился ставить чайник, со вздохом посмотрел на клетку и обмер. Внутри сидел абсолютно здоровый Яшка и грыз морковку.

Рябов закрыл глаза, перекрестился, потом вновь уставился на проволочный ящик. Глюк не исчез. Кролик по-прежнему быстро двигал ушами.

На мягких ногах Олег Константинович добрался до забора и увидел... разрытую могилку и кучу следов.

— Значит, он ожил, — вещал генерал, — выбрался наружу, пришел домой, сел, как всегда, в клетку и запер ее за собой на задвижку?

— Бывает, — робко проблеяла я, — летаргический сон, случается в природе.

— Но как он закрыл защелку?

— Небось сама упала...

— И потом, — задумчиво пробормотал Рябов, — вроде Яшенька мельче стал, зубы опять все на месте и на имя не откликается. Яша, Яша... Вот видите? А раньше, как собачка, бежал.

— Понимаете, — как можно более убедительно завела я, — такое случается и с людьми. Летаргический сон часто приводит к потере памяти. А насчет того, что меньше стал... Ну прикиньте, какой шок испытал Яша, поняв, что похоронен заживо, вот он и похудел от переживаний!

— Да? — весьма недоверчиво осведомился Рябов. — Вы так считаете, но смотрите, какой он чистенький...

— Облизался, эка невидаль!

— А зубы, клыки-то новые выросли!

Тут мое терпение лопнуло, признаться в содеянном я никак не могла, поэтому решительно заявила:

— Вот что, Олег Константинович, вы человек трезвых взглядов, атеист, поэтому и не можете поверить в происходящее.

— Но согласитесь, дорогая Евлампия Андреевна, это очень странно!

— Вовсе нет, хотите принесу почитать газетки «Тайная власть», «Оракул» и «Невидимая сила», там полно рассказов про подобные случаи.

— Да ну!

— Точно, — вдохновенно, словно протестантский

проповедник, вещала я. — Вы ведь небось сегодня весь день Яшку вспоминали, переживали, расстраивались...

— Ужасно, — подтвердил генерал, — можно сказать, единственного друга потерял.

— Ага, — возликовала я, — его душа услышала ваши страдания, а поскольку Яша тоже очень любит вас, то он материализовался в обновленном, так сказать, варианте, чтобы прожить около вас еще один свой земной срок! Такое иногда случается, редко, правда, но бывает. Ну гляньте, это же он, даже пятно точь-в-точь то самое.

— Действительно, — пробормотал вконец одураченный военный.

— А имя он через недельку-другую вспомнит...

— Иди сюда, — ласково позвал генерал и вытащил кролика из клетки.

То ли тот от природы обладал миролюбивым характером, то ли несчастный грызун был утомлен страшно тяжелым днем с баней и покраской, но он совершенно не сопротивлялся.

Рябов поднял зверька на уровень своего лица и спросил:

— Ну, Яшенька, это ты?

Вдруг кролик вытянул передние лапки, мягко обхватил Олега Константиновича за щеки и приблизил свой крохотный розовый носик к его губам.

В глазах старика заблестели слезы. Изо всех сил прижимая к груди вновь обретенного любимца, Олег Константинович сказал:

— Это он! Только Яшенька проделывал подобный фокус, только он меня так целовал.

— Ну видите, — обрадовалась я, — теперь дайте ему вкусненького.

— Яша, Яша, — забормотал Рябов, протягивая крольчонку кусок яблока.

Тот не стал кривляться, а мигом схватил угощение.

— Яшенька, — умилялся Олег Константинович.

Зверек поднял голову и глянул на старика.

— Он вспомнил! — закричал генерал.

Я пошла к двери. Слава богу, что крольчонок оказался понятливым, надо только будет предупредить его сына и невестку, а то засмеют беднягу, или нет, лучше...

— Олег Константинович, только никому, ни одной душе не рассказывайте о воскрешении Яшки, а то мало ли...

— Нем, как могила, — пообещал старик, — Евлампия Андреевна, а вы не дадите мне эти газетки почитать? Жена-покойница верующая была, в церковь тайком бегала, по прежним годам-то не приветствовалась вера в бога. А я, грешным делом, смеялся над ней, теперь вижу — все правда, умрем и воскреснем на Страшном суде.

Я понеслась домой и приволокла Костиному деду несколько изданий. Надо же, как здорово вышло! Кажется, Олег Константинович совершенно счастлив!

Дети прикатили с речки около девяти и набросились на котлеты. Прощенный Рамик тоже получил хороший кус свежего мяса.

Порадовавшись еще немного, они полезли на чердак и загремели «военно-оперативной» связью.

Я вытянулась на белом диване, через час можно загонять их в постель... И тут зазвонил телефон.

— Лампа, — прозвучал нервный голос Ребекки, — я сейчас приду.

— Что-то случилось?

Но Бекки уже бросила трубку. Очень взволнованная, я вышла за ворота и побежала по тропинке. Навстречу торопилась Ребекка.

— Что произошло? — выкрикнула я.

Бекки оглянулась:

— Хорошо, что ты вышла, давай тут сядем.

Мы устроились на поваленной березе, и Ребекка сказала:

— Прошу тебя, не волнуйся, мне только что звонил Николя...

— Ну да! Адвокат пронес в тюрьму сотовый?

— Нет, он убежал.

— Как убежал? Из Бутырской тюрьмы? Но это невозможно!

Бекки пожала плечами.

— Сказал, что сумел удрать, а как, не уточнил. Сейчас он прячется где-то.

— Ты уверена, что разговаривала с Николаем?

— Конечно!

— Абсолютно?

— Да, он сказал: «Здравствуй, Плюшка!» Меня так в детстве звали за то, что я могла съесть целый противень свежих булочек. Уже лет двадцать, как ко мне никто так не обращался. Я об этом прозвище никому не рассказывала, потому что оно мне жутко не нравилось, я даже плакала маленькая. Нет, это только Николя... И потом...

— Ну?

— Он сказал, что сумел удрать, потом заявил: «Я ни в чем не виноват, ей-богу, просто жертва каких-то жутких совпадений, сам не пойму, как это получилось».

— Я знаю.

— Ты?!

— Потом, сначала ты расскажи.

— Он хочет уехать за границу. Просит привезти его загранпаспорт, назначил встречу. Кстати, это еще одно доказательство, что я разговаривала с Николаем, хотя ни минуты не сомневалась и до этого. Он сообщил место, где хранится документ, в его кабинете на даче, и сказал шифр замка сейфа.

— И до чего вы договорились?

— Он перезвонит на мобильный через час и скажет, куда подъехать.

— А почему он сам не хочет заехать и взять документы?

Бекки на меня вытаращила глаза:

— Но он не может! Боится всех, кроме меня, нас всегда связывала дружба, даже любовь. С Андре и Сержем у меня не слишком сложились отношения, но с Николя...

— Как же он улетит за рубеж? Небось милиция уже объявила тревогу!

— Понимаешь, он сказал, что в тюрьме его еще долго не хватятся.

В этот момент раздалась бодрая трель.

— Да, — выкрикнула Бекки, — слушаю!

В мембране противно запищало.

— Извини, Лена, — пробормотала Ребекка, — я в ванной, перезвоню через час.

Воцарилась тишина. Мы сидели на березе обнявшись и ждали. Но, несмотря на тревожное ожидание, звонок застал нас врасплох.

— Да, — заорала Ребекка, — это я, да, говори, Николя, говори! Да, да, да...

— Ну что, что? — в нетерпении выкрикнула я.

— В четыре утра на Боровском шоссе, там есть брошенный пионерский лагерь «Звездочка».

— Господи, как он туда доберется в это время?

— На своем джипе, естественно!

— А где он его взял?

— Автомобиль все время стоял у подъезда нашей городской квартиры, честно говоря, про него забыли.

— Как же он добрался накануне своего ареста в Алябьево?

— На такси.

— Почему не на джипе?

— Все просто, он был у приятеля на дне рождения, тот наш сосед живет в другом подъезде. Николя хотел выпить, вот и не сел в джип.

— Странно как-то.

— Что?

— Зачем ехать посреди ночи на дачу, когда можно переночевать в городе, без нервов!

— Ой, да какая разница! — отмахнулась Ребекка.

— Вот что, — сказала я, — слушай, поступим так...

ГЛАВА 30

На место встречи я прибыла загодя, примерно в полтретьего, и спрятала «Жигули» за одним из полуразрушенных домиков. Пионерский лагерь, наверное, принадлежал в свое время военной организации, потому что повсюду были натыканы стенды с полустертыми надписями: «Служба в рядах Советской Армии — почетная обязанность» и «Умей защитить свою Родину».

Стояла темнота, самый страшный час суток, между волком и собакой. Говорят, именно в это время большинство людей покидает этот мир, но большинство и рождается около четырех утра.

Стараясь не клацать зубами, я хотела сначала закурить, но потом передумала. Огонёк сигареты виден издалека, да и дым можно почуять.

Внезапно раздался грохот и показался свет фар. На площадку между домиками въехал «Рено Меган» Ребекки. Она припарковалась возле полуободранной статуи гипсового пионера с горном в руке и открыла дверь. Послышалась тихая музыка, потом четкий голос:

— В Москве четыре часа утра. На волнах «Русского радио» музыка театра и кино.

«А нам все равно, а нам все равно, твердо верим мы...» — понесся хрипловатый баритон Юрия Никулина.

Я вздохнула, совершенно не понятно, почему эта незатейливая песенка имеет такой сокрушительный, просто обвальный успех!

«Ш-ш-ш» — донеслось из кустов, и на площадку выехал громадный джип, темно-синий или черный, а может, и зеленый. Во всяком случае, цвета было не разобрать в темноте. Хлопнула дверца.

— Привезла? — спросил Николай.

Ребекка протянула ему конверт. Она стояла, облокотившись на «Рено», фары джипа, мощные фонари, ярко освещали ее субтильную фигурку, затянутую в джинсы и светлую кофточку.

— Давай, — велел брат.

— Расскажи хоть какие-нибудь подробности, — попросила Бекки.

— Некогда, — отмахнулся он, шагнул к джипу, потом внезапно повернулся, и я увидела в его руке какое-то странное тупое оружие, похожее на пистолет с большой нашлепкой вместо ствола.

Мои руки действовали быстрее разума. Включив дальний свет, я заорала как ненормальная:

— Бекки, падай, он сейчас тебя убьет!

Ребекка рухнула как подкошенная за «Рено Меган» и быстро-быстро по-пластунски поползла в густые заросли. Через мгновение она пропала с освещенного участка, скрылась в кромешной темноте, обступившей машины со всех сторон.

Свет фар моих «Жигулей» ослепил Николая, он невольно прикрылся рукой, потом начал стрелять. Выстрелы были странно-тихие, словно щелчки. Раз, два, три, четыре... Интересно, сколько у него патронов?

— Виктор, — закричала я в наступившей тишине, — не тронь Ребекку, она ничего не знает! Тебе нужна я! Поймай, если сможешь! Мне-то известно все, Виктор Славин!

С этими словами я поддала газу и пролетела мимо ошарашенного мужика словно фурия. В свете фар проявилось лицо брата Николая, чисто выбритое, слегка растерянное.

Я выскочила на шоссе, вдавила правую педаль до упора. Бедный «жигуленок» никогда не летал с подобной скоростью, хорошо еще, что на шоссе редко попадались машины, оно было почти пустым, и я неслась прямо посередине, замирая от страха. В голове билась только одна мысль: что же теперь делать? Когда я отвлекала Виктора Славина от Ребекки, то действовала инстинктивно, желая ее спасти, еще бы секунда, и этот подонок убил бы сестру. Именно это я и подозревала, кстати, услыхав о странном месте встречи, именно поэтому и решила подстраховать подругу. Да, да, Бекки стала мне подругой, это произошло как-то незаметно. Так случилось, а друга в беде я бросить не могу.

Но теперь-то что делать? Сзади замаячили фары. Виктор недолго находился в растерянности и нагонял мой «жигуленок». Его джип намного мощнее... Господи, помоги!

Вдруг впереди показался магазин, правда, закрытый. Я заехала за здание и затаилась. Дорога в этом месте делает крутой поворот, авось Виктор подумает, что... «жигуленок» свернул, и кинется в погоню.

Так и вышло. С диким ревом джип ушел влево. Я понеслась вперед и, едва живая от пережитого, влетела в ворота дачи.

Дом встретил меня полной темнотой, что абсолютно неудивительно. Готовясь к ночному рейду, мы с Ребеккой, чтобы избавиться от излишне болтливых детей, отправили Лизу и Кирилла к Норе, якобы для того, чтобы полакомиться пирогом с ягодами, а потом переночевать там. Радостные подростки подхватили собак и убежали. Дача была пуста.

Чтобы прогнать страх, я зажгла свет во всех комнатах. Несмотря на то что на улице уже рассвело и ласковое солнце, обещавшее жаркий день, начало свой путь по небосклону, в доме еще царил полумрак.

Так, теперь нужно позвонить Володе и рассказать, что Виктор собирается покинуть Россию, пусть пришлет в Шереметьево ОМОН... Понятно, почему он сказал, что в Бутырской тюрьме его не хватятся. В сизо сидит несчастный Николай, а Виктор, пользуясь редким, почти фотографическим сходством с братом, собирается преспокойненько использовать его паспорт...

Ну где же эта трубка! У нас крохотный радиотелефончик «Филипс». Лиза частенько путает его с пультом от телевизора и оставляет где попало: в кресле, на диване, на столике, между книгами. Я металась по гостиной и вдруг услышала тихие шаги на террасе.

Чувствуя, как желудок превращается в ледяной ком, а горло перехватывает железная рука, я глянула в окно. Во дворе сверкал глянцевыми боками джип. Как он узнал, где я живу? Куда деваться? Где телефон?

Шаги тихо звучали на веранде. Понимая, что бежать мне некуда, я ринулась к окнам. Но нет! Выпрыгнуть нельзя, убийца увидит меня и мгновенно выстрелит. Надо спрятаться, но где? Чердак!

Быстрее ветра я взлетела на самый верх, подтащила к двери чердака старый стол и забаррикадировалась. В дырку в полу я увидела, как Виктор очень тихо, держа в руках пистолет, ходит по комнате. Ну и глупость же я сделала! Телефона нет, сообщить никому о том, что в доме убийца, я теперь не могу. Рано или поздно Виктор догадается о наличии чердака, и тогда... нет, лучше не думать... Эх, надо было вылезти через окно спальни и бежать к генералу Рябову. Генерал! «Военно-полевая» связь!!! Я схватила трубку и бешено закрутила ручку. Ну, проснись же, Олег Константинович, проснись!

— Да, — рявкнул генерал, — Кирюшка, Лиза, с ума посходили! Ночь на дворе, семь утра!

— Олег Константинович, — зашипела я, — слышите?

— Великолепно, — отозвался генерал, — что случилось, Евлампия Андреевна, вы не спите?

— Меня хотят убить, по дому бродит киллер с оружием, скорей сообщите в милицию, я спряталась на чердаке, но он меня сейчас найдет.

— Есть! — ответил генерал и отсоединился.

Вот это военная выучка, никаких вопросов или ненужных оханий, моментальная, четкая реакция. Только бы милиция поскорей приехала...

На лестнице, ведущей на чердак, послышались осторожные шаги. Я юркнула в старый, рассохшийся гардероб, выбросить который рука не поднималась ни у кого из домашних, и закрыла глаза.

— А ну бросай оружие, подонок! — загремел внизу голос.

Послышался выстрел, сначала тихий, потом еще один, оглушительно громкий, крик, следом звук, глухой, такой, словно на пол упал мешок с мукой...

Дверь на чердак, несмотря на тяжелый стол, подпиравший ее, легко отворилась.

— Евлампия Андреевна, — бодро крикнул Рябов, — выходите!

Я высунулась из шкафа. Посреди чердака стоял генерал с огромной «пушкой» в руках.

— Олег Константинович!!! — взвыла я. — А где Виктор?

— Этот тот, который хотел убить вас? — спокойно

спросил генерал. — Под лестницей валяется, без сознания. Я ему правую ногу и правую руку прострелил. Нет, есть еще порох в пороховницах! Метко вложил, впрочем, оружие у меня всегда в порядке, наградное. Мне его Георгий Константинович Жуков лично вручил, стоящая вещь, «наган», не пукалка какая-нибудь! Ну что за молодежь слабая пошла! У меня сколько ранений, ни разу в обморок, как баба, не падал, с простреленной рукой сам в санбат дотопал, а этот... Тьфу!

Он замолк и поинтересовался:

— Евлампия Андреевна, вам плохо?

— Нет, — прошептала я, — мне очень хорошо.

В наступившей тишине вдруг возник высокий, воющий звук, и во двор влетели машины. Ну не идиоты ли! Зачем носиться с сиреной по спящему поселку? А уж народу прикатило. Из микроавтобуса горохом посыпались люди. Вот они зашагали по дорожке, и первым со злым, нервным выражением на лице двигался Володя Костин. Я перевела взгляд. Из «Волги» вылезла женщина, та самая, что дотащила мои «Жигули» до бензозаправки.

— Лампа, — прогремел майор, — а ну поди сюда, немедленно!!!

Став ниже ростом, я сползла по лестнице и, стараясь не смотреть на стонущего Виктора Славина, над которым склонился врач, спросила:

— Чего тебе?

— «Чего тебе», — передразнил майор, — ну погоди, ну погоди, ну погоди...

Что это с ним, как заело, никак не договорит до конца.

Лихая автомобилистка вошла в комнату. Сегодня она опять была в джинсах и светлой футболке.

— Привет, — сказала женщина, — рада найти тебя живой, ты мне понравилась, ну что, больше не забываешь на датчик бензина поглядывать?

Я разинула рот и бесцеремонно поинтересовалась:

— Слышь, Володя, а это кто?

Костин, пробормотав последний раз «ну, погоди», неожиданно спокойно ответил:

— Майор Мартынова.

— Разрешите представиться, — хмыкнула дама, — Ксения Михайловна, впрочем, можно без отчества. Для тебя я Ксюша.

— Лампа, — пробормотала я, — просто Лампа.

— Знаю, наслышана, — улыбнулась она, в ее голубых глазах запрыгали чертики, — ты мне понравилась, ей-богу.

— Ты мне тоже!

— Ведьма ведьму видит издалека, — сообщил входящий Слава Самоненко, — привет, Лампец-молодец, опять отличилась? Молоток, у Костина чуть инфаркт не приключился. Давай, говорю, возьмем Лампуделя в отдел, отличный работник выйдет, ну глуповата чуток, ну лезет, куда не надо, ну мешает всем, зато какой энтузиазм, какая работоспособность. Какая смелость...

— Заткнись! — рявкнул Володя и велел: — Всем за работу, Лампа, иди на веранду!

— Но... — попыталась вякнуть я.

— Молчать! — завопил приятель так, что рюмка, стоявшая на буфете, жалобно тренькнув, распалась на две части.

— Иди, иди, — шепнула Ксюша, — видишь, начальство озверело, сейчас всем мало не покажется.

— Идиоты, — бушевал Володя, — кретины, ну погодите, ну погодите, ну погодите!

Не понимая, отчего он так взбесился, я прошла на веранду и села в кресло. С места не сдвинусь, пока он не извинится. Вдруг с улицы послышалось шуршание, в ворота влетел «Рено Меган» с помятыми крыльями. Не говоря ни слова, Ребекка ворвалась на террасу, схватила меня в охапку и прижала к своей груди. Я уткнулась носом в ее дивно пахнущие французскими духами волосы и ощутила, что наши сердца бьются в унисон. Странно, однако, складывается судьба, вот уж не думала, что встречу такую подругу.

ГЛАВА 31

Прошло несколько дней, наполненных невероятными событиями. В пятницу Володя приехал в Алябьево и, устало шлепнувшись на веранде на диван, сказал:

— Глаза бы мои тебя не видели.

«Уши бы мои тебя не слышали», — хотела парировать я, но прикусила язык. Очень уж измученным выглядел Костин. Из гостиной вышла Ребекка. За последние дни она осунулась, похудела, на ставшем маленьким личике горели лихорадочным огнем огромные блюдца глаз.

— Я имею право знать правду, — твердо заявила она.

Володя кивнул:

— Да, естественно.

— Вы расскажете, что произошло?

— Садитесь, Бекки, — ласково произнес майор, потом перевел глаза на меня и добавил: — Устраивайся, Лампудель.

— Ты больше не сердишься, — обрадовалась я.

— Какой смысл злиться на ворону, когда она пикирует на червяка, — вздохнул Володя.

Я хотела было поинтересоваться, на кого, ворону или червяка, смахиваю я, по его мнению, но подумала и не стала. Пусть сначала объяснит, что к чему, а там посмотрим.

— Знаете, девочки, — неожиданно начал майор, — только не смейтесь, но я даже обращался к специалистам-генетикам, чтобы понять, прав ли в своих рассуждениях. Они-то меня и просветили. Берут, понимаешь, двух мух, одну крылатую, другую бескрылую, и получают потомство: три крылатые, две — без крыльев, а уж этих мух...

— Слушай, — не выдержала я, — эдак ты никогда до сути не доберешься. Ну при чем тут мухи?

— А при том, — спокойно пояснил майор, — вот я

всегда удивлялся, ну почему в старых дворянских усадьбах так много портретов предков...

— Хранили память о пращурах, — пожала плечами Ребекка.

— Зачем?

— Ну... нравилось им.

— А вот и нет, — ответил приятель, — род берегли, чистоту крови. И все вокруг знали — у того дед сумасшедший, не надо за него дочь замуж отдавать, потомство больное пойдет...

— Ну при чем тут это?

— Да при том, — пробормотал майор, — что наука догадывается, а история подтверждает: ребенок, родившийся от женщины и мужчины, не всегда становится похож на мать и отца. Очень часто он получает черты деда, прадеда, дядьки. Причем речь идет не только о внешнем сходстве, характер — вот главное, чем наделяется младенец. И по моему глубокому убеждению, что родилось, то и выросло. Конечно, правильным воспитанием можно что-то подкорректировать, но стержень останется.

Так получилось с Николаем Славиным и вообще со всеми детьми Вячеслава Сергеевича.

Юрий Рожков, отец Вячеслава, был необыкновенно жестокий человек, получавший самое настоящее удовольствие, причиняя людям физические и моральные страдания. Впрочем, и мать у него не отличалась христианским нравом — властная, себялюбивая, гневливая, вспыльчивая... Ну что за ребенок мог родиться у такой пары?

Однако Славе повезло. Характер ему, наверное, достался от деда, отца Ольги Яковлевны. Мальчик вырос в своей семье словно чужой, тихий, спокойный и очень талантливый. Правда, иногда на него накатывали приступы ярости и какого-то злобного буйства, но в целом это был очень приятный ребенок, превратившийся в настоящего мужчину — умного, реализовавшегося, хорошо обеспеченного, неконфликтного, терпимого к людям и делавшего много добрых дел.

Вячеслава Сергеевича обожали женщины, его любили коллеги по работе, казалось, что и дома все хорошо, но это только казалось.

Славин был не из тех людей, кто всю жизнь живет возле одной женщины. Жены и любовницы надоедали ему, и мужик производил «смену караула». Мужчина по своей сути полигамен, его таким сделала природа, заботящаяся о том, чтобы человеческий род увеличивался в геометрической прогрессии. Многие представители сильного пола преспокойно живут с одной женой, меняя при этом бесконечных любовниц, многие, но только не Вячеслав Сергеевич, тот никогда не заводил отношений сразу с двумя, а брошенную женщину не забывал.

Нора оказалась в его жизни третьей любовью. Первой была несчастная Майечка, дочь Анны Ивановны, но с ней любовь оборвалась из-за отъезда юноши в Москву; потом была Ольга, брак с которой длился три года, и Нора.

В молодости Нора была хороша чрезвычайно, этакой карамельно-конфетной красотой. Натуральная блондинка с огромными карими глазами и красивым капризным ртом. С умом дело обстояло хуже, у Норочки практически не было образования, и до встречи со Славиным она занималась не слишком аппетитным делом — мыла в поликлинике стоматологический кабинет, а Вячеслав пришел ставить пломбу. Глянул на блондинку, красоту фигуры которой не мог скрыть даже уродливый ситцевый халат, и... пропал. Кстати, желание сделать из Золушки принцессу всегда доминировало в его душе. Все жены и любовницы Славина стояли ниже его по социальному положению и отчаянно нуждались. Он их обувал, обвешивал драгоценностями, возил на курорты и... и начинал все сначала с очередной Золушкой. Но Нора все же занимала в «женском полку» особое место.

Она обладала совершенно особым умом, не отягощенным никакими знаниями, скорее, житейской крестьянской хитростью. Нора поняла, чем может удержать возле себя этого ветреного мужчину, и принялась рожать детей, в чем и преуспела. Вячеслав Сергеевич прожил с ней дольше, чем с другими, почти одиннадцать лет, и первые четыре года Норочка с завидным постоянством одаривала его наследниками. Три мальчика — Николай, Андрей и Сергей, три сына, какой мужчина не мечтает о такой семье, а на закуску — девочка, Ребекка. Словом, полный джентльменский набор. Только мальчики выросли не слишком удачные, глуповатые, в мать, и господь не наделил их никакими талантами. Впрочем, Бекки была милой девочкой, а особого ума от женщины никто и не ждет. К слову сказать, Андрей и Сергей не слишком беспокоили Нору. Вячеслав Сергеевич, тотально занятый на работе, убегал из дома в восемь утра, а возвращался к полуночи. Дети знали, что у них есть отец, но встречались с ним очень редко, весь процесс воспитания при помощи няньки осуществляла Нора. Участие мужа сводилось к фразам: «Нет зимних сапожек? Возьми деньги и купи», «Надо нанять учителей? Без проблем, займись, Нора». Или: «Андрей опять принес двойку в четверти по математике, его следует наказать, ну я пошел на работу».

Андрей, Сергей и Ребекка учились отвратительно, переползая из класса в класс лишь благодаря подаркам, которыми Нора осыпала всех — от директора до технички. Николай стабильно получал четверки. Но именно он заботил Нору больше всех.

С раннего детства Николя пугал мать. Мальчик мог из-за ерунды прийти в ярость и начать драться. Один раз он бросился с кухонным ножом на няньку, велевшую ему помыть перед едой руки. Мать быстро уволила женщину, наложив той на рану «пластырь» из большого количества купюр.

— Николя, — причитала Нора, — как ты мог?

— Она меня унизила, — сверкал глазами мальчик.

— Да чем же? — изумилась мать.

— Отправила при всех в ванную и сказала: «В твоем возрасте пора бы знать, что руки следует мыть, уж не маленький».

— Но что тут плохого? — лепетала Нора.

— Она меня унизила, — твердил ребенок с недетской злобой.

Доставалось от него и братьям, и крохотной сестричке, и самой Норе. Стоило кому-то из домашних сказать что-то не нравящееся Николаю, как последний мигом кидался драться, причем бил своего противника, ничуть не сдерживаясь, его не останавливала мысль: мальчика или девочку он лупит. Одноклассники прозвали его бешеным и лишний раз не задевали.

Когда Николаю исполнилось четырнадцать лет, в школу пришла новая учительница математики, совсем молоденькая Инна Яковлевна. На первой же контрольной она влепила старшему Славину двойку.

— Почему у меня «неуд»? — поинтересовался подросток.

— Пять ошибок, — спокойно ответила училка, — кстати, очень глупых, прямо смешно.

Николай моментально ринулся на улыбающуюся Инну Яковлевну. Перепуганные одноклассники попробовали оттащить его. Куда там! Злоба удесятерила силы Николая. Инну Яковлевну он избил так, что директор вызвал «Скорую помощь», и медики увезли рыдающую женщину в институт Склифосовского зашивать порванные губы и вправлять сломанный нос.

Дело удалось замять с трудом. Сберкнижка Славиных заметно похудела, Николая быстро перевели в другую школу, и Нора отправилась со старшим сыном к психиатру, но доктор только разводил руками: никакой патологии. Из его рта сыпались объяснения: пубертатный возраст, гормональный взрыв, перерастет, успокоится. Но Нора ушла расстроенная до крайности, сжимая в руке рецепт на какое-то успокаивающее средство. Ну при чем тут гормоны, когда Николя еще в трехлетнем возрасте синел от злобы?

В конце концов мать нашла разумное, как ей казалось, решение проблемы. За каждый день, проведенный без драк, Николай получал три рубля. А за каждую драку Нора у него из копилки забирала три рубля. Это покажется странным, но такая дикая тактика дала положительный эффект. Не сразу, но Николя научился сдерживаться.

Однажды, парню уже было почти восемнадцать, Бекки не слишком удачно пошутила над его внешностью. Николя побелел, Нора испугалась, но старший сын молча вышел в холл, откуда раздались звон стекла и вскрик домработницы. Мать выбежала на шум, увидела разбитое зеркало и Николая с окровавленной рукой.

— Что случилось? — кинулась к нему Нора.

— Ничего, — буркнул парень и ушел.

Правду рассказала домработница. Оказывается, юноша выскочил из столовой и со всего размаха треснул рукой по зеркалу. Нору происшествие порадовало, значит, любимый сынуля все же научился гасить костер злобы, пусть хоть и ценой своих рук и стекол!

Шли годы, Николай стал взрослым, жил под папиным крылом. Он без всяких проблем защитил кандидатскую диссертацию, потом, в тридцать лет, докторскую. Мало кому удается в таком возрасте достичь подобных высот в науке. Да и члены ученых советов, мужи, возраст которых, как правило, в районе шестидесяти, не слишком любят выскочек с докторскими диссертациями и забрасывают слишком молодых претендентов «черными шарами». Но для Вячеслава Сергеевича не существовало преград, и ученый совет единогласно присудил докторскую степень его сыночку. Словом, карьера Николая шла в гору, пока не случился досадный сбой.

Российская академия образования объявила прием новых членов, а Николаю страшно захотелось стать академиком, никаких материальных благ это не давало, одни моральные удовольствия. Вячеслав Сергеевич, однако, отрицательно покачал головой:

— Извини, Николай, тебе следует подождать, тридцать лет — не возраст для академика, ничего не получится, забаллотируют, я сам получил это звание лишь в пятьдесят.

Не привыкший к отказам, Николя попробовал уговорить отца:

— Ты попробуй, вдруг получится!

— И пробовать не стану, — ответил старший Славин, — рано еще.

Николай ушел из кабинета страшно злой. Но представьте теперь его гнев, когда он узнал, что отец поддержал и всячески способствовал избранию другой кандидатуры, Михаила Попова, Мишки, которому тоже едва перевалило за тридцать.

Вне себя от негодования Николя потребовал объяснений, но Вячеслав Сергеевич только пожал плечами:

— Видишь ли, дружок, Миша, защищая кандидатскую, сразу получил докторскую степень, настолько глубока и талантлива оказалась его работа. Попов почти гений, у него редкий талант и удивительное трудолюбие. При этом учти, он ребенок из малообразованной семьи, ему особо никто не помогал, он всего добился сам, он бы и без моей поддержки получил академическое звание. Перед таким человеком даже старики снимают шляпу. Впрочем, не расстраивайся, я сделаю тебя академиком, только чуть попозже, не переживай, неужели я брошу родного ребенка!

Николай вышел из кабинета отца белый, словно лист качественной финской бумаги. Подобного унижения он в своей жизни еще ни разу не испытывал. Зеркал бить он не стал, а поехал на дачу, лег на диван и начал размышлять, как убить отца. Живым Славину больше не быть, и вообще, ну к чему ему папенька? После его смерти Николаю станет только лучше. Ведь до сих пор все вокруг при виде него говорят: «Это сын нашего Вячеслава Сергеевича». Он, Николя, вынужден жить в тени отца, в тени человека, который не дает ему проявить свои индивидуальные качества. После кончины Вячеслава Сергеевича академия достанется ему, Николаю, и уж тогда он всем покажет, все увидят, что Николай Вячеславович не бледная тень своего отца, а яркая, самодостаточная личность. В нем заговорили гены деда, мерзавца и убийцы. Впрочем, Николай был его слепком, умело прячущим садистские наклонности. Старшему сыну Славина достался набор хромосом от деда, а с ними неумение владеть собой и полная уверенность в том, что для достижения цели все средства хороши.

Сказано — сделано. Адрес киллера он нашел в Интернете. Профессиональный убийца потребовал фотографии и задаток. Но опасливый Николай, естественно, не хотел сам идти на встречу, киллер тоже не собирался являться на свидание и предложил, очевидно, отработанную методику. Конверт следовало передать посреднику, мальчику в голубых джинсах, футболке с надписью «Адидас» и кепке-бейсболке. Парнишку нужно назвать «Ричард». Имя, практически не встречающееся в Москве, послужит паролем.

Николай отправил на встречу Лену Яковлеву, малоудачливую актрисочку из агентства «Рашен стар», с которой у него завязывался роман. Чтобы окончательно запутать всех, он велел любовнице одеться под Ребекку и даже приволок той фото сестры. Лена, влюбленная в Николя, радостно согласилась на «шутку». Нацепила индийскую юбочку, кофточку, очки-блюдца... Единственное, что отличало ее от Бекки, — рост. Даже на высоченных шпильках Яковлева была ниже Ребекки.

Дальнейшее известно, конверт попал в руки Кирюшки, как раз в тот день «сменившего имя».

Вечером Николай вышел в Интернет и узнал, что посылка не дошла до адресата. Раздосадованный, он устроил Лене допрос, но та каялась, что отдала все в руки мальчика, отозвавшегося на имя «Ричард». Николай разозлился, он понял: произошла глупейшая, невероятная накладка.

Провертевшись ночью в кровати, Николя принимает решение: он сам убьет отца. Штука нехитрая, нужно только знать, куда стрелять, и обставить дело так, будто действовал профессионал.

Николай подошел к делу творчески. Револьвер он приобрел на Тишинском рынке. Там, были бы деньги, вам продадут что угодно: от боевой гранаты до истребителя. Затем он изучил анатомический атлас и пошел в кабинет к отцу.

Вячеслав Сергеевич как раз прилег. Его привычка спать примерно час после обеда была, естественно, всем домашним известна.

— Кто там? — недовольно повернул голову академик. — А, это ты, Николай, сделай доброе дело, принеси из комнаты отдыха плед да накрой меня, сил нет встать.

Николя взял шерстяное одеяло, потом быстро приставил револьвер к спине отца, на два пальца ниже лопатки, и спустил курок, затем мгновенно сделал контрольный выстрел, накрыл тело с головой, протер пистолет, бросил его у окна и преспокойненько ушел, сообщив секретарше Лене, что Вячеслав Сергеевич прилег отдохнуть.

— Эй, эй, — закричала я, — неправильно выходит, не получается что-то! Леночка говорила так: «Николай вышел из кабинета, отец через дверь окликнул его: «Николаша, скажи Лене, чтобы меня не будили». А потом он еще позвонил ей по телефону и велел никого к себе не пускать. Николай-то давным-давно ушел, а отец был жив, ты не прав!

— Из-за чего ты сделала такой вывод? — тихо поинтересовался Костин.

Я всплеснула руками:

— Совсем меня за дуру считаешь! Мертвый человек не разговаривает!

— Понимаешь, Лампуша, — вздохнул Володя, — оказалось, что покойник способен говорить.

— Что за чушь?

— Я сам чуть голову не сломал, прежде чем догадался. И помогла, как ни странно, мне Нора.

Вызванная на допрос бывшая жена Славина заливалась слезами.

— Тут ошибка, Николя не мог и пальцем тронуть Лену, ужасная, трагическая ошибка.

Но майор знал уже слишком много из того, что произошло раньше, и не очень поверил матери. Ему пришлось выслушать длинный рассказ о том, какой замечательный сын Николя. Нора припомнила все, начиная с детских лет.

— Он всегда мечтал стать актером, — причитала Нора, — даже овладел такой редкой вещью, как вентрология, но мы с отцом настояли на получении экономического образования.

— И тут у меня в мозгах разом просветлело, — объяснял Костин, — вентролог! Понимаешь, Лампа?

— Нет. Это кто такой?

— По-простому, не по-научному, чревовещатель, человек, который умеет говорить животом, не разжимая губ.

Я потрясенно молчала.

— А еще, — не останавливался Володя, — Николай славился редким умением изображать чужие голоса, ведь правда, Ребекка Вячеславна?

Бекки кивнула и тихо дополнила:

— У него просто был талант имитатора, в детстве он всех дурачил, придет домой и кричит из прихожей, как папа:

— Салют! Я подарочки принес!

Мы бежим, толкаемся, а там Николя стоит.

— Фиг вам, а не подарочки.

Но только он уже лет пятнадцать так не шутил.

— Навык, однако, не потерял, — подвел итог Володя.

— Вот почему «Вячеслав Сергеевич» звонил Лене по городскому телефону! — сообразила я.

— Да, — кивнул Володя, — он не рискнул войти в кабинет убитого отца и воспользоваться его аппаратом. А Лена услышала знакомый голос и обеспечила убийце алиби.

Но на этом дело не закончилось. Николай решил перестраховаться и направить следствие по ложному следу, он вообще не хотел никаких разбирательств, ему было жизненно необходимо, чтобы дело о смерти академика Славина было закрыто и похоронено. Ради этой цели он уничтожил Лику.

— Боже, — прошептала Бекки, — о нет!

— К сожалению, да, — вздохнул Костин, — дело

опять было обставлено очень тщательно. Сначала Николай портит машину Лики, просто снимает клемму с аккумулятора, но она ничего не смыслит в моторах и решает, будто автомобиль совсем сломался. В город ей нужно попасть обязательно, и Лика идет на станцию. Николай осторожно едет за ней на машине. Мачеха сначала берет такси, добирается до станции, там узнает, что ближайшая электричка только через полтора часа, и решает на маршрутке добраться до Солнечной: там депо, и от этой платформы поезда ходят чаще, чем от Переделкина. Сразу оговорюсь, что Лика не ездила на большие расстояния в такси по очень простой причине — ее укачивало, если она сидела на пассажирском месте в дешевой, пахнущей бензином таратайке, а наемные экипажи почти все такие.

Лика добирается до Солнечной, и тут раздается звонок на мобильный телефон от Николая. Он сообщает, что находится на шоссе и готов подхватить Лику, пусть она стоит на платформе, он сейчас за ней придет. У молодой женщины не возникает никаких сомнений, она преспокойно покупает у лоточника книгу, уходит с Николаем по тропинке вверх и... летит под колеса электрички.

— Нет, нет, — бормотала Ребекка, — я не верю!

— Увы, — вздохнул Володя, — он признался. Впрочем, дальше ситуация вырывается у Николая из рук и начинает развиваться не так, как он хотел, но в тот день ему везет. Лика мертва, она погибает в машине «Скорой помощи», успев пробормотать: «Николя, почему, Николя...» Но последним словам никто не придает значения. Дальше события катятся по накатанным рельсам. Придя домой, Николай обращает внимание домашних на переполненный автоответчик, включает запись...

Он предусмотрел все. Лене Яковлевой велено рассказывать о романе с Вячеславом Сергеевичем и о том, что академик делал ей предложение руки и сердца. Естественно, голос Лики Николай подделал, сам наговорил нужный текст, ему это было совсем нетрудно.

— Так вот почему Лика не написала письмо! — закричала я.

Володя кивнул.

— Было еще одно, что сразу показалось мне странным. Ребекка, Нора и Тамара говорили, что весть о самоубийстве Лики пришла вечером.

— Да, — подтвердила я, — при мне позвонили!

— Так вот, — сказал Володя, — Николая известили еще в обед, в сумочке Лики лежал паспорт, он разыграл перед вами комедию.

— Почему? — тихо спросила Ребекка.

— Вернее, зачем, — поправил Костин, — затем, чтобы как можно больше людей услышало «голос Лики», потому что поздно ночью он спустился в гостиную, быстро вынул из сети автоответчик и снова включил его.

— А это зачем?

— У Славиных дорогой аппарат, цифровой, без кассеты. Если исчезает питание, пропадает и информация, поэтому в этом автоответчике предусмотрены еще две батарейки, но в тот день их не было в гнезде, а отключение электроэнергии в Подмосковье дело не удивительное. Когда мы попросили запись для экспертизы, Славин развел руками:

— Извините, все были на таком взводе, что не проверили наличие батареек и не убрали автоответчик. Запись не сохранилась.

Эксперт остался с носом. Именно для этого Николай и выбрал автоответчик. А не магнитофон, хотя рисковал, запись могли прослушать раньше.

— Нет, — покачала головой Ребекка, — этим агрегатом никто, как правило, не пользовался, только очень редко. И у меня есть дубликат записи, я его сделала, правда, получилось не слишком четко.

— Отлично, — обрадовался Володя, — я так и знал, что со смертью Лики кончилось у негодяя везение. А началось с пропажи часов. Когда он толкал ее, браслет расстегнулся и упал. Николай обнаружил пропажу буквально сразу, но побоялся возвратиться на место происшествия. И вообще, он отправил на поиски дорогой безделушки Виктора. Уж очень приметная была штучка — золотая, да еще с буквами В. С. Изначально часики принадлежали Вячеславу Сергеевичу, а после его смерти старшенький забрал их себе.

— Виктора? — закричала я. — Это он убил Павлика!!!

— Не все так просто, — вздохнул Володя, — нам опять придется вернуться в прошлое.

ГЛАВА 32

Майечка отыскала в Москве любимого Славика, но тот уже был женат, правда, встретил ее ласково, повел в ресторан, угостил ужином, позвал к себе в гости, благо Нора, беременная вторым сыном, находилась на даче вместе с полугодовалым Николашей.

Никаких планов соблазнять Майю Славин не строил, он сильно выпил и дальнейшее помнил плохо. Зато Майечка, страстно хотевшая ребенка, постаралась, как могла, сначала она, пока Вячеслав ходил в туалет, налила ему в шампанское водку, сделав убийственную смесь, которая могла свалить с ног и слона, а потом просто отвела мужика в спальню. Половым бессилием Славин никогда не страдал, его мужской аппарат работал всегда и в любом состоянии.

Утром он нашел записку от Майи: «Спасибо за великолепный ужин, больше нам встречаться не надо».

Так на свет появился Виктор, получивший от отца на редкость светлую голову и талант к точным наукам. От матери ему достались кротость нрава, тихий голос и редкостная незлобивость, даже беззубость. Жизненной силой отца, его умением смело бороться с обстоятельствами, несгибаемостью Витюша не обладал. Зато бабушка, учительница, воспитала в нем обостренное чувство чести, она старалась вырастить из мальчика рыцаря и вполне преуспела.

Оказавшись в Москве, Виктор не ищет отца, но не потому, что стесняется своего уголовного прошлого. Нет, он просто ничего о нем не знает. В его детстве на все вопросы сына Майя, смеясь, отвечала, что нашла его в капусте, а потом Витюша перестал интересоваться своим происхождением.

Но судьбе было угодно столкнуть братьев. Познакомились они примерно за месяц до убийства Вячеслава Сергеевича, в библиотеке. Николаю понадобилась очень редкая книга из хранилища НИИ экономики. Судьба иногда любит пошутить с человеком.

Николай заказал книгу, но библиотекарша сказала:

— Извините, буквально пять минут тому назад я ее выдала, вот там мужчина сидит, видите, у окна? Кстати, ваш однофамилец, Виктор Сергеевич Славин.

Николай, удивившись, подошел к столику и обомлел, он словно смотрелся в зеркало. Братья разговорились, Николай повел Виктора в ресторан. Новый знакомый не скрывал ничего, рассказал о матери, отчиме, бабушке, о десяти годах, проведенных за решеткой.

Николай вернулся домой в глубокой задумчивости, а вечером сказал:

— Папа, по межгороду звонила какая-то тетка, Майя Славина, сказала, твоя бывшая жена.

Вячеслав Сергеевич нахмурился.

— Нет, Майя — дочка директора школы, Анны Ивановны Коломийцевой, когда-то я действительно ухаживал за ней, но потом наши дорожки разошлись, мы никогда не были женаты. Она оставила телефон?

— Нет, — ответил Николай.

— Ну и ладно, — вздохнул отец, — надо будет, еще позвонит.

Николай сразу догадался, что Виктор его брат, и сказал тому правду. Витюша был ошеломлен, у него есть еще две сестры и братья, а отец столь высокопоставленный человек.

— Очень хочется со всеми познакомиться, — пробормотал ошарашенный парень.

— Погоди, — остановил его Николя, — так сразу нельзя, надо осторожно, я буду пока готовить почву, сам знаешь, судьба у тебя не слишком гладкая.

— Понимаю, — кивнул Виктор.

— Пока никому ничего не рассказывай, — предостерег его Николай.

— Я не болтлив, — пообещал брат.

Николай еще не знал, как будет использовать потрясающее сходство. Для начала он отправил Виктора на косогор, искать потерянные часы.

— Значит, я видела Виктора?

— Именно, но он ничего не нашел.

— Так вот как Николай ухитрился добраться до Тушина! Он просто ехал на своей машине откуда-то из города. А я считала, будто он сел в электричку на Солнечной. Зачем он убил Лену?

Володя вздохнул:

— Ну, во-первых, Леночка не утерпела и сообщила Николаю, что знает о его любовной связи с Ликой.

— Это неправда! — крикнула Ребекка.

— Конечно, нет, — ответил майор.

— Лена видела голого Николая рядом с Анжеликой, — вмешалась я.

— Нет, — покачал головой Володя, — это был Виктор.

— А зачем он разделся?

— Понимаешь, Витя все время настаивал на свидании с родственниками и переставал быть послушной игрушкой в руках Николая. Вот старший брат и посоветовал тому поехать днем, около часа, в Алябьево к Лике и рассказать ей правду. Николай ничем не рисковал, Анжелику он все равно решил убить, и потом, он знал, что она никогда ничего впопыхах не сообщит Вячеславу Сергеевичу, покой мужа она берегла как зеницу ока. Да и произошла эта встреча за день до трагической гибели академика.

В комнате царил полумрак, стояла дождливая, ненастная погода, и днем было темно, как вечером.

Лика сначала решила, что Николя ее дурачит, настолько похожи были братья. Но Виктор быстро скинул рубашку и показал несколько шрамов на спине. Лика отказывалась верить своим глазам. Тогда парню пришлось скинуть брюки и продемонстрировать след от операции. Аппендицит ему удаляли в тюремной больнице, шрам был ужасающе уродливым. Лика провела рукой по животу Виктора, желая убедиться в подлинности метки. Именно эту сцену и увидела Лена, моментально сделав свои выводы.

— Она еще удивлялась, какая Лика врунья, — вздохнула я, — Анжелика не смогла найти нужные бумаги. Предложила позвонить Николаю и даже говорила с ним на глазах у Лены.

— Лена не утерпела и сообщила Николаю о его связи с Ликой, но это еще было полбеды. Николя, когда оперативники спросили его, где он был в момент смерти академика, быстро соврал, что сидел в своем кабинете, весь день на рабочем месте и к отцу не заходил. А Лена могла сказать правду. Она-то точно знала, кто находился в кабинете, а кто нет. Николай сразу понял, что ему придется избавиться от дуры бабы, но сначала пришлось заниматься не менее глупой Леной Яковлевой, попытавшейся шантажировать любовника.

Леночка позвонила Николя сразу после визита Лампы.

— Дорогой, — кричала она в трубку, — что происходит?! Только что приходила твоя сестра Ребекка и расспрашивала о моих взаимоотношениях с Вячеславом Славиным.

— Надеюсь, ты сказала все, как я тебя учил, — перебил Николя.

— Да, но она совершенно не похожа на ту фотографию Бекки, под которую мне следовало загримироваться, — частила глупышка, — какая-то нехорошая шутка получается! Тебе придется купить мне к зиме шубку, а то я разболтаю обо всем.

— Дорогая, — засмеялся Николай, — приезжай скорей ко мне на дачу, я познакомлю тебя с мамой и всеми.

Лену Яковлеву он задавил, когда она бежала к месту встречи. Хитрый Николя велел ей оставить такси у входа в поселок. Взял у соседа полковника Рогова из гаража «Запорожец», сбил девушку, потом отвез тело на МКАД и бросил там.

Рогов с семьей отдыхает в Турции, и вымытый «Запорожец» спокойненько вернулся в стойло.

Следующей на очереди была секретарша. Здесь тоже обошлось без особых шероховатостей, произошла только одна накладка. Николай позвонил бывшей любовнице в дверь, но та не захотела принимать его дома, велела ждать во дворе на скамейке. Николя попробовал побеседовать с идиоткой, но та стала шумно возмущаться, пришлось выстрелить в нее и, натянув трупу на нос панамку, ретироваться. Во дворе никого не было, но Николай для подстраховки опять применил свои качества чревовещателя. Соседка слышала, как Лена кричала вслед уходящему любовнику: «Николя, погоди», а потом бурно зарыдала.

— Она припомнила, что Лена сразу замолчала, как только мужчина вышел за ворота, — вздохнула я.

— Точно, — подтвердил Володя, — только несчастная потеряла способность разговаривать еще раньше. И, естественно, стоило нашему доктору наук покинуть место преступления, как все звуки затихли.

— Ужасно, — лепетала Ребекка, — ужасно.

— Согласен, — кивнул Костин, — ничего хорошего в происшедшем нет, но дальше стало еще хуже.

Словно вурдалак, попробовавший человеческой крови, Николай озверел. До сих пор ему все сходило с рук, четыре убийства, нешуточное дело. У него появилась твердая уверенность, что он неуловим, а раз так, следует решать все проблемы просто.

Виктор не сумел найти часы, но Николай догадался, что их прихватил кто-то из местных, пришел к бараку, предложил Павлику две тысячи, пошел с ним за плеером, подождал за магазином, в укромном месте, двинулся с пареньком в «Макдоналдс»... Печальный конец этой истории известен...

— Подожди, подожди, — не успокаивалась я. —

Опять не получается. В то время, когда убивали Павлика, Николая уже арестовали, ты сам говорил, вы взяли его около десяти спящим, в пижаме.

— Это был Виктор.

— Как! — ахнула Ребекка. — Почему? Зачем он лег в спальне Николая и почему не сказал потом правду?

Костин мрачно поглядел в окно:

— Николай — мерзавец. Он наконец сообразил, как можно использовать редкое сходство между ним и братом. Тот должен был обеспечивать ему, кстати, совершенно не понимая, что делает, алиби.

Николя попросил Витю переночевать у него дома. Готовясь забрать часы, он решил убить ненужного свидетеля.

Виктор сначала перепугался, но Николай его успокоил:

— Приедешь поздно вечером, все будут спать.

— Я не умею водить машину, — отбивался брат.

— Такси, — заорала я, — в тот вечер Николай приехал на такси! Якобы хотел выпить на дне рождения.

— Правильно, — кивнул майор, — верная догадка. В Алябьево вернулся Виктор, решивший выручить брата. Тот наврал ему, что собирается провести ночь с любовницей, а Нора поднимает крик, если старшего сына нет дома. Полный бред, но Витюша ведь не знал Нору. К тому же Николя пообещал около девяти утра вернуться и подменить его.

— Но Николай даже не подозревал, насколько вовремя совершил обмен. Утром приехала милиция и забрала Виктора.

— Но почему он не открылся? — настаивала Ребекка.

Костин потер затылок:

— Разве мог Виктор с его обостренным понятием о чести и долге выдать брата? Естественно, нет. Кстати, Николай видел, как его увозили. Как раз подъехал к даче, приметил машины милиции и, спрятавшись за сараем, наблюдал всю процедуру. Виктор молчал, ушел, как говорится, в глухую несознанку.

Костин залпом выпил стакан воды и проговорил:

— Впрочем, кое-что мне показалось странным, глаз зацепился за мелкие детали.

— Какие? — заинтересовалась я.

— Так, ерунда. «Николай» автоматически заложил руки за спину, а когда его сажали в автозак, арестованный сам, без приказа, повернулся лицом к машине, уперся лбом в бок автомобиля и расставил ноги на ширину плеч. Все правильно, именно такого поведения и требует конвой. Отсидевший десять лет Виктор великолепно знал правила, но откуда бы они могли быть известны доктору наук Николаю Славину, никогда не конфликтовавшему с законом?

Пустячок. но он насторожил, потом арестованный отказался от свидания с Норой, вел себя в камере совершенно правильно, не совершил ни одного неверного шага, которые обычно делают попавшие впервые за решетку люди. Например, берут сигаретку, которую любезно предлагает сокамерник, опущенный изгой... Беда может выйти из-за этой сигареты. Но «Николай» откуда-то знал тюремные феньки... И уж совсем наступила ясность, когда сняли отпечатки пальцев. Компьютер тут же выдал, кому они принадлежат. И мы стали ловить Николая.

— Теперь понятно, — забормотала я, — все понятно.

— Да ну? — ухмыльнулся майор. — Что, например?

— Почему Виктор бросил в Гнилове книги по математике, отчего он читал детектив, когда вошла директриса Людмила Григорьевна. И как только раньше я не догадалась, она же сказала мне, что ее любовник зачем-то выключил свет и вел хамские речи почти в темноте!

— Лампа, у тебя случаются озарения, но поздно, — хмыкнул Володя. — Виктор был предельно откровенен с братом, и тот знал про Гнилово, бывшую жену Зою Родионовну и нынешнюю пассию, директрису Людмилу Григорьевну. Поэтому лучшего места для отсидки, чем Гнилово, он не нашел. Подслеповатая баба Галя ни на секунду не усомнилась в личности жильца. Но когда неожиданно появилась Людмила, Николай сначала растерялся и не нашел ничего лучшего, как прогнать ее.

Правда через час он пожалел о содеянном. Собрал вещи и ушел, а книги по математике бросил. Они ему были ни к чему. Впрочем, жалкие шмотки Виктора тоже, он их сунул в камеру хранения Казанского вокзала, там же, на площади, подошел к бабке, предлагавшей комнату, и поселился у нее. Мозги его кипели, он собирался превратиться в Виктора Славина, благо документы были под рукой, и явиться через несколько месяцев к Норе. Глупый план, но именно он сначала пришел в голову Николя. Словно озверевший волк, он уничтожает Зою Родионовну и Людмилу Григорьевну, ведь они могли сказать, что он не Виктор...

Но потом в его мозгах что-то щелкает, и Николай понимает, какого свалял дурака! Виктор-то бывший уголовник, ну зачем ему такая биография, и потом, в милицейском компьютере есть отпечатки пальцев...

В его голове рождается лучший план. Он уедет за границу! Николай отправляется на городскую квартиру, открывает сейф, вытряхивает оттуда драгоценности матери, очень большую сумму денег... Загвоздка в паспорте, он на даче, но туда показаться Николай не может. А время поджимает, наш доктор наук дико нервничает. Идя на поводу у своего желания убивать, он оставил за собой кровавый след, уничтожил тех, кто преспокойно мог остаться в живых, превратился в самого настоящего серийного маньяка, знающего только один способ улаживания всех конфликтов. Николай боится самого себя, но еще больше он опасается, что Виктор выложит правду.

И Николя звонит Бекки.

Володя остановился. Мы тоже молчали. Наконец майор продолжил:

— Любимую сестричку он тоже не собирался оставлять в живых, но тут вмешалась Лампа. Она сначала ослепила Славина фарами, а потом пронеслась мимо него, и он тут же узнал бабу, кричавшую: «Виктор, я все знаю!» Евлампия, подружка Бекки, живущая рядом с ними в Алябьеве. Ее нужно убить немедля, а с Ребеккой можно разобраться чуть позднее.

Володя стукнул кулаком по столу.

— Еще хорошо, что эта дурацкая «военно-полевая» связь работала! А если бы Николай попал на чердак! Что бы ты стала делать, идиотка? И ведь я как знал, как чувствовал, даже Ксению посадил тебе на хвост...

— Кто это такая? — робко поинтересовалась я.

— Майор Мартынова Ксения Михайловна, мастер спорта, гениально управляется с автомобилем. Как только я понял, что ты от меня прячешься, посадил Ксюху тебе на хвост.

— Она дотащила меня на буксире до заправки!

Володя хихикнул:

— Говорит, долго крепилась, смотрела, как ты прыгаешь по обочине, потом не утерпела. Но мне и в голову не могло прийти, что ты, дура стоеросовая, отправишься ночью бог знает куда! Ксюша доставляла тебя до дачи и уезжала.

— Но кто же бил Вячеслава Сергеевича ножом? — поспешила я перевести разговор на другую тему. — Кто пырнул труп через час после выстрела?

— Это совсем другая история, — нахмурился Володя, — и вам, Ребекка Вячеславовна, потребуется все мужество, чтобы дослушать ее до конца.

ГЛАВА 33

— Я готова, — побледнела Бекки, — более того, я знаю, кто этот человек, я хотела...

— А, — протянул Володя, — так вот почему, Ребекка Вячеславовна...

— Сделайте милость, — сказала девушка, — зовите меня Бекки.

— Так вот отчего вы наняли Евлампию, — продолжал майор, — я-то гадал, что за причина! Ну с

338 ·······································
Дарья Донцова

Лампой понятно, она мигом ухватится за любую работу детектива. Она обожает таинственные истории и считает себя великолепным специалистом, потому что прочитала горы криминальных романов. И потом, у Лампы совершенно идиотская позиция, больше всего она боится оказаться обузой и постоянно ищет заработок, хотя ей сто раз говорили: не надо! Нет, вечно вляпывается в... Ну ладно, не будем. С Лампуделем понятно. Но что могло подвигнуть женщину вполне нормальных умственных способностей нанять Лампу в качестве детектива? Значит, вы знали!

— Нет, — покачала головой Бекки, — я только предполагала. Одно стало понятно сразу, убийц было двое. Вернее, убил один, первый, а второй, ни о чем не догадываясь, колол мертвое тело. И я понимала, оба киллера из семьи, свои, домашние, ну не спрашивайте, почему я так решила, просто почувствовала. Вот я и подумала: Евлампия разузнает, что к чему, а я отберу у нее вещественные доказательства, уничтожу...

— Глупее и придумать нельзя, — фыркнул Володя, — вы сладкая парочка, одна другой краше.

— Господи, — простонала Ребекка, — и что теперь будет?

— Если вы имеете в виду того, кто орудовал кинжалом, то ничего, — спокойно ответил Костин, — его даже к ответственности не привлекут.

— Как? — закричали мы с Бекки.

— Юристы называют такой казус нападением на негодный объект, — пояснил Володя, — человек втыкал лезвие в труп. Экспертиза засвидетельствовала: ножевые ранения были оставлены примерно спустя час после смерти. А за это время академик Славин превратился в негодный объект. Так что даже суда не будет, привлекать не за что, действие не повлекло смерти.

— Но, — забормотала я, — ведь человек явно хотел убить...

— Не убил же, — хладнокровно возразил Костин, — хотя мне кажется, что убийство, совершенное в мыслях, не менее опасно, чем совершенное на самом деле. Людям даже в голову не должны приходить подобные идеи. И законодательство в этом случае несовершенно, но, как говорили римляне: Dura lex, sed les[1], хотя в данной ситуации закон, наоборот, проявляет чрезвычайную мягкость. Кстати, Бекки, сколько вы обещали Лампе?

— Это наше дело, — нахмурилась Ребекка и вытащила из сумки пухлый конверт, — возьми. Здесь все.

Я отшатнулась.

— Нет.

— Бери. Бери.

— Нет, не возьму, я помогаю друзьям бесплатно. Сначала я и впрямь хотела заработать, но потом... Извини, я считаю тебя своей подругой и не могу принять эту сумму.

— Прости, — ответила Бекки и положила конверт на стол, — прости, я не хотела тебя обидеть.

Потом она посмотрела на Володю:

— Что мне теперь делать, домой возвращаться я не могу, понимаю, что убийство задумывалось якобы ради нашего блага, но...

— Погодите, — влезла я, — может, вы назовете, наконец, имя?

— А ты не догадалась еще? — удивился Володя. — Нора!

— Кто?!

— Нора, — тихо подтвердила Бекки, — Нора, моя мама.

— Но почему?

— В двух словах не ответить, — задумчиво сказал Костин, — но попытаюсь объяснить.

Нора прожила с Вячеславом Сергеевичем одиннадцать лет, последние годы муж терпел ее только ради детей; он понимал, что супруге, не имеющей ни образования, ни работы, никогда не поднять одной четверых. Но в конце концов семейная жизнь стала невыносимой. Славин в конце 1978 года начал встречаться с

---

[1] Закон суров, но это закон *(лат.)*.

Женей и развелся с Норой. Но куда могла пойти женщина, имевшая на руках трех мальчиков, десяти, девяти и восьми лет, а еще семилетнюю девочку? Естественно, все они остались вместе со Славиным, тем более что Женя совершенно не собиралась выходить за него замуж и рожать детей, ее интересовала только научная карьера. Нора продолжала хозяйничать в городской квартире и на даче. Нанимала домработниц, следила за хозяйством, словом, в ее жизни ничего не изменилось, только спальни с Вячеславом Сергеевичем у них были разные. В 1980 году появилась следующая жена — Тамара, тихая, робкая, слегка забитая женщина. Она воцарилась в городской квартире, а Нора с детьми уехала в Алябьево. Роскошного особняка еще не было, на его месте стоял добротный кирпичный дом с центральным отоплением, газом и санузлом. Летом все жили вместе, но, несмотря на то что она была законной женой, Тамара пасовала перед Норой, никогда не спорила с той... И Нора считала себя по-прежнему главной, покрикивала на Тому, как на домработницу. Даже рождение Светы ничего не изменило в расстановке сил. Впрочем, скоро безответная Тамара надоела Славину, он закрутил роман с наглой Аней и развелся, повесив себе на шею еще одну бывшую жену и ребенка. Кстати, после развода отношения Норы и Томы улучшились, они стали чуть ли не подругами. Но потом неожиданно появилась Лика.

Когда Славин объявил, что женится опять, Нора устроила дикий скандал. Она-то надеялась, что бывший муж больше никогда не пойдет в загс, но Вячеслав Сергеевич нашел себе очередную Золушку. И именно для Лики он затеял строительство особняка. Но сам Славин, занятый под завязку, не мог контролировать строительство; восемнадцатилетняя Анжелика, прожившая все детство и юность в нищете, приходила в ужас от любой просьбы со стороны рабочих... Прорабом стала Нора. Только благодаря ее участию дом был возведен, отделан и обставлен. Нора пропадала целыми днями на строительных ярмарках и в магазинах, Лика упорно училась, выходя на красный диплом.

Оборудовав дом, Нора почувствовала себя в нем хозяйкой, это было ее гнездо, ее уголок, где каждый гвоздик, каждый рулон обоев, каждый кран был приобретен ею лично. Нора собиралась жить в доме до смерти и передать здание по наследству детям. А детей она любила патологически и, не задумываясь, перегрызла бы горло каждому, кто покусится на их покой, счастье и материальное благополучие.

Славин только посмеивался, глядя на энтузиазм бывшей жены, а та, желая угодить Вячеславу Сергеевичу, сделала в здании несколько потайных ходов. Ребячливый академик пришел в полный восторг и радостно дурачил ничего не понимающих гостей. Он вообще любил шутки и розыгрыши, Норина идея понравилась ему чрезвычайно. Настолько, что, строя здание своей академии, он взял у бывшей жены координаты мастеров, делавших подземные ходы, и провел тайный вход в свой кабинет через подвал. Исключительно из детской любви к тайнам, это потом они с Ликой начали использовать его для своих целей, сначала Вячеславу Сергеевичу просто нравилась возможность незаметно ускользнуть из кабинета и так же незаметно вернуться. В школьные годы у него не было друзей, и он не наигрался как следует. А то, что недополучено в детстве, обязательно компенсируется позднее. Нора, естественно, знала о тайне, видела ключи в письменном столе, для нее в доме вообще не было секретов.

Жизнь текла по старому руслу. Но однажды Славин позвал бывшую жену к себе и заявил:

— Нора, мы будем разъезжаться.

— Как? — не поняла та.

— Очень просто, — ответил Славин, — я всем покупаю квартиры, тебе и детям. Начинай поиски.

Нора чуть не потеряла сознание.

— Но мы хотим жить здесь, в Алябьеве, а не в городе!

— Нет, — отрезал академик, — впрочем, если хочешь жить на чистом воздухе, не спорю, подыскивай кусок земли в Подмосковье, но только не в Алябьеве.

— Почему? — помертвевшими губами спросила Нора.

— Дети выросли, — спокойно пояснил Славин, — они вполне способны зарабатывать сами, пора им слезть с моей шеи, ну а тебе, конечно, я буду помогать, только жить вместе хватит, мы с Ликой хотим наконец остаться вдвоем.

— Это она тебя научила, — зарыдала Нора, — оставь мне особняк, мой дом, мое творение. Лика пусть построит свой.

— Лика беременна, — ответил Вячеслав Сергеевич, — ей лишние стрессы не нужны, а ты вполне способна провернуть еще одно строительство.

— Значит, из-за еще не рожденного выблядка ты выгоняешь из дома законных детей! — взвизгнула Нора.

Славин побледнел и процедил:

— Пошла вон, дрянь. Никакого дома преткновения не будет, сколько раз говорил, попридержи язык! Не ровен час нарвешься, хуже будет, съедете все по месту прописки.

Нора замолчала. Прописана она с детьми была в старой небольшой трехкомнатной квартирке на улице Павленко. Пятикомнатная, на Арбате, появилась уже при Тамаре...

Всю ночь Нора провела без сна. Потом поехала в Москву, шататься по магазинам. Шопинг всегда действовал на нее успокаивающе. Сама не зная зачем, по крайней мере так она говорила, Нора прихватила ключи от подземного хода и сделала дубликат. Вечером сунула связку на место и решила еще раз поговорить с мужем, но тот на дачу не приехал, остался в городе. С Ликой Нора не хотела ничего обсуждать, боялась сорваться от гнева, надавать пощечин наглой девке, отнимающей у нее и детей, и дом.

Вячеслав Сергеевич не показывался в Алябьеве два дня. Вконец измученная, Нора поехала в академию, увидела во дворе «Мерседес», поняла, что Славин на месте, и вошла через потайной ход. В сумочке у нее лежал купленный по дороге длинный и острый нож, которым режут мясо.

— Она запланировала убийство, — печально сказала Ребекка.

— Говорит, все вышло случайно, — пояснил Володя, — нож купила, потому что хотела что-то приобрести в магазине, для тонуса, так сказать, потайным ходом пошла, потому что плакала и не хотела встретить знакомых.

Словом, она вошла в кабинет и увидела, что Славин спит, накрывшись с головой пледом, а на столе лежит бумага с печатями. Нора подошла и увидела, что это завещание, правда, пока не оформленное у нотариуса. Все имущество, все деньги, дом и квартира доставались Лике. Ни Нора, ни ее дети даже не были упомянуты. И тут у нее в душе поднялась дикая злоба. Она схватила только что купленный нож, воткнула в шею Славина и моментально перепугалась до одури. Вытащила нож, сунула в сумочку, туда же положила завещание и убежала через потайной ход.

Бекки заплакала:

— Она это сделала ради нас, но я все равно не могу простить Нору. Кто бы мог подумать, что она способна на такое. Хотя, если вспомнить, как мама поступила с бедной Тоней, когда услышала, что отец хочет удочерить девушку, то все становится понятно. Господи, она оберегала свой дом, как живое существо, вот уж действительно дом преткновения. Стоило ей только представить, что Тоня будет иметь право на его часть, как родной ребенок... Стоило только подумать об этом, и... все. Она моментально начала поворачивать дело так, что Тоню заподозрили в воровстве. Фактически это Нора убила Тоню, довела ту до самоубийства.

— Улик нет, — ответил Володя, — она избежит наказания.

ЭПИЛОГ

Майор, как всегда, был прав. Наученная хорошими адвокатами, Нора мигом вывернулась из лап Фемиды. Для начала она отказалась от всех данных сгоряча показаний и накатала на Костина «телегу», суть которой была проста: Володя оказывал на нее давление, не дал даже рта открыть во время допроса, а показания она подмахнула в состоянии помраченного сознания. Сюда же были приложены медицинские справки о тяжелых заболеваниях, которые резко обострились в результате некорректного поведения майора.

Дело передали Славе Самоненко. В его кабинет Нора входила в сопровождении трех юристов и там исполняла совсем другую песню. Академик Славин — тиран. Заставлял бедную бывшую жену, полностью зависящую от него материально, прислуживать своим новым женам, сделал из нее домработницу. Нора очень страдала. В день смерти Вячеслав Сергеевич велел ей явиться в свой кабинет через подземный ход, зачем — она не знает. Нора послушалась и обнаружила на диване мертвого мужа. Потеряв голову от ужаса, женщина схватила со стола нож и воткнула в мертвое тело. Она знала, что бьет в труп, просто помешалась временно рассудком, а потом убежала, осознав, что произошло. Никогда завещания она не видела. Шок — слишком сильное переживание для ее больной нервной системы.

От этой версии Нора не отступила ни на пядь. И вменить ей можно было только глумление над телом. Самоненко даже не стал этого делать, статья попадает под амнистию.

Нора живет по-прежнему в Алябьеве. Через полгода после кончины Вячеслава Сергеевича она вступила в права наследства. Неизвестно, откуда появилось завещание, датированное 1974 годом. В нем Славин оставлял все любимой жене. Позднейших изъявлений его воли не нашли. Впрочем, и предъявлять бумаги было некому. Лику похоронили на Митинском кладбище, но не рядом с Вячеславом Сергеевичем, а совсем на другом участке. Нора не хотела, чтобы они покоились рядом. Через год на могиле академика поставили вызывающе дорогой памятник.

Вместе с Норой живут Андрей и Сергей. Академия была продана посторонним людям, но братья Славины поставили условие: они работают в вузе. Андрей читает какой-то курс, а Сергей ведет практикум журналиста. Он, выгнанный более чем из десятка изданий, лучшая кандидатура на эту должность. Но зарабатывают мужики копейки, правда, никто из них не нуждается. Сыночки ездят на дорогих машинах, отлично одеваются и не экономят на питании. Секрет благополучия прост: Нора продает потихоньку драгоценности; колец, серег и ожерелий у нее много, хватит до конца жизни.

Ребекка, отказавшаяся во время следствия давать показания против матери, вместе с ней жить не захотела. Сначала Бекки, прихватив с собой Фросю, отправилась на городскую квартиру, но в ноябре они с Гариком без всякой помпы сыграли свадьбу, и Ребекка переехала в новый дом, в Баковке. Фрося живет вместе с ними. Игорь Серафимович оформил опеку над девочкой.

Следствие над Николаем шло целый год, наша судебная система весьма нетороплива. Нора бегала чуть ли не каждый день в Бутырскую тюрьму, пытаясь облегчить жизнь любимого сыночка. Чего она только не таскала в сизо, желая обустроить быт Николая: телевизор, СВЧ, радио... Наняты были и великолепные адвокаты, так что Нора надеется, что сынуля обойдется минимальным сроком, да и судьи тоже люди, кушать всем хочется, а красивые серьги с брильянтами способны растопить любое, даже судейское сердце...

Но Володя Костин идеалист, и он уверен, что Николай Славин получит пожизненное заключение.

Виктор исчез из Москвы очень тихо, ни с кем не попрощавшись. Я надеюсь, что он поехал к бабушке,

Анне Ивановне Коломийцевой. Но точно сказать не могу, его судьба мне неизвестна.

Генерал Рябов продолжает жить в Алябьеве, дрессирует вновь обретенного Яшку. Кстати, Олег Константинович принял обряд крещения и теперь выписывает газеты «Оракул», «Тайная власть», «Третий глаз» и «Феномены».

Тамара неожиданно для всех вышла замуж. Ее супруг — Рифат Ибрагимов — вполне преуспевающий бизнесмен, по достоинству оценивший ее хозяйственные способности. Светочка по-прежнему учится в академии.

Словом, жизнь идет своим чередом. В декабре я приехала в Баковку посмотреть на новый дом Гарика. Вместе со мной напросились и Кирюшка с Лизаветой. Я теперь вполне нормально управляюсь с автомобилем. Ксюша Мартынова, с которой мы подружились, обучила меня кое-каким приемам, и теперь я не боюсь даже гололеда. Поэтому, когда Кирюша стал заталкивать в салон животных, я не протестовала. Ну когда еще собачки увидят новый дом Гарика и Ребекки?

Мы осмотрели все комнаты и другие помещения, поохали в оранжерее и поцокали языками в библиотеке. Но основная часть вечера была впереди.

С октября канал НТВ показывал новый сериал, где Бекки играла главную роль. Мы не пропустили ни одной серии, следя затаив дыхание за приключениями коварной Алевтины. Следовало признать, Ребекка отлично справилась с ролью. Лучшей кандидатуры было не сыскать. Веня только потирал руки, а газеты пестрели положительными, даже хвалебными статьями. Заключительную серию демонстрировали сегодня, потом предстоял праздничный ужин.

Когда все сели за стол, Лизавета сказала:

— Тетя Бекки, ты гениальная актриса!

— Умоляю, только без тети, — простонала Ребекка.

— Фросенька, положи себе салат.

— Не хочу траву, — пропищала девочка.

— Ешь, там витамины, — настаивала Ребекка.

— Она отлично справилась, поднимаю за это тост, — воскликнул Веня, — но, главное, не останавливаться! Нас ждет следующая работа.

— Какая? — поинтересовалась я.

— Будем снимать изумительную вещь, — оживился Веня, — костюмно-исторически-любовно-авантюрную ленту про жизнь Екатерины Великой. Такой материал: мужчины, драки, тайны, секс... Да гардемарины просто отдыхают!

— И кого будет изображать Бекки? — нахмурился Гарик.

— Естественно, Екатерину.

— Она была распущенной бабой, шлюхой, — побагровел олигарх.

— Она была императрицей, — парировал Веня, — правда, слегка вольных нравов. И вообще, что ты понимаешь в искусстве? Твое дело торговать бензином, или нефтью, или не знаю, чем ты там торгуешь...

— Моя жена не будет играть патологическую личность, — наливался злобой Игорь Серафимович.

— Тогда ей придется играть только Красную Шапочку, — фыркнул Веня, — потому что во всех ролях есть сейчас либо секс, либо насилие, либо кровь...

— Заткнись, козел! — заорал Гарик.

— Сам козел, к тому же ничего не понимающий в кино и театре! — гаркнул Веня. — Да тебе лучше помолчать в этом случае, я же не лезу в твою бензоколонку, или что там у тебя? Скважина в Каспийском море? Запомни, мой бизнес — совсем особое дело.

Гарик затрясся от злобы, пошарил рукой вокруг себя, нащупал красивый, воздушный торт, украшенный взбитыми сливками, и метнул его в Веню. Бисквит попал антрепренеру в грудь.

— Ну погоди! — завопил Веня и швырнул в Гарика миску с салатом «Оливье». Она пролетела мимо «нефтяной трубы» и, к огромной радости наших собак, шлепнулась на пол.

— Ты ничего не умеешь, — заржал Гарик, — косоглазый наш!

Веня позеленел и ловко метнул в обидчика судок с хреном. На этот раз «снаряд» угодил в цель.

Глядя, как мужики швыряются друг в друга едой, Ребекка возмущенно повернулась ко мне:

— Это ты научила их кидаться продуктами.

Тяжелый вздох вырвался из моей груди. Естественно, кто же еще, конечно, я. Впрочем, я, как правило, оказываюсь виноватой всегда. Бекки стукнула кулаком по столу:

— А ну прекратили!

Но Веня и Гарик уже вошли в азарт и никого не слушали.

Я осторожно тронула подругу за руку:

— Оставь их сейчас, еда закончится, они сами остановятся.

Бекки осмотрела разгромленный стол, хихикающих детей, собак, радостно поедающих «сель» из салатов и колбасы, потом вздохнула:

— Черт с ними, ты права!

Впрочем, Веня и Игорь Серафимович, словно услыхав последние слова Ребекки, внезапно прекратили военные действия и, тяжело дыша, уставились друг на друга.

— Ну все? — спросила я. — Повеселились, теперь будем чай пить!

— Похоже, я идиот, — буркнул Гарик.

— А я козел, — хмыкнул Веня.

Не успел он закрыть рот, как все присутствующие залились радостным смехом, потом внезапно, как-то разом замолчали. В наступившей тишине послышались довольное урчание и звук, больше всего напоминающий хрюканье. Это мопсихи Муля и Ада, подлизав с пола остатки торта, выражали хозяевам свою глубокую благодарность за удачно проведенный вечер.

Донцова Д. А.

Д 67   Созвездие жадных псов: Роман. — М.: Изд-во
Эксмо, 2004. — 352 с. (Иронический детектив).

ISBN 5-04-009867-7

Волей рока я, Евлампия Романова, опять втянута в расследование загадочного убийства соседа по даче, академика Славина. Убили его в кабинете Академии высшего образования. Он был там один. Причем вначале его застрелили, а потом, уже мертвого, ударили ножом. Говорят, Славина любили все. Даже его многочисленные жены и чада жили с ним в одном доме. Его дочь Ребекка просит меня найти убийцу отца — ей кажется, что это кто-то из близких. Ведь только они знали о тайном ходе в его кабинет. Я согласилась помочь, не подозревая, во что ввязалась... И тут вдруг погибает под колесами электрички последняя жена Славина — красавица Анжелика...

УДК 882
ББК 84(2Рос-Рус)6-4

Оформление серии художника *В. Щербакова*

Литературно-художественное издание
Донцова Дарья Аркадьевна
СОЗВЕЗДИЕ ЖАДНЫХ ПСОВ

Ответственный редактор *О. Рубис*
Редактор *Т. Семенова*
Художественный редактор *В. Щербаков*
Художник *А. Дубовик*
Компьютерная обработка *Г. Булгакова*
Технический редактор *О. Куликова*
Компьютерная верстка *Д. Прищепа*
Корректор *О. Ямщикова*

Подписано в печать с готовых монтажей 25.03.2004.
Формат 70 × 90 $^1/_{32}$. Гарнитура «Таймс». Печать офсетная.
Бум. газ. Усл. печ. л. 12,87. Уч.-изд. л. 15,1.
Доп. тираж XI 40 100 экз. Заказ № 6335

ООО «Издательство «Эксмо».
127299, Москва, ул. Клары Цеткин, д. 18, корп. 5.
Тел.: 411-68-86, 956-39-21.
Интернет/Home page — www.eksmo.ru
Электронная почта (E-mail) — info@ eksmo.ru

Отпечатано в полном соответствии
с качеством предоставленных диапозитивов
в ОАО «Можайский полиграфический комбинат».
143200, г. Можайск, ул. Мира, 93.

ГАЛИНА
КУЛИКОВА
В НОВОЙ СУПЕРСЕРИИ
ШОУ
ДЕТЕКТИВ
В ШОУ-детективах Галины Куликовой
Вас ждут стремительный вихрь приключений, остроумная комедия обстоятельств, невероятные трюки и очарование всепобеждающей женской логики!
ФАНТОМ РУЧНОЙ СБОРКИ
New!
ТАКЖЕ В СЕРИИ:
«Леди из нержавейки»
«Пенсне для слепой курицы»
«Сумасшедший домик в деревне»
ПРИКЛЮЧЕНИЯ НА МЯГКОМ МЕСТЕ!